GENEVA LEE
ROYAL DREAM

GENEVA LEE

ROYAL
Dream

Roman

Band 4

Deutsch von Charlotte Seydel

blanvalet

Die Originalausgabe erschien 2015 unter dem Titel »Crave me«
bei Westminster Press, Louisville.

Der Verlag weist ausdrücklich darauf hin, dass im Text
enthaltene externe Links vom Verlag nur bis zum Zeitpunkt
der Buchveröffentlichung eingesehen werden konnten.
Auf spätere Veränderungen hat der Verlag keinerlei Einfluss.
Eine Haftung des Verlags ist daher ausgeschlossen.

Verlagsgruppe Random House FSC® N001967

1. Auflage
Copyright der Originalausgabe © 2015 by Geneva Lee
Copyright der deutschsprachigen Ausgabe © 2016 by Blanvalet Verlag
in der Verlagsgruppe Random House GmbH,
Neumarkter Str. 28, 81673 München
Redaktion: Susann Rehlein
Umschlaggestaltung: © Johannes Wiebel | punchdesign
Umschlagmotive: Shutterstock.com
WR · Herstellung: kw
Satz: Uhl + Massopust, Aalen
Druck und Bindung: CPI books GmbH, Leck
Printed in Germany
ISBN 978-3-7341-0380-3

www.blanvalet-verlag.de

Meinem Ehemann – wir sind Seelenverwandte.

Prolog

Die Westminster Bridge verlor sich im konturlosen Dunst der Nebelschwaden, die über der Themse hingen. Touristen schlenderten über die Brücke und fotografierten sich neben eng umschlungenen Liebespaaren, während hinter ihnen Jogger vorbeiliefen. Einer nach dem anderen wurde vom Nebel verschluckt und verschwand auf Nimmerwiedersehen – so wie sich die Wege von Menschen im Leben kreuzten und wieder trennten. Ein Kommen und Gehen.

Ich stützte mich schwer auf die Brüstung des Balkons. In dieser Stadt lebten Millionen von Menschen, und doch hatte ich mich noch nie so einsam gefühlt. Das hohle Ziehen in meinem Bauch verstärkte sich mit jedem Atemzug und machte mir meine innere Leere bewusst. Ich war allein.

Vor einer Stunde war das noch anders gewesen. Vor einer Stunde hatte ich noch Pläne gehabt, eine Zukunft – und ihn. Doch dieses Leben war jetzt vorbei.

»Da bist du ja.« Clara trat neben mich auf den Balkon und legte sanft ihre Hand auf meine.

»Wohin hätte ich denn verschwinden sollen?«, erwiderte ich matt. Meine ganze Zukunft hatte sich in Luft aufgelöst. »Sitzengelassene Verlobte klingt nicht ganz so glamourös wie zukünftige Braut, findest du nicht?«

»Das sagt doch niemand. Die sagen höchstens, dass du die Frau bist, die Pepper Lockwood eine geknallt hat. Was in meinen Augen großartig ist«, erklärte sie mit Bestimmtheit.

Dieser Schnepfe eine zu verpassen, hatte sich verdammt gut angefühlt und wäre nur zu toppen gewesen, wenn ich Philip auch gleich erwischt hätte. »Ich hätte es kommen sehen müssen. Philip hat sich schon seit Wochen so merkwürdig verhalten.«

»Das hat niemand ahnen können«, versicherte mir Clara. »Und es ist absolut nicht deine Schuld. Philip hat dich betrogen, er hat alles kaputt gemacht.«

Der Diamantring an meiner Hand wurde immer schwerer. Als wäre er ein Anker, der mich an eine Vergangenheit kettete, von der ich mich lösen musste. Ich zog ihn vom Finger und hielt ihn Clara hin. »Wenigstens bringt der noch ein hübsches Sümmchen. Genug, um davon eine Weile zu leben.«

»Nur nichts überstürzen.« Sie nahm mir den Ring ab und umschloss ihn mit ihrer Faust, auf ihrer Stirn bildeten sich Sorgenfalten. Sie versuchte jedoch nicht, mir den Verkauf auszureden. Wir wussten beide, dass ich auf das Geld angewiesen war, während ich mich nach einem Job umsah.

Ein Job.

Ich sagte mir, dass ich hochqualifiziert war und keine Schwierigkeiten haben würde, eine Arbeit zu finden. Aber ich war mir nicht sicher, wie es sich in meinem Lebenslauf machen würde, dass ich ein Jahr mit den Vorbereitungen für eine Hochzeit zugebracht hatte, die nun doch nicht stattfand.

»Darum kümmern wir uns morgen.« Sie zog mich von der Brüstung fort, und im selben Moment glitt die Balkontür zur Seite, und dieser gutaussehende Mann mit lockigem Haar erschien, den ich so mochte.

»Ich habe sämtliche verfügbaren Alkoholbestände beschlagnahmt und hergeschafft«, verkündete Edward. Der jüngere Prinz hatte sich als ein wahrer Freund erwiesen und stellte das heute Abend offenbar wieder einmal unter Beweis. »Wirklich wahr. Auf der ganzen Welt ist nichts mehr übrig. Alles unsers.«

Er legte mir ein Kühlkissen auf die Hand. »Das ist für deinen rechten Haken.« Dann hielt er eine Flasche hoch: »Für alles andere gibt es Wodka.«

Ich warf einen letzten Blick auf die Stadt unter uns, dann wandte ich mich zu meinen Freunden um. »Worauf warten wir noch? Betrinken wir uns.«

I

London kümmerte es nicht, dass ich einen Termin hatte. Unbeirrt schoben sich die Menschenmassen durch Kensington. Die wenigen Bäume entlang der geschäftigen Straße waren auch nicht wirklich hilfreich, sie hatten ihr Grün in hinreißende Gold- und Brauntöne verwandelt, und anscheinend musste jeder Tourist unbedingt ein Foto davon machen. Ich drängte mich zwischen einer großen Gruppe hindurch, die sich für ein Erinnerungsfoto vor Topshop aufgebaut hatte, entschuldigte mich, durchs Bild gelaufen zu sein, und hastete dann in eine etwas ruhigere Nebenstraße. Gerade hatte ich auf der anderen Straßenseite die rot lackierte Tür mit dem Namenszug *Smith Price, Esq.* entdeckt, als der Alarm in meinem Handy mich daran erinnerte, dass ich in fünf Minuten ein Vorstellungsgespräch hatte. So schnell es meine unpraktischen Schuhe erlaubten, wechselte ich auf die andere Straßenseite und hielt vor der Tür kurz inne, um tief Luft zu holen.

Als ich mit der Hand über mein Haar strich, stellte ich zufrieden fest, dass es nach dem überstürzten Aufbruch aus meiner Wohnung noch in Form war. Gerade erst hatte ich mich von der wallenden Lockenpracht getrennt, die ich mir für die Hochzeit hatte wachsen lassen. Ein neues Leben, ein neuer Look.

Der schulterlange Bob mit dichtem Pony, für den ich mich entschieden hatte, war leichter zu stylen und anscheinend immun gegen das hektische Chaos auf Londons Straßen. Kurz überlegte ich, noch einmal zu checken, ob mein roter Lippenstift eine Auffrischung benötigte, verwarf die Idee jedoch wieder. Dafür war keine Zeit mehr, man erwartete mich. Ich strich meinen Bleistiftrock glatt, betete, dass ich mir keine Laufmasche gezogen hatte, und überprüfte den obersten Knopf meiner taillierten, elfenbeinfarbenen Bluse. Angemessen gekleidet war ich, jetzt musste ich den Job nur noch bekommen. Ein fester Arbeitsplatz war das Letzte, das mir noch fehlte, um mein Leben wieder in die Spur zu bringen. Und vielleicht konnte ich von nun an das Geld für die Gründung meiner eigenen Firma zur Seite legen.

Als ich das Vorzimmer betrat, eröffnete sich mir eine andere Welt. Von einer der schicksten und modernsten Straßen Londons war ich geradewegs in der Vergangenheit gelandet. Im Inneren dominierten kostbares Mahagoni und Leder. An den Wänden reihten sich hohe Bücherregale aneinander, und hinter einem Eichenschreibtisch saß eine überaus adrette Dame, die eine Bürotür bewachte. Sie schürzte die Lippen und musterte mich mit derart strengem Blick, dass ich verlegen zur Seite schaute. Vielleicht war ich doch nicht so passend gekleidet. Ich schätzte sie auf Mitte bis Ende vierzig, doch vielleicht ließ ihr strenges Gehabe sie älter wirken, als sie tatsächlich war. Mit einem zuckersüßen Lächeln trat ich auf sie zu.

»Ich habe einen Termin bei Mr. Price.«

Selbst als sie nickte, wich die Missbilligung nicht aus ihrem Gesicht. »Gerade noch rechtzeitig, Miss …?«

»Stuart«, ergänzte ich, obwohl sie meinen Namen vermutlich bereits kannte. Eine Frau hatte den Termin für mein Vorstellungsgespräch bestätigt, und ganz offensichtlich war sie die einzige weibliche Person hier. Nachdem ich mich jedoch schon seit sechs Monaten mit Vorstellungsgesprächen und befristeten Jobs herumschlug, wies ich sie lieber nicht darauf hin. Stattdessen schluckte ich meinen Stolz hinunter und wartete. Darin war ich ziemlich gut geworden, seit ich meinen Verlobten beim Fremdgehen erwischt hatte. Vielleicht sollte ich überlegen, das in meinen Bewerbungsunterlagen unter »Besondere Fähigkeiten« aufzuführen.

»Mr. Price erwartet Sie.« Endlich stand sie auf und bedeutete mir, ihr durch die Tür zu folgen, die sie bewachte.

Als ich sein Büro betrat, blieb ich wie vom Donner gerührt stehen. Ich hatte erst am Vortag nach Smith Price gegoogelt, aber es war mir nicht in den Sinn gekommen, Fotos von ihm anzuschauen. Bei der langen Liste seiner Bildungsabschlüsse und Karrierestationen sowie dem Kaliber der Mandanten, die sich von dieser Kanzlei vertreten ließen, hatte ich jemand Älteren erwartet. Deutlich älter. Doch der Mann, der vor mir am Schreibtisch saß und in seinem Dreiteiler absolut perfekt aussah, konnte kaum älter als dreißig sein. Sein dunkles, gewelltes Haar war sorgfältig gebändigt worden. Seine Augen waren von dunklen Wimpern umrahmt und leuchteten in einem beeindruckenden Grünton, der selbst auf diese Entfernung seine Wirkung auf mich nicht verfehlte. Seine glatte, markante Kinnpartie und seine breiten Schultern wirkten auf eine ursprüngliche Art männlich. Er saß zurückgelehnt in seinem Ledersessel und hatte die Hand nachdenklich an die fein gezeichneten Lippen gelegt. Während ich versuchte, die Fassung zu bewahren, prüfte ich fieberhaft die Festigkeit jener Mauern, die ich zum Schutz vor Männern um mich errichtet hatte. Vor allem vor Männern wie diesem. Ich straffte die Schultern und setzte ein professionelles, neutrales Lächeln auf.

Price stand nicht auf, als mich seine Sekretärin in den Raum führte. Er beobachtete nur und ließ den Blick langsam an meinem Körper hinaufwandern. Die Intensität seines Blickes brannte auf meiner Haut, Hitze schoss mir in die Wangen. Kurz bekam ich weiche Knie, und ich musste meinen ganzen Willen zusammennehmen, um in meinen Louboutin-Pumps Haltung zu bewahren. Zum Glück hatte ich mich für die vernünftigeren Absätze entschieden, sonst wäre ich jetzt gestrauchelt und hingefallen. Sein Blick blieb an meinem Mund hängen, und plötzlich bereute ich, dass ich einen derart provozierenden Rotton trug. Allerdings hatte ich auch nicht damit gerechnet, dass Smith Price aussah wie ein … wie ein Sexgott. Seine Lippen zuckten, als könnte er meine Gedanken lesen, doch dann verwandelte sich sein Gesicht wieder in eine steinerne Maske. Absolut undurchschaubar. Absolut entwaffnend.

Und leider total sexy.

Das läuft bis jetzt gar nicht gut!, warnte eine schrille Stimme in mir. Du brauchst diesen Job, und du wirst ihn erst bekommen, wenn du unter Beweis stellst, dass du etwas auf dem Kasten hast. Mach den Mund auf! Ich öffnete die Lippen und holte tief Luft. Wenn er sich nicht vorstellte, musste ich das wohl übernehmen. Ich durfte jedoch auf keinen Fall verzweifelt klingen. Nur keine Schwäche zeigen. Wenn ich auch nur die kleinste Schwäche zeigte, konnte ich mir den Job abschminken. Ich kannte solche Typen.

»Mr. Price, sehr erfreut, Sie kennenzulernen«, sagte ich mit fester Stimme und möglichst unsexy.

Jetzt stützte er das Kinn in die Hand und öffnete diese fein modellierten Lippen, von denen ich den Blick nicht abwenden konnte.

»Smith.« Die schlichte Korrektur genügte, um den Bann zu brechen. Mein Blick zuckte nach oben und traf endlich seinen. Wir sahen uns lange und tief in die Augen, so wie man jemanden anschaut, den man schon ewig kennt – der einem vertraut ist. Sein Blick wirkte nicht so kontrolliert wie alles andere an ihm, und ich war überzeugt, dass er damit eine Absicht verfolgte.

»Setzen Sie sich, Miss Stuart«, forderte er mich auf und richtete seine Aufmerksamkeit auf seinen Schreibtisch. Ich nahm auf dem Stuhl ihm gegenüber Platz.

»Sie haben bestimmt Fragen zu der freien Stelle.«

Eigentlich nicht. Ich hatte damit gerechnet, hier in die Mangel genommen zu werden. Ich bemühte mich, meine Stimme wiederzufinden, und sagte dann das Erste, was mir einfiel. »Was genau erwarten Sie … was die Stelle angeht?«

Obwohl es albern war, hatte ich das mit der Stelle hinzufügen müssen. Irgendwie hatte ich den Eindruck, dass Smith zu der Sorte Mann zählte, bei der man sich unmissverständlich ausdrücken musste.

»Eine persönliche Assistentin.«

Er ging nicht weiter ins Detail. Anscheinend wollte er sich alles aus der Nase ziehen lassen.

»Hier?«, fragte ich und deutete auf das Büro, in dem wir uns befanden. »Würde ich Sie bei Ihren Fällen unterstützen?«

Ich war mir nicht sicher, ob ich ihm bei seiner anwaltlichen Tätigkeit wirklich eine Hilfe sein konnte, aber ich war ganz sicher in der Lage, zu tun als ob, bis ich wusste, was ich tat.

»Haben Sie vielleicht eine juristische Ausbildung, von der ich noch nichts weiß?« Sein Ton war leise und unterkühlt.

Ich unterdrückte den Impuls, in meinem Sessel zusammenzusinken. Wahrscheinlich hatte ich es mit meiner blöden Frage vermasselt. Stattdessen straffte ich die Schultern. Wenn er sich jetzt als Idiot entpuppte, würde ich nicht um den Job trauern. »Ich habe keine juristischen Fachkenntnisse«, erwiderte ich und versuchte, mich genauso cool zu geben wie er.

»Das ist in Ordnung, meine persönliche Assistentin unterstützt mich nicht bei den Rechtsfällen.« Während er sprach, grinste er selbstgefällig. Das konnte doch nicht wahr sein. Welcher erwachsene Mann grinste bei einem Vorstellungsgespräch?

Ich ignorierte das Grinsen. So langsam verlor ich die Geduld – mit mir selbst genauso wie mit ihm. »Wozu brauchen Sie mich dann bitte schön?«

Das selbstgefällige Grinsen wurde zu einem schiefen Lächeln und schwand binnen Sekunden. »Sie sollen mich bei meinen Privatangelegenheiten unterstützen. Es versteht sich, dass meine Sekretärin meinen Terminkalender und meine Gerichtstermine koordiniert. Sie aber kümmern sich um meine privaten Termine sowie um die persönlichen Beziehungen zu meinen Mandanten. Ich bin ein vielbeschäftigter Mann, Miss Stuart …«

»Belle«, unterbrach ich ihn.

»Miss Stuart«, wiederholte er. »Ich bin ein vielbeschäftigter Mann. Ich vergesse Geburtstage und kaufe keine Hochzeitsgeschenke. Außerdem gehe ich nie alleine essen.«

»Erwarten Sie, dass ich mit Ihnen essen gehe?«, platzte ich

heraus. Die Sache klang allmählich sehr nach einer Ehe, allerdings ohne Zugang zu seinem Bankkonto – und ohne Orgasmen.

»Nicht jedes Mal«, fuhr er fort. »Ich habe oft Verabredungen zum Abendessen. An den Abenden, an denen ich keine Verabredung habe, oder bei Anlässen, zu denen ich eine Begleitung benötige, werden Sie dabei sein.«

»Mir war nicht bewusst, dass ich dermaßen eingespannt sein würde.« Die spitze Bemerkung rutschte mir heraus, ohne dass ich darüber nachgedacht hatte.

Smith spannte die Kiefermuskeln an, sagte jedoch nichts. Das Schweigen stand unangenehm im Raum. Dieser Job würde anstrengend werden. Die Frage war allerdings, ob es nicht noch anstrengender sein würde, etwas anderes zu finden. Denn trotz meiner Berufserfahrung und meiner erstklassigen Ausbildung hatte ich bisher noch nach jedem Bewerbungsgespräch vergeblich auf einen Rückruf gewartet. Doch ich durfte jetzt keinesfalls einen Fehler machen, nur weil diese Zurückweisungen an meinem Selbstwertgefühl nagten.

»Darf ich Sie etwas fragen?« Dies war der Zeitpunkt, Dinge offen anzusprechen – nicht erst dann, wenn ich bis über beide Ohren drinsteckte.

»Das haben Sie doch schon getan«, entgegnete er. »Und ich habe nicht gebissen.«

Bei seinen Worten glitt mein Blick zu seinen Lippen, und ich stellte mir unwillkürlich vor, wie es wäre, von ihm gebissen zu werden. Die Reaktion meines Körpers ließ darauf schließen, dass ich nichts dagegen hätte, wenn Smith Price mich beißen würde. Ganz im Gegenteil.

Jetzt wäre ein guter Zeitpunkt, die Flucht zu ergreifen.

Doch das wollte ich nicht. Ich fühlte mich wie an den Stuhl gekettet, an dieses Zimmer und an diesen Mann. Ich redete mir ein, dass das an den Chancen lag, die dieser Job mir bot, doch eigentlich wusste ich, dass es mehr war als das. Er war mir schon unter die Haut gekrochen. Ich spürte, wie er dort ein Kribbeln auslöste, dem ich allzu gern nachgegeben hätte. Zu bleiben bedeutete, diesem Verlangen widerstehen zu müssen – einfach zu gehen, schien mir jedoch völlig unmöglich.

»Angenommen, ich käme für die Position in Betracht …« Ich machte eine Pause und fragte mich, ob er sich auf meine Spekulation einlassen würde. »… welche Gründe wären ausschlaggebend?«

»Es gibt eine Reihe von Gründen, weshalb Sie eine exzellente Bewerberin abgeben.« Er lehnte sich im Sessel zurück, verschränkte lässig die Arme hinter dem Kopf und taxierte mich. »Ihre Bildung zum Beispiel.«

Ich nickte, obwohl mir ein Studium in Oxford als reine Verschwendung erschien, wenn es nur darum ging, Besorgungen zu machen oder jemandem beim Abendessen Gesellschaft zu leisten.

»Sie sehen aus, als wären Sie anderer Meinung.«

»Nein, ich …«

»Lassen Sie mich das zu Ende führen.« Seine Worte klangen moderat, doch sein Tonfall war durchaus bestimmt. Er erwartete, dass ich schwieg. Dass ich ihn ausreden ließ. Und vermutlich erwartete er, dass ich dem zustimmte, was er gleich sagen würde. »Ihre Bildung kommt mir gelegen. Ich bevorzuge eine Begleiterin, mit der ich mich unterhalten kann. Bei geschäftlichen Anlässen weiß ich eine Dame an meiner Seite zu schätzen, die sich zu benehmen weiß. Diese Vorliebe teile ich nicht mit allen meinen Geschäftspartnern.«

Ich hob eine Braue. »*Vorliebe* klingt herablassend.«

»Nicht alle Huren stehen am Straßenrand, Miss Stuart. Die meisten suchen sich einen Mann, der bereit ist, für ihr Entgegenkommen teuer zu bezahlen. Ich kann zwar nachvollziehen, dass es bequem ist, jemanden zu Hause zu haben, der stets verfügbar ist, doch solche Beziehungen sind eine Bürde, die allzu oft in Peinlichkeiten oder mit Erpressung enden«, schloss er.

Er hatte nicht ganz unrecht, auch wenn er sich gerade ein paar Extrapunkte auf meiner Schwachmaten-Skala eingehandelt hatte. »Doch wie Sie bereits erwähnten, bin ich nicht dumm und deshalb vielleicht durchaus imstande zu erkennen, wo sich Erpressung lohnt und wo nicht.«

»Sie müssen eine Verschwiegenheitserklärung unterzeichnen«, klärte er mich auf. »Und ich versichere Ihnen, dass Sie allen Grund haben werden, sich sowohl daran als auch an meine Person gebunden zu fühlen.«

Das musste ich erst einmal sacken lassen. Gebunden? Wollte ich an ihn gebunden sein? Zumindest vertraglich? Schwer zu sagen, angesichts der Bilder, die seine Wortwahl in mir heraufbeschwor. Um das zu verdauen, würde ich wohl mehr als einen Schnaps brauchen – eher die ganze verdammte Flasche.

»Es gibt auch noch andere Gründe«, fuhr er fort. »Als ich Erkundigungen über Ihr Umfeld eingeholt habe, habe ich festgestellt, dass Sie eng mit unserer neuen Königin befreundet sind. Mich hat ziemlich beeindruckt, dass Sie es geschafft haben, nicht in der Presse zu erscheinen. Offenbar haben Sie ein Talent dazu, unter dem Radar zu bleiben.«

»Oder ich bin wirklich langweilig«, konterte ich.

»Das bezweifle ich«, antwortete er mit einer leisen Stimme, bei der ein Kribbeln über meinen Rücken glitt. »Meine Geschäfte erfordern Diskretion. Ich brauche jemanden, der das versteht.«

»Ich war mit Clara befreundet, lange bevor sie Alexander kennengelernt hat.«

»Das ist eine Auszeichnung.« Smith wartete, ob ich seiner Einschätzung widersprach. Als ich es nicht tat, fuhr er fort. »Und außerdem haben Sie auch optisch etwas zu bieten.«

»Ich habe optisch etwas zu bieten?«, wiederholte ich. Ich traute meinen Ohren nicht, das hatte er sicher nicht so gemeint, wie es klang.

»Sie sind eine schöne Frau. Warum sollten wir drum herumreden.«

Ich versuchte, cool zu bleiben, und scheiterte jämmerlich. »Das grenzt gefährlich an sexuelle Belästigung am Arbeitsplatz.«

Smith Price war mir ein Rätsel. Oder vielleicht auch nicht. Alles, was er wollte, war ein hübsches Mädchen, das nicht auf den Kopf gefallen war und ihm jeden Wunsch erfüllte. Wenn ich so darüber nachdachte, war es eigentlich genau das, worauf alle Männer aus waren. Nur mit dem Unterschied, dass er bereit war, dafür zu zahlen, ohne im Gegenzug Sex zu erwarten. Diese Erkenntnis hätte mich weder schockieren noch enttäuschen dürfen, tat jedoch beides.

»In Firmen ist es absolut üblich, attraktive Menschen einzustellen. Es ist wohl kaum gesetzeswidrig, so etwas zu einer Einstellungsvoraussetzung zu machen.« Smith zuckte mit den Schultern, beugte sich vor und legte die Hände auf den Schreibtisch, wo sie reglos verharrten. Er klopfte nicht etwa

19

nervös mit den Fingern auf die Tischplatte. Er hatte die Situation und sich selbst vollkommen unter Kontrolle. Das war es, was mir Angst machte.

Und das war es auch, was ich spannend fand.

»Es sollte aber zu jedem Zeitpunkt klar sein, dass ich für Sie arbeite und nicht Ihre Freundin bin.« Was ich damit meinte, lag auf der Hand. Vielleicht hatte er mich nur deshalb die ganze Zeit so eingehend gemustert, um mich besser einschätzen zu können – es hatte sich jedoch zumindest zeitweise so angefühlt, als würde er mich mit seinen Blicken vögeln. Dass Männer davon träumten, mich flachzulegen, war ich gewohnt. Ich hatte nur kein Interesse daran, ihnen diesen Traum zu erfüllen, und ich wollte auch nicht dazu verführt werden, es mir vielleicht noch anders zu überlegen. Angesichts der Tatsache, wie mein Körper auf seine durchdringenden Blicke reagierte, musste ich das von Anfang an klarstellen.

»Ich kann Ihnen versichern, dass ich keinerlei Interesse an einer Affäre habe. Andere Männer würden vielleicht ihre Machtposition Ihnen gegenüber ausnutzen, Sie mit Geschenken bestechen oder Ihnen unsittliche Anträge machen. Aber unsere Beziehung wird rein geschäftlicher Natur sein.« Seine Stimme verebbte, so als ließe er etwas aus, eine Bedingung oder einen Hintergedanken, den er nicht weiter fortführte. »Haben Sie noch weitere Fragen an mich?«

Das sollte ich, aber mir fielen keine ein. Es fiel mir zunehmend schwer, in seiner Gegenwart einen klaren Gedanken zu fassen. Ich schaffte es lediglich, den Kopf zu schütteln.

»Dann sind wir hier fertig.« Das Vorstellungsgespräch ging jäh zu Ende, das hatte ich schon geahnt.

So war es am besten, da war ich mir sicher. Doch trotz der

überdeutlichen Warnzeichen und trotz der in mir schrillenden Alarmglocken, was diesen Mann anging, bedauerte ich, dass es nicht klappen würde. Es wäre eine gut bezahlte Stellung gewesen. Zwar kam ich trotz der umwälzenden Ereignisse der letzten Monate finanziell über die Runden, doch das verdankte ich hauptsächlich meiner Tante Jane, die sich weigerte, Miete von mir anzunehmen, und meinen engsten Freunden, die ständig für mich mitbezahlten.

Ich kratzte den letzten Rest Stolz zusammen und zwang mich zu lächeln. »Ich würde mich freuen, von Ihnen zu hören.«

»Das wird nicht nötig sein«, sagte er in einem herablassenden Tonfall, bei dem mich der Mut verließ. »Ich erwarte Sie morgen um dreizehn Uhr hier, damit wir meine aktuellen Termine und Wünsche durchsprechen können.«

Ich sah darüber hinweg, dass er meine Einwilligung offenbar voraussetzte, und konzentrierte mich lieber auf die Tatsache, dass ich den Job tatsächlich bekommen hatte. »Ich werde da sein.«

»Seien Sie pünktlich, Miss Stuart. Ich warte nicht gern.«

Ein heftiger Schmerz durchzuckte meine Unterlippe, ich hatte vor Anspannung draufgebissen. Smiths Blick hing an meinem Mund. Er hatte es schon vor mir bemerkt, und ganz gleich, was er über unsere zukünftige Beziehung sagte – seine lustvollen Blicke waren alles andere als geschäftlich.

Ich musste hier raus und wieder einen klaren Kopf bekommen. Nur so konnte ich entscheiden, ob ich wirklich morgen Mittag in diesem Büro antreten oder doch nur feige eine E-Mail schicken würde. Ich schnellte von meinem Stuhl hoch und war froh, in meinen hohen Pumps die Übersicht zu haben. Vor seinem Schreibtisch hielt ich inne.

»Eine Sache muss ganz klar sein. Ich werde tun, was Sie von mir erwarten. Ich arbeite von Ihrer Wohnung aus, wenn es sein muss, aber ich werde nicht mit Ihnen schlafen.«

»Klar«, sagte er, aber seine Antwort klang alles andere als vertrauenswürdig. Ich war mir nicht sicher, ob er mich als Herausforderung empfand oder ob er davon ausging, dass er mich bereits so gut wie rumgekriegt hatte. Eins stand jedenfalls fest: Es würde nicht leicht werden, in der Gegenwart von Smith Price standhaft zu bleiben. Vielleicht sogar unmöglich.

Doch auf diese Herausforderung ließ ich mich gern ein.

2

Als ich von Kensington zurück nach Notting Hill lief, war das Coco völlig überfüllt. Das ehemals urige Bistro war zum Anlaufpunkt für neugierige Touristen und Paparazzi geworden, die auf ein Foto des königlichen Babybäuchleins hofften, seit die Illustrierten über das wöchentliche Abendessen berichtet hatten, dass ich dort mit Edward und Clara abzuhalten pflegte. Ich drängte mich durch die Menge, bis ich Clyde entdeckte, den Geschäftsführer. Er tupfte sich gerade mit einer Serviette die Stirn und starrte ein wenig verzweifelt auf die Menge. War er in der letzten Woche gealtert, oder kam mir das nur so vor? Ich hatte ihn ins Herz geschlossen und legte Wert darauf, durch die Vordertür hereinzukommen, damit ich ihn auch sicher jede Woche sah.

»Clyde!«, rief ich und schwenkte den Arm über meinem Kopf. Es war nicht sehr ladylike, noch weniger ladylike war es für mich jedoch, zwischen verschwitzt riechenden Möchtegern-Fotografen eingekeilt zu sein.

Clyde ließ einen lauten Seufzer hören, nahm die Sache in

die Hand und bedeutete seinen Kellnern, mir zu helfen. Sobald ich es zu ihm geschafft hatte, führte er mich durch die Küche und über die Hintertreppe nach oben in einen nicht öffentlichen Speisesaal.

»Die Leute da unten sind so schlimm wie noch nie.« Ich schob meine Handtasche zurück über die Schulter und verlangsamte meinen Schritt, um mich dem Tempo des erschöpften Restaurantbesitzers anzupassen.

»Es werden immer mehr, je dicker Claras Bauch wird«, sagte er mit seinem breiten irischen Akzent. »Ich weiß nicht, wie viele Gäste wir in diesem Haus noch unterbringen können. Es platzt bald aus allen Nähten.«

»Genau wie Clara«, flüsterte ich, um seine Stimmung aufzuheitern. »Sobald das Baby da ist, brauchen Sie sich unseretwegen nicht mehr die Haare zu raufen.« Angesichts seines schütteren Haars wünschte ich, ich könnte die Bemerkung zurücknehmen, aber Clyde nickte nur traurig.

»Sie machen doch gar keine Umstände.« Er hielt mir die Tür auf.

»Wir wissen beide, dass das nicht wahr ist.« Ich trat ein und blieb kurz stehen, um ihm ein Küsschen auf die Wange zu geben. Es war nicht auszuschließen, dass es für lange Zeit unsere letzte Begegnung sein würde. »Danke für alles.«

»Es war mir ein Vergnügen«, grummelte er, bevor er sich entschuldigte und ging.

»Machst du dich etwa an Clyde ran?« Edward schnalzte mit der Zunge, während er aufstand, um mich zur Begrüßung zu umarmen. »Ein Kuss von einem hübschen Mädchen? Ich weiß nicht, ob sein Herz so viel Aufregung verkraftet.«

»Ich habe mich nur bei ihm bedankt.« Ich boxte ihn gegen

die Schulter, aber Edward lachte bloß und stellte mir einen Stuhl zurecht. »Ist sie noch nicht da?«

Edward trank einen großen Schluck Wein und seufzte, als er das Glas wieder abstellte. »Alex macht mal wieder auf Alphatier.«

»Wann tut er das nicht?«, erwiderte ich trocken, während ich mir aus der geöffneten Flasche ebenfalls etwas Wein einschenkte.

»In zwei Wochen ist der Geburtstermin. Da hat er jedes Recht, sich als Beschützer aufzuspielen.« Die Erklärung wäre nicht nötig gewesen. Wie die meisten von uns sah Edward seinem älteren Bruder nach, dass er immer die Kontrolle behalten wollte.

Vielleicht hätte ich ihm widersprochen, wenn Clara den Ärger in den letzten eineinhalb Jahren nicht geradezu magnetisch angezogen hätte. Unter den gegebenen Umständen fand ich es durchaus sinnvoll, dass Alexander sie generalstabsmäßig bewachen ließ – meistens jedenfalls. Die übrige Zeit hätte ich sie gern häufiger gesehen, als es der Fall war. Ich hatte den Verdacht, dass das weniger an Alexanders Beschützerinstinkt lag, als vielmehr daran, dass die beiden offensichtlich wie besessen voneinander waren.

»Ich glaube, wir sollten uns freuen.« Ich zuckte mit den Schultern und machte es mir auf meinem Stuhl bequem.

»Das glaube ich auch.« Edward verzog den Mund zu einem schiefen Grinsen. »David ist leider gar kein Beschützertyp.«

Ich zwinkerte ihm zu. »Vielleicht ist das dein Job.«

»Was ist sein Job?«, fragte eine müde Stimme hinter mir. Im nächsten Moment hatte Clara den Tisch erreicht und setzte sich ächzend auf den freien Stuhl, wobei sie schützend mit einer Hand ihren prächtigen Babybauch hielt. Sie mochte erschöpft klingen, aber ihre helle Haut strahlte, und ihr kastanienbraunes Haar glänzte. Wenn ich sie nicht so sehr lieben würde, hätte ich sie vielleicht dafür gehasst.

»Wir versuchen gerade herauszufinden, wer in meiner Beziehung der Alexander ist.«

Clara verzog das Gesicht. »Hoffentlich keiner von euch beiden.«

»Ärger im Paradies?« Edward legte sorgenvoll die Stirn in Falten.

»Er ist zurzeit ein bisschen überfürsorglich. Ihr habt Glück, dass ich heute überhaupt kommen durfte. Unten warten Norris und die Hälfte der Britischen Streitkräfte. Was nützt ein Hintereingang, wenn man mit einer kleinen Armee anrückt?«

Sie tätschelte sich den Bauch und lächelte zerknirscht. »Vermutlich wird es noch schlimmer, wenn sie erst auf der Welt ist.«

»Dann kommen wir eben zu dir«, versprach ich ihr. »Und so schlimm ist es nun auch wieder nicht, wenn sich jemand um einen sorgt.«

Clara sah mir in die Augen und nickte, was sofort Schuldgefühle in mir auslöste. Ich hatte nicht missgünstig klingen wollen. Der Umstand, dass sie glücklich verheiratet war, löste wirklich weder Schmerz noch Neid in mir aus. Das hatte ich ihr zwar schon hundertmal versichert, aber es war trotzdem noch nicht ganz zu ihr durchgedrungen.

»Es gibt Neuigkeiten«, verkündete ich triumphierend, um schnell das Thema zu wechseln.

»Sag bitte, du hast dich flachlegen lassen!« Edward rang flehend die Hände.

»Sehr witzig«, antwortete ich und warf ihm die Serviette an den Kopf. »Ich habe den Männern abgeschworen, schon vergessen?«

»Dann sag wenigstens, dass du dir einen Vibrator zugelegt hast, Süße«, gab er zurück.

»Den hatte sie schon lange, bevor es mit Philip auseinanderging«, bemerkte Clara trocken.

Ich hob drohend den Finger. »Stimmt. Aber leider endet meine Neuigkeit nicht mit dieser Art Höhepunkt. Ich habe lediglich einen neuen Job.«

»Das ist ja fantastisch.« Edward wirkte enttäuscht, hätte ich mit jemandem gevögelt, hätte er sich offensichtlich mehr gefreut.

»Was ist denn aus deinen Plänen von einem eigenen Modegeschäft geworden?«, fragte Clara.

»Ach, das werde ich wohl nie schaffen«, log ich. Ich hatte meiner besten Freundin nur ein einziges Mal von der Idee erzählt, aber Clara vergaß nie etwas. Doch es führte zu nichts, die beiden in meine Pläne einzuweihen, die wahrscheinlich Träumereien bleiben würden. Insbesondere, weil ich wusste, dass jeder von ihnen darauf brannte, mir mein Abenteuer zu finanzieren – und das war wirklich das Letzte, was ich wollte. »Büroarbeit ist nun einmal der langweilige Stoff, aus dem wir gewöhnlichen Sterblichen gemacht sind.«

»Nichts da!« Clara imitierte mein warnendes Fingerschwenken von vorhin. »Du warst schon lange vor mir blaublütig.«

»Na, das hat sich für meine Familie aber nicht als besonders einträglich erwiesen«, erinnerte ich sie. Dabei erwähnte ich nicht extra, dass der notorisch defizitäre Gutsbesitz meiner Mutter einer der vielen Gründe dafür war, dass ich besagten Job brauchte. »Ein Mädchen muss essen.«

»Und essen werden wir«, sagte Edward, als ein Kellner mit der Bestellung erschien.

Ich wollte nach dem Vorlegelöffel greifen, aber Edward stupste meine Hand beiseite.

»Nein. Wir Unsterblichen werden speisen, während du uns mit Geschichten aus deiner kümmerlichen bürgerlichen Existenz unterhältst. Was ist das für ein Job?«

Unterdessen schnappte sich Clara den Löffel und fing an, Pasta auf meinen Teller zu schaufeln. »Iss, aber erzähl.«

»Ich werde als persönliche Assistentin arbeiten.« Ich drehte meine Gabel in den Nudeln. Mein Magen knurrte, als ich sah, wie die dekadente Sauce Alfredo die Linguine überzog.

»Für eine bekannte Persönlichkeit?«, wollte Edward wissen.

»Für einen Anwalt«, antwortete ich, bevor ich langsam die Nudeln herunterschlürfte.

»Das ist deutlich weniger glamourös.«

»Ihr habt den Anwalt nicht gesehen«, platzte ich heraus, bevor mir klar wurde, welche Munition ich ihnen damit lieferte.

»Ach, ja?« Clara quietschte vor Aufregung.

»Sie wird mit ihm schlafen«, konstatierte Edward, als wäre das bereits eine unumstößliche Tatsache.

»Kommt bloß nicht auf falsche Gedanken«, warnte ich sie. »Er schein ein Knallkopf erster Güte zu sein.«

Clara und Edward tauschten einen wissenden Blick.

»Dann wird sie *garantiert* mit ihm schlafen«, prophezeite Edward. »Sie denkt ja jetzt schon an nichts anderes.«

Die Lampen in der Wohnung waren heruntergedimmt, als ich eintrat. Durch die Räume wogte unter leisem Knistern eine langsame, sinnliche Melodie. Weil ich meine Tante nicht stören wollte, blickte ich vorsichtig um die Ecke und sah, dass sie sich zur Musik wiegte. Ihr weiter Kaftan schwang wie ein blasser Regenbogen um ihre anmutige Gestalt. Ich hatte meine Tante mit dem wilden, platinblonden Haar und ihrer noch verwegeneren Garderobe schon immer vergöttert. Dass sie genauso temperamentvoll war, wie sie aussah, nahm mich noch mehr für sie ein.

»Na, wie war dein Tag?«, rief sie, ohne sich überhaupt umzudrehen.

»Das hat Zeit. Ich will nicht stören.«

»Unsinn.« Jane wirbelte herum und holte eine Flasche Wein aus dem Schrank. »Hol du uns Gläser.«

Erst als ich zwei langstielige Kelche aus dem Regal zog und auf dem Küchentresen abstellte, wurde ich allmählich ruhiger. Die meisten wären nicht gerade begeistert, mit einem Familienmitglied zusammenzuwohnen, doch ich hatte damit nicht die geringsten Probleme. Jane war ein Wirbelwind von einer Frau, die sich ständig veränderte und es an keinem Ort und bei keinem Mann lange aushielt. Ich war noch nicht bereit, allein zu leben, als Clara heiratete, und noch viel weniger, als meine Verlobung platzte. Es war mir leichtgefallen, bei Jane einzuziehen, und nachdem es sich in den letzten Monaten als derart schwierig erwiesen hatte, einen festen Job zu finden, war ich zunehmend glücklich darüber, dass sie es mir angeboten hatte.

»Wie war das Vorstellungsgespräch?«, fragte sie und reichte mir ein Glas Wein.

»Interessant.« Ich legte meine Finger um den empfindlichen

Stiel und ließ die rote Flüssigkeit im Kelch kreisen, wo sie das Glas einen Moment benetzte, bevor sie wieder nach unten rann.

Jane hob eine Braue. »Wie das?«

»Nun ja, ich habe den Job.« Ich stockte und suchte nach den richtigen Worten.

»Aber er beunruhigt dich«, riet Jane ins Blaue hinein.

»Mein Chef beunruhigt mich«, gab ich zu.

»Ist er ein Arsch? Oder hat er nur einen Stock in selbigem, wie die meisten Anwälte?«

»Ich weiß nicht. Er ist ziemlich direkt.« Ich wählte meine Worte weiterhin mit Bedacht. Nicht weil ich Jane etwas verheimlichen wollte, sondern weil ich mich bemühte, die Gefühle zu begreifen, die mein Inneres in Aufruhr versetzten. Allein wenn ich an das Bewerbungsgespräch dachte, löste das kleine nervöse Schauer in mir aus.

»Und, spielt er in der ersten Liga mir?«

Ich nickte. Mit Sicherheit tat er das. Ich wusste nicht viel über Smith Price, aber eines spürte ich deutlich: Macht und Autorität. Beides strahlte er aus wie die Sonne ihr Licht, und wenn ich nicht äußerste Wachsamkeit walten ließ, würde ich mir vermutlich gehörig die Finger verbrennen.

»Sag bloß, er ist auch noch gutaussehend«, schloss Jane den Bericht für mich ab.

»Ja«, hauchte ich, und in meinem Bauch flatterte ein einzelner Schmetterling empor. »Ich fürchte, ich könnte den Kopf verlieren, wenn ich für ihn arbeite.«

Jane nahm meine Hand. Sie schüttelte den Kopf und ließ ihr glockenhelles Lachen klingen. »Ein bisschen Aufregung tut dir ganz gut.«

»Ich hatte kürzlich genügend Aufregung für ein ganzes Leben.« Nach der Sache mit Philip stand mir der Sinn wahrlich nicht nach weiteren Abenteuern. Jane hingegen stolperte von einer Liebesaffäre in die nächste. Sie mochte damit glücklich sein, aber für mein Leben stellte ich mir etwas anderes vor. »Ich will mich auf mich selbst und meinen Businessplan konzentrieren und mich nicht von einem Mann ablenken lassen.«

»Gelegentliche Ablenkungen braucht man aber. Du kannst nicht immer nur arbeiten. Das ist kein Leben. Jede Frau braucht eine ordentliche Portion Romantik. Du musst dich nicht zwischen deiner Karriere und der Liebe entscheiden«, sagte sie mit sanfter Stimme, »tu einfach, was gut für dich ist.«

»Vielleicht weiß ich gar nicht, was gut für mich ist«, gestand ich und senkte den Blick. »Ich war drauf und dran, einen Mann zu heiraten, der in eine andere verliebt war.«

»Belle!«, mahnte sie zärtlich. »Du warst von der Liebe verblendet. Die Hochzeit. Dazu der Lebensstil. Du hast dich nach Beständigkeit gesehnt. Nach der Kindheit, die du durchlitten hast, kann dir das weiß Gott niemand verdenken.«

»Von nun an sorge ich eben selbst für Beständigkeit.« Ich hob den Kopf und schaute ihr in die Augen.

»Dann tu das, aber hör nicht auf zu leben. Sich auf nichts mehr einzulassen – das bedeutet nicht Beständigkeit, sondern nur den schleichenden Tod.«

»Dann sollte ich den Job wohl annehmen?«, fragte ich.

»Brauchst du den Job?«

»Das kommt drauf an«, sagte ich und musste unwillkürlich grinsen, »wie lange ich meine Miete noch mit billigem Wein bezahlen kann.«

»Nimm den Job an und bezahl mich mit gutem Wein.« Jane

zwinkerte. »Ich will keine Miete von dir, aber ich will, dass du bald dein eigenes Geschäft aufmachst. Und falls du deine Einstellung bezüglich eines Investors geändert hast, sag Bescheid ...«

Ich winkte ab. »Ich muss das aus eigener Kraft schaffen.«

Ich hatte keine Ahnung, ob meine Geschäftsidee sich auf dem Markt durchsetzen würde. Seit meinem Studium hatte sich eine Menge verändert, und ich würde unter gar keinen Umständen Geld von Jane oder sonst jemandem annehmen, ehe ich nicht sicher war, dass ich es schaffen konnte.

»Du weißt, ich will dich nicht unter Druck setzen, aber mein Angebot steht nach wie vor.«

»Ich weiß.« Ich trank einen großen Schluck Wein und stellte mein Glas ab. »Ich sollte jetzt ein bisschen schlafen. So wie es aussieht, muss ich morgen arbeiten.«

»Belle, hast du deiner Mutter schon von dem ... Job erzählt?«

Sofort spannte sich mein gesamter Körper an. »Noch nicht.«

»Dann tu es auch nicht«, riet mir Jane.

»Sie wird es herausfinden.«

»Dann ist es immer noch früh genug.« Jane stand auf und legte mir die Arme um die Schultern. »Wenn du dich auf dich selbst konzentrieren willst, wäre das vielleicht ein guter Moment, damit anzufangen.«

»Da könntest du recht haben.«

Jane, die offenbar sah, wie schwer mir das Herz war, schenkte mir ein Lächeln, dann zog sie mich hoch, nahm mich fest in den Arm und hielt mich so lange, bis auch der letzte Rest von Schuldgefühl verschwunden war. »Ich bin stolz auf dich.«

»Wirst du auch noch stolz auf mich sein, wenn ich umfalle und mich dem Chef an den Hals werfe?«, fragte ich ironisch.

»Liebling, nichts würde mich stolzer machen.«

3

Es war fünf nach eins. Ich trommelte mit den Fingern auf das Fensterbrett. Ich hasste es, wenn man mich warten ließ. Seit drei Jahren hatte mich keine Frau mehr warten lassen. Wenn Belle Stuart mich nicht so verdammt fasziniert hätte, ich hätte meiner Empfangssekretärin bereits befohlen, ihr die Tür zu weisen, falls sie doch noch zu erscheinen geruhte. Doris, das alte Schlachtross, das seit fünf Jahren in meinen Diensten stand, hätte sie eiskalt abserviert.

Es war ein Fehler gewesen, sie nicht gleich in die Wüste zu schicken. Davon war ich längst überzeugt, als mir ein zartes Klopfen an der Tür, das ganz sicher nicht von Doris stammte, ihre Ankunft signalisierte.

Ich richtete mich auf, verschränkte die Hände hinter dem Rücken und wartete einen Moment, bevor ich »Herein« sagte.

Der Tür ging auf, doch ich wandte ihr weiterhin den Rücken zu und richtete den Blick auf die Straße. Besser, sie lernte sofort, dass sie keinen Anspruch auf meine Aufmerksamkeit hatte, sondern dass ich entschied, wann ich sie ihr schenkte.

Das bedeutete allerdings nicht, dass mich ihre Anwesenheit kaltließ. Ihr leises Atmen war in dem stillen Raum unüberhörbar, und ich verstärkte den Griff um mein Handgelenk.

Ein Fehler.

Da ich am Fenster stand und die Arme hinter dem Rücken verschränkt hielt, hatte sie die Bewegung direkt vor Augen. Es spielte keine Rolle, ob sie ihr tatsächlich aufgefallen war. Dies war nur ein weiterer Fehler, den ich in der Gegenwart Belle Stuarts begangen hatte. Mein erster Fehler war womöglich schon gewesen, sie überhaupt einzustellen. Ich durfte mich nicht von ihr aus dem Konzept bringen lassen. Sie sollte nur sehen, was ich ihr zu sehen erlaubte. Also keine Ausrutscher mehr. Die Tatsache, dass ich mir des Problems bewusst war, würde es mir künftig vermutlich einfacher machen, damit umzugehen.

»Mister Price.« Sie klang verlegen. Ganz anders als die Frau, mit der ich erst gestern das Vorstellungsgespräch geführt hatte. Vielleicht eignete sie sich, um an ihr Gegensätze zu studieren. Stark, aber verletzlich. Kühl und doch einladend. Eine Dame, solange sie bekleidet war, und gefährlich wild, wenn alle Hüllen fielen.

Die Zeit würde es zeigen.

Natürlich war sie womöglich wegen ihrer Verspätung verlegen.

Ich wandte mich zu ihr um, bevor ich einen weiteren Fehler begehen konnte. Ich ballte meine Hand zur Faust. In ihrer Gegenwart nicht die Kontrolle zu verlieren, würde eine Herausforderung sein, ganz besonders dann, wenn sie sich auch weiterhin so unverfroren über meine Anweisungen hinwegsetzte. Für den Augenblick sollte ein einfacher Verweis genügen, aber ich zweifelte nicht daran, dass ich irgendwann noch das Vergnügen haben würde, sie weitaus schärfer zu maßregeln. »Smith.«

»Smith.« Ich hörte zu gern, wie sie den Namen ausprobierte. Mein Name auf ihren Lippen klang vertraut und hatte etwas Intimes. Belle schob ein Bein hinter das andere und rieb es nervös an ihrer Wade. Sie trug wieder Schuhe mit roter Sohle. Irgendeine Luxusmarke. Normalerweise würde ich meine Sekretärin bitten, der schönen Frau vor mir ein Paar davon zu schicken. Ein Geschenk, das mir den Weg zu dem ebnete, was mich eigentlich interessierte. Das richtige Geschenk ersparte einem all das lästige Brimborium – Abendessen, Unterhaltungen, Romantik. Ein Geschenk brachte mich ohne Umwege zum Ziel: mein Schwanz tief in einer warmen Muschi. Alles andere war bloß vonnöten, wenn ich mehr wollte – zumindest das Abendessen und die Unterhaltung. Meiner Erfahrung nach brauchte eine Frau nur das rechte Maß an Aufmerksamkeit – dann tat sie alles, was ich von ihr verlangte.

Aber ich war mir noch nicht sicher, was ich eigentlich von Belle Stuart wollte.

»Mich lässt man nicht warten«, klärte ich sie auf. »Sie täten gut daran, sich das zu merken.«

»Selbstverständlich.« Sie senkte den Kopf, aber ich sah, wie ihre Augen blitzten.

Belle Stuart mochte es nicht, gemaßregelt zu werden. Das war bedauerlich, wenn man bedachte, wie gern ich erzieherisch tätig wurde.

Ich deutete auf das schwere Ledersofa. »Kommen Sie. Wir müssen ein paar Unterlagen durchgehen.«

Ohne den Blick von ihr zu lösen, nahm ich den Ordner

mit diversen Papieren und Verträgen, die sie mir unterschreiben musste. Sie ließ sich auf die Couch sinken und strich sich beim Hinsetzen den grauen Rock über ihrem Hinterteil glatt. Der Rock saß eng oder war so geändert worden, dass er ihren Hintern wunderbar zur Geltung brachte. Am liebsten hätte ich den Schneider aufgesucht und ihm dafür ein Trinkgeld gegeben. Als ich mich neben sie setzte, schlug sie die Beine übereinander und faltete die Hände in ihrem Schoß.

Widersprüchliche Signale.

Ich ließ die Unterlagen auf den Couchtisch aus Eiche fallen, dann lehnte ich mich zurück und legte einen Arm über die Rückenlehne. Sie erstarrte, dabei berührte ich sie nicht. Nicht annähernd. Trotzdem reagierte sie so, als hätte ich es getan.

Interessant.

»Da Sie mich zu einer Reihe von geschäftlichen Verabredungen begleiten werden, müssen Sie eine Verschwiegenheitserklärung und Ihre Einwilligung zu einem Mediationsverfahren unterzeichnen.«

»Ein Mediationsverfahren?« Sie hob die Brauen.

»Das heißt im Grunde nur, dass Sie mich nicht verklagen, ohne sich zunächst um eine gütliche Einigung zu bemühen.« Es war etwas mehr als der übliche Papierkram bei Neueinstellungen, aber es war alles hieb- und stichfest und schützte mich und meine Geschäfte.

»Ich glaube, ich würde Sie lieber erpressen.« Sie verzog die kirschroten Lippen zu einem Lächeln, und ich begriff, dass sie einen Scherz gemacht hatte.

»Davon würde ich Ihnen abraten«, antwortete ich mit leiser Stimme.

Das Lächeln erstarb. Sie beugte sich vor, um die Verträge

durchzusehen, und belohnte mich auf diese Weise mit einem Blick in ihr Dekolleté. Ihre Brüste waren eher klein, ein B-Körbchen vielleicht, aber genug für einen Mundvoll.

Ich zog einen Stift aus meiner Anzugtasche und legte ihn auf den Tisch. Natürlich hätte ich ihn ihr auch gleich geben können, aber so musste sie sich noch einmal vorbeugen.

»Sie erwähnten Abendessen«, bemerkte sie, während sie die Seiten überflog. »Geht es dabei ausschließlich um geschäftliche Termine oder auch ums Vergnügen?« Ihre Wangen röteten sich, und sie verschluckte sich fast. »Ich meine, sind das auch Essensverabredungen mit Ihren Freunden oder nur mit Ihren Mandanten?«

»Es gibt Leute, die zwischen Geschäftlichem und Privatvergnügen eine deutliche Trennlinie ziehen.«

»Und Sie?«, hakte sie sofort nach, hob den Blick und sah mir in die Augen.

»Ich fand es schon immer gut, das Angenehme mit dem Nützlichen zu verbinden.«

Sie unterbrach als Erste unseren Blickkontakt und versuchte, ihre Nervosität dadurch zu kaschieren, dass sie gleich zum nächsten Vertrag weiterblätterte. »Also werden Sie mich regelmäßig in den Abendstunden benötigen?«

»Und an den Wochenenden«, fügte ich hinzu. »Ist das ein Problem für Sie?«

»Eine Frau braucht auch ein Privatleben.« Sie zuckte mit den Schultern, aber ich bemerkte, dass ihre Wangen noch immer leicht gerötet waren.

»Die Position erfordert einen bestimmten Lebensstil. Ich glaube, wenn Sie zur letzten Seite blättern, werden Sie feststellen, dass Ihr Zeitaufwand mit dem Gehalt und den Zusatzleistungen überaus angemessen kompensiert wird.« Ich wartete, während sie im Vertragsentwurf nach meinem Angebot suchte, das ich ganz bewusst am Ende platziert hatte.

Schweigend studierte sie die Seite und ergriff erst das Wort, als sie fertig war. »Das ist zu viel.«

»Die meisten Leute würden jetzt schon unterschreiben und auf den ersten Scheck warten«, bemerkte ich trocken. Das Gehalt, das ich ihr anbot, enthielt eine Botschaft: Ich erwarte Loyalität. Eine sechsstellige Summe, ein eigener Fahrer und ein Spesenkonto – das war der Preis, den ich zu zahlen bereit war.

»Ich bin keine Prostituierte, Mr. Price. Ich lasse mich nicht kaufen. Man zahlt einer Assistentin nicht solche Summen.«

»Vielleicht nicht.« Jetzt war es an mir, mit den Schultern zu zucken. »Sie betonen bereits zum zweiten Mal, dass Sie nicht gewillt sind, im Rahmen Ihres Arbeitsverhältnisses mit mir zu schlafen. Ich versichere Ihnen, Belle, dass ich nicht daran interessiert bin, meine Angestellten zu vögeln. Ich habe es nicht nötig, eine Frau dafür zu bezahlen, die Beine breitzumachen.«

Sie schlug die Augen nieder und senkte den Kopf. Ich beugte mich vor und stützte die Ellenbogen auf die Knie, um ihr ins Gesicht zu schauen.

»Habe ich mich klar ausgedrückt?«

»Ja.« Sie biss die Zähne zusammen und nickte. »Ich möchte es noch deutlicher formulieren. Ich werde nicht die Beine breitmachen, Smith.«

Ich musste unwillkürlich grinsen. Manchen Männern missfiel eine spitze Zunge. Ich ließ mich gern herausfordern.

»Ich wäre enttäuscht, wenn Sie es täten«, erwiderte ich schlicht und zu meiner eigenen Überraschung. »Dann wären wir ja durch mit dem Thema.«

Waren wir ganz und gar nicht. Es ging ihr nicht darum, mich abzuschrecken, vielmehr versuchte sie, sich selbst zu überzeugen. Das war mehr als deutlich zu sehen und gefiel mir ausgesprochen gut. Die Rötung ihrer Wangen hatte sich bis zu ihrem Hals ausgebreitet und leuchtete über ihrem Brustansatz. Sie biss sich auf die Lippe, als würde sie sich, genau wie ich gerade, ausmalen, wie meine Lippen über ihr Schlüsselbein strichen und an ihrem Hals nach oben glitten, bis meine Zähne sich in ihre volle Unterlippe vergruben.

Belle räusperte sich und brachte uns damit wirkungsvoll auf den Boden der Realität zurück. Ich lehnte mich in die Sofaecke und veränderte die Position meines Beines so, dass es gegen ihr Knie stieß. Sie packte die Unterlagen zusammen und atmete hörbar ein, bewegte sich aber nicht. Unsere Beine blieben dicht nebeneinander, lediglich getrennt durch das hauchdünne Gewebe ihrer Strümpfe und den Stoff meiner Anzughose.

Das Problem war, dass Belle Stuart nicht mit mir schlafen wollte. Sie wollte genommen werden und zwar hart. Ihr ganzer Körper schrie danach, aber bis das auch in ihrem Kopf angekommen war, würde ich dieses kleine Vorspiel mit Vergnügen fortsetzen. Außerdem war da auch noch der Umstand, dass sie meine Assistentin war. Sex würde das nur verkomplizieren. Und ich wollte nun wirklich nicht ihretwegen mit der einzigen Regel brechen, die ich mir für den Umgang mit Frauen auferlegt hatte: keine Verbindlichkeiten. Ich bevorzugte schnelle, saubere One-Night-Stands oder eine handverlesene Escort-Lady. Diese Dame hier war jedoch im Begriff, einen Vertrag zu unterzeichnen, der uns aneinander band. Das war fast so schlimm wie eine Heirat. Es war also wirklich besser, wenn ich Distanz wahrte.

Ich stand auf und merkte, dass sich das Zimmer sofort kälter anfühlte. Trotzdem lockerte ich meine Krawatte. Es war unnötig, in ihrer Gegenwart ganz formell zu bleiben. Meine letzte Assistentin hatte mir jeden Morgen den Kaffee ans Bett gebracht. Bei der Vorstellung, mir von der renitenten Miss Stuart das Frühstück servieren zu lassen, musste ich lachen. Sie würde es genießen, dass ich nackt schlief, und ich würde es genießen, ihr dabei zuzusehen, wie sie versuchte, ihre Aufregung zu verbergen.

»Gibt es etwas zu lachen?«, fragte sie und drehte ihren Körper, um mir mit dem Blick zu folgen, als ich das Büro durchquerte.

»Nur ein Scherz, der mir eingefallen ist«, winkte ich ab. »Nichts von Bedeutung.«

»Ich habe eine Schwäche für gute Witze.« Sie stellte mich auf die Probe, legte den Kopf schief und musterte mich.

Ich öffnete die Schreibtischschublade und holte ein kleines weißes Kästchen hervor. »Ich bin mir noch nicht über die Pointe im Klaren.«

»Dann sind Sie wohl leicht zum Lachen zu bringen.«

»Kaum.« Ich kehrte zu ihr zurück und hielt ihr das Kästchen hin. »Es sei denn, das Thema fasziniert mich.«

»Vielleicht finden wir ja ein gemeinsames Thema.« Ihre Hand streifte meine, als sie das Kästchen nahm. Kühl und weich – die samtene Berührung einer Frau.

Mein Schwanz regte sich und ließ mich davon träumen, wie diese zarte Hand sich darum schloss. »Was das betrifft, habe ich ein gutes Gefühl.«

»Und dennoch teilen Sie nicht.« Jedes ihrer Worte war pointiert und enthielt eine unterschwellige Bedeutung, die ich instinktiv verstand. Was sich zwischen uns abspielte, fand auf einer animalischen Ebene statt. Eine nicht zu leugnende Naturgewalt zog uns zueinander hin. Ich musste sie vögeln, bis ich sie ganz ausfüllte. Und sie musste genommen und festgehalten werden – in Besitz genommen.

Stattdessen wartete ich, dass sie den Deckel abnahm und ein Mobiltelefon zum Vorschein kam.

»Ich habe schon ein Telefon«, sagte sie, obwohl sie bereits mit dem Finger über den champagnergoldenen Rahmen strich.

Ich hatte die richtige Wahl getroffen. Auch wenn sie sich spröde gab, war unverkennbar, dass es ihr gefiel. Ich hatte gespürt, dass Belle einen Sinn für charmante Details besaß – für wahren Luxus. Sie war eine Frau mit Geschmack.

»Dies Telefon ist für mich. Ich allein kenne die Nummer, und Sie werden es ständig bei sich tragen.«

»Und was kommt als Nächstes? Wollen Sie mich mit nach Hause nehmen und an die Wand ketten?«, fragte sie tonlos und drückte es mir wieder in die Hand.

Belles schlanker Hals von einem Halsband umschlossen und an die Kette gelegt. Es würde nicht leicht werden, meine Erektion vor ihr zu verbergen, wenn sie mich weiterhin auf solche Ideen brachte. Ich machte einen kleinen Schritt hinter die Couch, was sie zwang, sich umzudrehen. Die abgesteppte Rückenlehne war nicht annähernd hoch genug, um meinen steinharten Schwanz zu verbergen.

Sie hob die Hand, doch ich schüttelte den Kopf. »Darf ich Sie etwas fragen?«

»Gewiss.«

Gott, sie war sogar sexy, wenn sie schmollte.

»Warum wollen Sie den Job eigentlich, wenn Sie mich so abscheulich finden?«

Ihr hübscher kleiner Mund klappte auf und zu. Sie schnappte nach Luft. »Das tue ich nicht… Ich weiß nicht, warum… Ich kenne Sie doch gar nicht.«

»Und trotzdem haben Sie mir schon so einiges unterstellt«, erklärte ich. »Sie unterstellen mir, dass ich mit Ihnen schlafen will. Dass ich Sie für eine Prostituierte halte.«

»Das habe ich nicht gesagt…«

»Doch, das haben Sie.«

»Korrigieren Sie mich, wenn ich mich irre, aber Sie wollen sich eine schöne Frau ans Revers heften.« Sie verschränkte die Arme.

»Es tut gut, einer Frau mit Selbstvertrauen zu begegnen. Als Mann ist man es irgendwann leid, mit hübschen Mädchen zu verkehren, die so tun, als wüssten sie nicht, wie sie aussehen. Ich bestreite nicht, dass Sie hübsch sind, aber ich stelle Sie auch deshalb ein, weil Sie in Oxford studiert und eine gute Erziehung genossen haben. Außerdem traue ich Ihnen zu, meinen anspruchsvollen Terminkalender in den Griff zu bekommen. Oder täusche ich mich da?«, fragte ich und nutzte die Gelegenheit, sie zu provozieren.

»Diese Qualifikationen besitze ich durchaus.« Sie stand auf und schnappte sich das Telefon. »Und noch einige mehr. Aber ich bin nicht darauf aus, ein teures Accessoire zu sein.«

»Ich versichere Ihnen, dass ich sie hart rannehmen werde.« Ich wollte mir diese Andeutung nicht versagen. »Und zwar härter, als Sie es je zuvor erlebt haben.«

»Ich freue mich auf die Herausforderung«, hauchte sie.

Herrgott, hatte sie denn gar keinen Selbsterhaltungstrieb? Die letzte halbe Stunde hatte sie wie Frischfleisch vorm Löwenmaul gehangen, und das Tier geneckt, wann immer es sich ihr näherte. Sie konnte von Glück reden, dass ich sie nicht mit Haut und Haaren verschlungen hatte. Ich konnte mich gerade noch zurückhalten, nicht über sie herzufallen.

»Ein Fahrer wird Sie morgens abholen.« Gern wäre ich noch einen Schritt näher auf sie zu getreten. Ich war neugierig, wie sie reagierte, wenn man sie in die Enge trieb, doch das Sofa bildete eine feste Hürde. Nie zuvor hatte ich so viel Dankbarkeit einem Möbelstück gegenüber empfunden.

»Ich kann genauso gut mit der U-Bahn kommen oder mir ein Taxi nehmen. Ich weiß nicht, ob ein Fahrer nötig ist.«

»Was nötig ist, entscheide ich«, überging ich ihren Einwand. Sie würde schon noch begreifen, dass sie bei mir nicht viel zu melden hatte.

Sie kniff die Augen zusammen, hielt jedoch den Mund. Was für ein Jammer, geöffnet gefiel er mir besser.

»War das alles?«, fragte sie forsch und umrundete die Couch. Sie hängte sich ihre Handtasche über die Schulter und schaute mir durchdringend in die Augen.

»Ja. Lassen Sie Ihr Telefon eingeschaltet.«

Sie warf mir ein gekünsteltes Lächeln zu, dann machte sie auf dem Absatz kehrt und marschierte aus dem Zimmer.

Ich stieß die Luft aus, erst jetzt wurde mir bewusst, dass ich den Atem angehalten hatte. Dann schlenderte ich wieder zu meinem Schreibtisch. Ich ließ mich auf den Stuhl sinken und starrte auf die Tür, durch die sie gerade verschwunden war. Der Duft ihres Parfüms hing noch in der Luft. Sie einzustellen war ein Fehler gewesen. Das war mir jetzt klar. Dies war kein Spiel, sondern eine Prüfung, bei der ich ganz gewiss versagen würde. Ich hatte mir ihre Akte angeschaut. Ich wusste genau, warum sie zwischen uns eine Mauer errichtete. Das war mir auch stets gelungen. Sie war nicht die erste attraktive Frau, die ich für diesen Posten angeheuert hatte. Jede von ihnen hatte sich mir irgendwann angeboten, und ich hatte sie alle zurückgewiesen.

Was jedoch Belle anging, hegte ich nicht den geringsten Zweifel, dass ich sie innerhalb von fünf Sekunden an die Wand genagelt hätte, wenn sie auch nur mit dem kleinen Finger geschnippt hätte. Es war ausgeschlossen, unser Verhältnis professionell zu halten, wenn ich immerzu darüber nachdachte, wie ich sie knacken konnte. Ich wollte ihre Mauern einreißen, bis das wilde Tier zum Vorschein kam, das sie dahinter eingesperrt hatte. Ich würde mich erst zufriedengeben, wenn sie mir gehörte.

Und genau deshalb durfte es nie so weit kommen.

Ich zog die Schreibtischschublade auf, holte einen Bilderrahmen heraus, wischte mit einen Flanelltuch über das Glas und sah in die Augen, die mich aus dem Foto anschauten. Sie wirkten so wach und lebendig.

»Warum habe ich sie nicht gefeuert?«, fragte ich das Foto, doch niemand antwortete.

Es hatte noch nie jemand geantwortet.

4

Sie stöhnte, als ich ihre Beine auseinanderdrückte; ihre Zähne bissen in ihre volle Unterlippe. Ich hielt mich zurück, machte schön langsam – das hatte sie verdient. Doch als ich in sie eindrang, mich immer tiefer in sie versenkte, beschleunigte sich mein Rhythmus, bis ich schließlich fest zustieß. Mein Gott, sie fühlte sich so fantastisch an. Ich wollte es ihr sagen, aber ich hatte keine Chance, ihre Lustschreie zu übertönen. Endlich war ich da, wo ich hingehörte. Das wusste ich jetzt.

Ich schlang den Arm um ihre Taille und drehte sie um, weil ich diesen göttlichen Körper unbedingt auch von hinten betrachten musste.

Doch dann schreckte ich aus dem Schlaf auf, ich war schweißgebadet und presste das Gesicht ins Laken. Ich war allein. Es war nur ein Traum. Diese Erkenntnis war mir so unwillkommen wie mein leeres Bett. Ich klammerte mich an das Kissen über meinem Kopf, aus Verzweiflung hätte ich es am liebsten zerrissen. Sofort spürte ich das nervöse Prickeln in meinen Handflächen. Ich tastete auf dem Nachttisch nach der Fernbedienung und drückte den Knopf, um die Vorhänge zu öffnen. Helles Licht strömte herein, als die Vorhänge zur Seite glitten. Ein spitzer Federkiel hatte sich durch den Bettbezug gebohrt. Ich zog ihn heraus und betrachtete den gefiederten Flaum einen Moment. Etwas Weiches mit einem kleinen Stachel. Darin lag eine gewisse Poesie. Ich blies die Feder in die Luft. Dann nahm ich mein Handy vom Nachttisch und schrieb eine SMS.

Kaffee. Schwarz. Garrison steht in fünf Minuten vor Ihrer Wohnung und holt Sie ab.

Wir hatten gestern wichtige Dinge noch nicht besprochen. Beispielsweise meinen Morgenkaffee oder wann ich sie jeden Morgen in meinem Haus erwartete. Mein Wunsch, sie flachzulegen, hatte mich zu sehr abgelenkt. Jetzt hatte ich keinen Kaffee und wollte sie immer noch vögeln. Stöhnend rollte ich mich auf den Rücken und befreite die stahlharte Erektion, mit der ich aufgewacht war. Vielleicht war es doch besser, dass sie mich heute Morgen nicht geweckt hatte. Andererseits war es aber auch eine Sünde, das gute Stück nicht zu nutzen.

Haben Sie eine Ahnung, wie spät es ist?

Zeit für Kaffee.

Während ich antwortete, streichelte ich mit der freien Hand über meinen Ständer. So schnell würde ich den nicht mehr loswerden. Bei einer Morgenlatte konnte nur eine warme Muschi Abhilfe schaffen. Obwohl ich mir vorstellen konnte, dass ihr fester Hintern genauso gut zu gebrauchen war.

Sagen Sie diesem Garrison, dass ich in zwanzig
Minuten fertig bin.

Sie haben fünf Minuten.

Legen Sie sich noch mal hin, und stehen Sie dann mit
dem richtigen Bein zuerst auf.

Ich merkte ihren Nachrichten deutlich an, wie genervt sie war.
Sie hatte definitiv den falschen Stock im Arsch. Da wüsste ich
etwas Besseres. Mein Schwanz prickelte zustimmend.

Los. Aufstehen und an die Arbeit.

In der nächsten halben Stunde müssen Sie sich noch
allein beschäftigen.

Kurz überlegte ich, ihr einen Schnappschuss von dem Schaft
in meiner Hand zu schicken, um ihr zu zeigen, womit genau ich in den kommenden dreißig Minuten beschäftigt sein
würde. Vielleicht brachte sie das schneller hierher. Andererseits würde sie sich dann höchstwahrscheinlich gar nicht mehr
blicken lassen. Ich hatte sie noch nicht durchschaut. Dieses
Problem hatte ich selten bei einem Menschen, insbesondere,
wenn es sich bei dem Menschen um eine Frau handelte. Das
machte mich zu einem guten Anwalt. Ich wusste, dass sie mit
mir vögeln wollte. Das stand groß und breit auf ihrer Stirn. Ich
hatte Erkundigungen über sie eingezogen, und angesichts dessen, was ich dabei erfahren hatte, konnte ich verstehen, dass
sie gerade eine Anti-Männer-Phase durchlebte. Ich mochte

nicht der Mann sein, der sie heilen würde, aber das bedeutete nicht, dass ich ihr nicht helfen würde, wieder auf die Beine zu kommen.

Ich rief mich zur Ordnung. Mit derlei Gedanken lud ich mir nur Probleme auf. Denn eigentlich brauchte ich gar keinen Gedanken an sie zu verschwenden. Sie war meine Assistentin, und Assistentinnen hatte ich noch nie gevögelt.

Hätte ich doch nur beim Vorstellungsgespräch nicht gemerkt, wie empfänglich ihr Körper war. Schon stellte ich mir vor, ihn zu unterwerfen – ihn zu kontrollieren. Belle Stuart würde mehr als eine flüchtige Affäre sein, wenn ich die Dinge mit ihr anstellte, nach denen ich mich sehnte.

Genau deshalb sollte ich jetzt eine kalte Dusche nehmen.

Ich zog das Kissen unter meinem Kopf hervor und schleuderte es quer durchs Zimmer. Offensichtlich blieb mir eine halbe Stunde, um meinen Kopf – und meinen Schwanz – unter Kontrolle zu bekommen.

Die Puppe ist ein Mittel zum Zweck, ermahnte ich mich, als ich kurz darauf das Wasser aufdrehte. Solange ich mir das sagte, konnte ich die Finger von ihr lassen. So einfach war das.

»Wem willst du was vormachen?«, fragte ich das leere Badezimmer. »Es ist zu kompliziert.«

Dann reduzierte ich die Wärme noch um ein paar Grad und trat unter die Dusche.

5

Ich musste diesen Job kündigen. So viel stand bereits fest. Smith Price mochte sich einen darauf runterholen, mich herumzukommandieren, aber damit wollte ich ihn unter keinen Umständen durchkommen lassen. Dumm nur, dass ich diesen Job und das aberwitzige Gehalt brauchte.

Erneut erschien die Seite mit dem Jahresgehalt, die ich gestern im Arbeitsvertrag gesehen hatte, vor meinem inneren Auge. So viele Nullen hinter der Zwei.

Okay. Ich konnte also nicht kündigen. Jetzt noch nicht. Ich würde diesen Mist ein paar Monate lang ertragen, dann hatte ich das Kapital zusammen, um meine Geschäftsidee zu verwirklichen. Bis es so weit war, wollte ich ein paar Dinge klarstellen – zum Beispiel, dass er mir mehr als fünf Minuten einräumen musste, um angezogen und startklar zu sein.

Jane erschien in ihrer Zimmertür und rieb sich den Nacken. »So früh fängst du an? Wir hätten gestern nicht so viel Wein trinken sollen.«

»Ich bin anscheinend immer in Rufbereitschaft«, knurrte

ich, während ich mir mit Haarklammern eine Frisur zurechtsteckte. Mir blieb keine Zeit, mir die Haare zu waschen. Ich hatte zwar nicht die Absicht, meinem neuen Fahrer tatsächlich binnen fünf Minuten vor die Augen zu treten, aber ich wollte auch nicht riskieren, ihn länger als zehn Minuten warten zu lassen.

»Tut mir leid, dass ich dich geweckt habe. Mister Smith verlangt, den Kaffee im Bett serviert zu bekommen.«

»Ein Mann, der voller Verlangen im Bett auf dich wartet?«, gab Jane grinsend zurück. »Falls du beschließt zu kündigen, hätte ich Interesse an der Stelle.«

Ich hob warnend den Zeigefinger. »Hör auf. Ich schlafe nicht mit ihm.«

»Wie schade«, gab sie gähnend zurück. »Du hättest es wirklich mal wieder nötig.«

»Diese Bemerkung will ich lieber unkommentiert lassen.« Im Vorbeigehen küsste ich sie flüchtig auf die Wange.

»Dann wünsche ich noch einen entzückenden Morgen«, rief sie mir amüsiert hinterher.

Ich war mir sicher, dass sich viele Frauen darum reißen würden, Smith Price den Kaffee am Bett zu servieren. Und wahrscheinlich noch so einiges mehr. Ich wollte einfach nicht eine von ihnen sein. Sex und Belle Stuart – das passte nicht mehr zusammen. Ich besaß einen Vibrator, den ich ohne Hemmungen benutzte, und ich hatte Pläne. Mit Smith zu vögeln, gehörte nicht dazu.

Bei dem Anblick, der sich mir vor meiner Haustür bot, blieb ich wie angewurzelt stehen. Vor dem Haus wartete mit laufendem Motor ein eleganter silberfarbener Mercedes-AMG. Ich schickte ein stummes Dankgebet gen Himmel, dass Smith nicht Zeuge meines Entzückens geworden war. Er musste nicht wissen, dass ich eine Schwäche für luxuriöse Wagen hatte.

Die Fahrertür ging auf, und ich riss mich zusammen. Fast rechnete ich damit, Smith wäre persönlich gekommen, um mich in sein Haus zu zerren, damit ich ihm Kaffee machte. Aber der flammende Rotschopf war nicht seiner. Zur Begrüßung lächelte mir ein unbekanntes Gesicht entgegen.

»Garrison?«, fragte ich und schulterte meine Handtasche, während ich versuchte, die Fassung wiederzuerlangen.

»Miss.« Garrison machte eine knappe Verbeugung und öffnete die hintere Wagentür für mich.

Ich schlüpfte hinein und ließ meine Finger über die weichen Ledersitze gleiten, bevor ich es mir bequem machte. Dieser Wagen signalisierte Macht. Und Sex. Selbst wenn mich das zu einem Luxusweibchen stempelte – ich fand ihn wundervoll.

»Der ist … nett«, sagte ich beiläufig, weil sich Garrison vielleicht fragte, ob ich auf dem Rücksitz einen Anfall erlitt oder warum ich so stumm war. »Das ist ein AMG, oder?«

»Ein AMG S-65. Mister Price hat einen exzellenten Geschmack.« Garrison scherte behutsam aus und fädelte sich in den morgendlichen Berufsverkehr East Londons ein.

»Ja, den hat er«, murmelte ich vor mich hin. Ein teurer Geschmack, unverschämt gutes Aussehen, und obendrein war er auch noch ein Arschloch – das ließ gleich drei Alarmglocken schrillen. Smith Price war gefährlich.

»Brauchen Sie mich heute noch?«, fragte Garrison, als wir auf Knightsbridge zufuhren. Während die Häuser rechts und links der Straße zunehmend größer wurden, nahm ich mir vor, mich nach dem Rechtsgebiet zu erkundigen, in dem Smith tätig war.

»Das weiß ich nicht«, antwortete ich wahrheitsgemäß.
»Fahren Sie sonst Mister Price?« Ich konnte mir nicht vorstellen, dass seine Hoheit heute allzu lange auf seinen Diener verzichten würde.

»Mister Price fährt seinen Wagen selbst«, klärte Garrison mich auf und bog in eine Einfahrt ein, die mit einem hohen Tor verschlossen war. »Ich fahre ihn lediglich zu gesellschaftlichen Anlässen. Er bestimmt dann, welchen Wagen wir nehmen. Heute hat er mich gebeten, Sie in diesem Wagen abzuholen.«

Beim Anblick des Hauses, das vor mir aufragte, schossen mir verschiedene Gedanken durch den Kopf. Vielleicht gab es hier mehrere Wohnungen. Ganz bestimmt – hier wohnten mehrere Parteien. Erst jetzt konnte ich über Garrisons letzte Bemerkung nachdenken.

»Ist das gar nicht sein Privatwagen?«, fragte ich überrascht.

Garrison schüttelte den Kopf, während sich das Tor öffnete, um uns einzulassen.

»Dann verzeihen Sie bitte. Das hatte ich angenommen.« Es war einleuchtend, dass Smith einen Limousinenservice beauftragt hatte, um mich abholen zu lassen. Ich konnte nur hoffen, dass Smiths Wagen etwas weniger extravagant war.

»Deshalb fragte ich, ob Sie mich heute noch benötigen.« Garrisons Augen suchten im Rückspiegel Blickkontakt mit mir. »Mr. Price würde es begrüßen, wenn Sie Ihren Wagen nachts in einer Garage abstellen.«

»Meinen Wagen? Ich habe gar keinen Wagen«, informierte ich ihn.

»Das hier ist Ihr Wagen. Mister Price hat ihn gestern erworben«, fuhr Garrison fort, als wäre das keine unglaubliche

Neuigkeit. »Ich hole Sie jeden Tag ab und fahre Sie nach
Hause. Sie müssen entscheiden, ob ich Sie auch den Tag über
fahren soll. Er bezahlt mich ohnehin, ich stehe Ihnen also
jederzeit zur Verfügung, wenn Sie mich brauchen.«

»Ich lasse es Sie wissen«, brachte ich quiekend heraus. Mein
Wagen? Ich würde wohl ein paar Minuten allein mit ihm in der
Garage verbringen. Ich schüttelte den Kopf und hatte gerade
wieder halbwegs die Fassung zurückgewonnen, als Garrison
den Wagen neben einem schwarzen Bugatti Veyron parkte.
Davon gab es nur vierhundert Exemplare auf der Welt. Während der Fahrer ausstieg und mir die Tür öffnete, linste ich zu
dem Wagen hinüber. Eine Sache hatten Smith und ich ganz
offenbar gemeinsam.

»Der Fahrstuhl befindet sich rechts von Ihnen.« Garrison
deutete an den Rand der Garage.

»Vielen Dank.« Mir war noch immer etwas schwindelig,
als ich den Fahrstuhl erreichte und merkte, dass ich gar nicht
wusste, wohin ich musste. »Äh, in welcher Etage wohnt Mr.
Price?«

Garrison zog die Brauen zusammen. »Das ist sein Haus,
Miss. Die Küche befindet sich im Souterrain. Sein Schlafzimmer liegt im zweiten Stock.«

»Natürlich. Das meinte ich ja.« Ich strahlte ihn an. Ob er
mich jetzt für eine Idiotin hielt?

Ein Mercedes für seine Sekretärin. Ein Bugatti für ihn.
Und ein Haus, das etwa so groß war wie Harrods. Ich hatte
in meinem Leben schon ein paar Anwälte kennengelernt. Keiner von ihnen verdiente derart viel Geld. Vielleicht sollte ich
meine Geschäftsidee an den Nagel hängen und mich in der
juristischen Fakultät einschreiben, dachte ich, als ich aus dem

Fahrstuhl in die Eingangshalle trat. Ich war weiß Gott schon in manchen Palästen gewesen, aber dieser hier war beeindruckend. Traditionelle Architektur des achtzehnten Jahrhunderts verband sich mit einer frischen klaren Inneneinrichtung. Moderne Möbel auf grauem Marmor. Ich legte die Schlüssel, die Garrison mir gegeben hatte, auf einen leeren Konsolentisch, der sich über die ganze Länge der Eingangshalle erstreckte. Gegenüber befand sich sein Büro. Wie viele Gesichter besaß Smith Price, und hinter welchem verbarg sich sein wahres Ich?

Wenn ich jetzt nur die Küche fände …

Es stellte sich heraus, dass die Kaffeemaschine noch am leichtesten zu finden war, nachdem ich endlich die Küche entdeckt hatte. Sie war der einzige Gegenstand, der auf dem Granittresen stand. Ich starrte sie eine Weile an und versuchte zu begreifen, wie man diese Impressa-Espressomaschine bediente.

»Nehmen Sie die Auto-Einstellung. Früher oder später werde ich Ihnen beibringen, wie man damit per Hand einen richtigen Espresso macht«, belehrte mich eine heisere Stimme.

Ich wirbelte herum und hätte fast den Becher fallen lassen.

Anscheinend hatte Smith gerade geduscht, denn er stand mit nichts als einem Handtuch bekleidet vor mir, das ihm locker um die Hüften hing. Das feuchte Haar fiel ihm in die Stirn und tropfte in sein Gesicht. Smith strich es mit einer Hand zurück, während er mit der anderen das Handtuch festhielt. Wassertropfen glitzerten auf seinen breiten Schultern und auf seiner Brust. Bauchmuskeln, die wie gemeißelt aussahen, verjüngten sich zu seinen schmalen Hüften hin. Ich hatte schon vermutet, dass sich unter seiner Kleidung ein athletischer Körper verbarg, aber ich hatte nicht geahnt, wie muskulös er war. Er beobachtete mich, und seine Augen strahlten eine Autorität aus, die mich beunruhigte. Er war die in ein Handtuch gewickelte Versuchung.

Ich musste den Knopf für den Kaffee viermal drücken, bis ich ihn endlich richtig traf. Vermutlich wirkte ich, als wäre ich betrunken. An meinem ersten offiziellen Arbeitstag erwies ich mich als verwirrt und inkompetent. Na großartig.

Smith nahm den Kaffee kommentarlos entgegen, als ich ihm diesen nach einer Minute reichte. Er umfasste den Becher mit beiden Händen, wodurch ihm das Handtuch verführerisch locker um den Leib hing. Schau nicht auf seinen Bauch, befahl ich mir.

»Sind Sie mit Ihrem Wagen zufrieden?«, fragte er, nachdem er genüsslich einen großen Schluck getrunken hatte.

»J-ja«, stammelte ich. »Hm, eigentlich bin ich etwas verwirrt.«

Er hob eine Braue und trank noch einen Schluck Kaffee.

»… wenn Sie von *meinem Wagen* sprechen.« Ich verstummte, weil es mir peinlich war, das Thema anzusprechen. Ich hatte eine anständige britische Erziehung genossen. Das heißt, man hatte mich gelehrt, niemals über Geld zu sprechen beziehungsweise danach zu fragen. Bis zum heutigen Tag hatte ich mich ohne Probleme daran gehalten, doch jetzt verknotete ich die Finger und hoffte, er würde mich nicht zwingen weiterzureden.

»Der Wagen ist Bestandteil Ihrer Vergütung«, erklärte Smith achselzuckend.

Die Nonchalance, mit der er antwortete, brachte mich schon wieder auf die Palme. Aber ich riss mich zusammen. »Tägliche Fahrten sind Teil meiner Vergütung.«

Er verzog das Gesicht zu einem Grinsen. »Meinen Wagen werden Sie nicht fahren.«

Sofort dachte ich an den Sportwagen in der Garage.

»Den Bugatti?«, riet ich.

»Ja«, sagte er. Für einen kurzen Augenblick wirkte er überrascht. Er war beeindruckt. »Wenn Sie das wissen, wissen Sie auch, warum Sie ihn nie fahren werden.«

»Vielleicht haben Sie eines Tages genug Vertrauen in mich, um es sich noch einmal zu überlegen«, konterte ich.

»Es gibt niemanden, dem ich derart vertraue.« Er kam einen Schritt näher und brachte seinen halb nackten Körper so dicht an mich heran, dass ich nach Luft schnappte.

»Aber ich nehme Sie mal mit auf eine Spritztour.«

»Wenn Sie selbst schalten, werde ich es in Erwägung ziehen. Aber ich gehöre nicht zu den Frauen, die sich mit Automatik zufriedengeben.«

Angesichts meiner unverhohlenen Zweideutigkeit hob Smith die Brauen.

Oh Gott, ich flirtete mit ihm, und zwar schamlos. So viel zu dem Vorsatz, mir mein Faible für Autos nicht anmerken zu lassen. Ich hätte mich auch gleich nackt ausziehen und mich ihm auf dem Rücksitz anbieten können.

Smith rieb sich mit der Hand über sein Stoppelkinn. »Ich ziehe mich jetzt an, und dann führe ich Sie herum. Wenn wir Gäste empfangen, sollten Sie sich im ganzen Haus auskennen.«

Da war wieder dieses *Wir*. Ich konnte nicht einschätzen, ob ich als Privatassistentin eingestellt worden war oder ob ich die Dame des Hauses spielen sollte. »Sie wissen, dass Sie mit einer Ehefrau billiger wegkommen würden.«

Seine grünen Augen blitzten, ein kurzes wütendes Funkeln,

das jedoch gleich wieder erlosch. »Aber nur bis zur Scheidung, wenn sie mir die Hälfte meines Besitzes abnimmt.«

»Ich glaube, das ist der Grund, warum es Eheverträge gibt.« Ich verschränkte die Arme und trat einen Schritt zur Seite. Dies war nicht das erste Mal, dass ich bei Smith einen deutlichen Stimmungsumschwung bemerkt hatte. Wenigstens war er schnell vorübergegangen. »Aber ich bin keine Anwältin. Vielleicht übersehe ich da ein Detail.«

»Sie scheinen sich in den Kopf gesetzt zu haben, mich von Ihrer Entbehrlichkeit zu überzeugen, Belle«, antwortete er und überging meinen Spott.

Das war überhaupt nicht meine Absicht. Oder doch? Warum war in Smith Prices Gegenwart alles so verwirrend? »Aber bis jetzt haben Sie mich noch nicht gefeuert.«

»Noch nicht«, wiederholte er mit Nachdruck.

Offenbar war ihm meine Haltung nicht entgangen. Dann musste er sich auch darüber bewusst sein, wie oft er mit mir flirtete, oder genauer gesagt, mich sexuell belästigte. So sollte ich es wohl besser sehen. Flirten klang viel zu nett.

»Folgen Sie mir.« Er deutete auf den Aufzug.

Ich starrte ihn an und versuchte zu begreifen. Die große Hausführung mit einem halb nackten Smith – das war mehr, als ich verkraften konnte. »Ich dachte, Sie wollten sich anziehen.«

»Das werde ich auch, wir haben einiges zu besprechen. Sie werden feststellen, dass mein Leben sehr verplant ist. Und jetzt habe ich schon eine halbe Stunde damit verschwendet, auf meinen Kaffee zu warten.«

»Vielleicht stehen Sie das nächste Mal einfach auf und machen ihn sich selbst. Sie scheinen ja zu wissen, wie das geht.« Ich zuckte mit den Schultern, zwang mich aber, mein hochmütiges Grinsen in ein Lächeln umzuwandeln.

»Lassen Sie das«, befahl er in strengem Ton, fasste meinen Ellenbogen und zog meine Arme auseinander, die ich immer noch vor der Brust verschränkt hielt.

Ich schluckte mühsam und zwang mich, aufrichtig zu sein. »Ich werde manchmal ein bisschen schnippisch, wenn ich nervös bin.«

»Schnippisch? Darum geht es nicht. Setzen Sie kein falsches Lächeln auf. Ich habe Sie nicht als Marionette eingestellt. Obwohl ich es schätzen würde, wenn Sie in der Gegenwart von Mandanten nicht so viele schnippische Bemerkungen machen würden.« Sein Ton war etwas sanfter geworden, woraufhin sich auf seltsame Weise mein Herzschlag beschleunigte.

»Ich bin mir sicher, dass ich dann gar nicht gereizt wäre«, bemerkte ich trocken.

»Trinken Sie Wein?«, fragte er, als wir den Fahrstuhl betraten.

»Hm … ja.« Anscheinend wechselten wir mit dem Stockwerk zugleich das Gesprächsthema.

»Dann werde ich eine Flasche aus meinem Weinkeller heraufbringen lassen. Sie sollten abends vor Geschäftsessen ein, zwei Gläser trinken, um Ihre Nerven zu beruhigen.« Smith lehnte sich bequem an die Spiegelwand des Lifts.

In seiner Gegenwart zu trinken schien mir eine ziemlich schlechte Idee zu sein, aber das behielt ich für mich. Ich nickte und hütete meine spitze Zunge. Was ich jedoch kaum ignorieren konnte, war, dass sein Handtuch vorn auseinanderklaffte und etwas zu viel von einem muskulösen Oberschenkel entblößte. Nur ein kleines Stück mehr, und er könnte sich das

Handtuch auch sparen. Smith kreuzte die Beine und löste die Spannung. Verlegen blickte ich ihm in die Augen. Ein schiefes Grinsen überzog sein Gesicht.

Auf einmal fühlte sich der Aufzug zu klein an. Es war, als rückten die Wände immer näher und schöben mich dichter und dichter an ihn heran. Ich drückte die Füße fest in den Boden und hoffte, dass ein Wunder geschah und ich nicht gegen die Schalttafel gequetscht wurde. Smith legte den Kopf schief, musterte mich und strich dann langsam mit der Zunge über seine Unterlippe.

Zum Glück hielt endlich der Lift mit einem Klingeln, und die Türen glitten zur Seite.

»Nach Ihnen.« Er streckte den Arm aus der Tür, damit sie nicht wieder zuging. Die Geste trug nicht dazu bei, den heftigen Pulsschlag zu beruhigen, der mein Blut in Wallung brachte. Seine Worte enthielten ein Versprechen, schien mir.

Ich bemühte mich, den Gedanken rasch beiseitezuschieben, als wir in den luxuriösen Flur hinaustraten.

Smith führte mich durch eine Flucht verglaster Türen in seine Privatgemächer.

»Sie entschuldigen mich.« Er schlenderte durch den Raum zu einer anderen Tür. Mein Blick hing an seinen Hüften. Inzwischen war das Handtuch noch weiter nach unten gerutscht und brachte seinen straffen Rücken und die perfekt geschnittene Wirbelsäule zur Geltung. Ein Hüftschwung mehr, und ich wäre ihm durch die Tür in den Wandschrank gefolgt.

Stattdessen blieb ich tapfer zurück und wartete, bis er mit einem schiefergrauen Anzug und einem exakt gefalteten weißen Oberhemd zurückkehrte. Er legte alles aufs Bett, dann warf er zwei Krawatten obendrauf.

»Suchen Sie eine aus«, wies er mich an, bevor er im benachbarten Badezimmer verschwand.

Obwohl die Tür weit offen stand, konnte ich ihn nicht mehr sehen. Ich versuchte, mich wieder in den Griff zu bekommen, nahm die beiden Seidenkrawatten und wendete sie in meinen Händen. Sie unterschieden sich nur in Details voneinander. Beide waren blau, eine mit feinen Webkaros, die andere kunstvoll mit einem zarten roten Faden bestickt. Ich schlang sie um meine Hände und bewunderte das weiche Material, dann warf ich eine Krawatte aufs Bett und trat einen Schritt zurück.

Leises Summen tönte aus der Toilette, als Smith rief: »Haben Sie Ihr Telefon dabei?«

Ich trat näher, um seine Stimme durch die Geräusche des Elektrorasierers hinweg zu verstehen. Aus dem Augenwinkel nahm ich eine Bewegung wahr und bemerkte, dass ich ihn jetzt durch den Türspalt sehen konnte. Als ich das Handtuch zusammengeknüllt zu seinen Füßen entdeckte, wollte ich eigentlich den Blick abwenden. Stattdessen starrte ich auf die Kurve seines Hinterns, die von den gewölbten Muskeln seiner Oberschenkel aufgenommen wurde. Er veränderte die Position, offenbarte noch mehr von seinen Lenden und dem klar definierten V, an dessen Spitze schwarze Haare und der Ansatz seines Glieds zu erkennen waren.

Bevor er meine Blicke bemerken konnte, taumelte ich zurück und presste eine Hand auf meine Brust.

Er rief noch einmal nach mir.

»Ja«, erwiderte ich, und tadelte mich innerlich dafür, meinen Chef heimlich beobachtet zu haben. Obwohl er mich ja schließlich selbst in sein Schlafzimmer eingeladen hatte …

Was für eine miese Ausrede!, schrie die beharrliche Stimme der Vernunft in meinem Kopf.

»Morgen Abend um sieben haben wir ein Abendessen.«

Erregt wie ich war, ließ meine Feinmotorik zu wünschen übrig. Weil ich ständig die falschen Knöpfe drückte, brauchte ich eine Weile, bis ich den Termin schließlich im Kalender des Smartphones eingetragen hatte.

»Wir haben länger gebraucht, als ich gedacht habe«, fuhr er fort. »Darum verschieben wir die Hausführung auf morgen früh. Können Sie um sieben Uhr dreißig mit meinem Kaffee zur Stelle sein?«

War das wirklich eine Frage? »Ja.«

»Heute Nachmittag werden Sie sich meine Termine kopieren. Doris wird dafür sorgen, dass Sie in alle Verteiler aufgenommen werden.« Einen Augenblick später kam er durch die Badezimmertür geschlendert.

Das Einzige, was ich wahrnahm, war das fehlende Handtuch. Und wow.

Er verschwand im begehbaren Wandschrank, kehrte mit schwarzen Boxershorts zurück und machte sich daran, sie anzuziehen, wobei es ihm völlig egal zu sein schien, dass er nackt war. Ich musste den Blick abwenden. Vielleicht irrte ich mich ja, aber ich war mir ziemlich sicher, dass ich ein völlig falsches Zeichen setzte, wenn ich schon am ersten Arbeitstag den Penis meines Chefs anstarrte – diesen schönen, perfekten Schaft. Andererseits täte ich dem weiblichen Geschlecht Unrecht an, wenn ich die Gelegenheit nicht genutzt hätte.

Mein Gott, wenn er jetzt schon so groß war …

In meinem Kopf ertönte eine Alarmglocke, und ich änderte abrupt die Richtung meiner Gedanken.

Ich platzte mit der ersten Frage heraus, die mir in den Sinn kam. »Was ziehe ich an?«

»Wie bitte?«, fragte Smith und zog sich die Shorts endlich ganz über die Hüften.

Na super, Belle. Du redest von Kleidung, während er splitternackt ist. Das fällt ja überhaupt nicht auf. »Morgen. Was soll ich morgen zu dem Abendessen anziehen? Ist es ein formeller Anlass?«

»Machen Sie sich darüber keine Sorgen.« Er schlenderte auf mich zu, und mir stockte der Atem. Er hatte gemerkt, dass ich ihn beobachtet hatte, jetzt würde es passieren, und ich würde auf keinen Fall Widerstand leisten. Die einzige Frage, die mir durch den Kopf schoss, war, ob wir im Bett oder gleich hier auf dem Fußboden übereinander herfallen sollten. Doch er ging nur seelenruhig an mir vorbei und nahm das Oberhemd. Mit geschickten Fingern knöpfte er es auf und streifte es sich über die breiten Schultern.

»Ich muss wissen, was ich anziehen soll. Wenn ich in Cowboystiefeln aufkreuze, können mich auch große Mengen Wein nicht vor der Peinlichkeit retten.« Ich stemmte die Fäuste in meine Hüften und sah ihn scharf an.

»Morgen früh, um Punkt zehn, haben wir einen Termin bei Harrods. Dort suche ich Ihnen etwas aus.«

Nicht schon wieder diese Nummer! »Ich besitze bereits eine vorzügliche Garderobe.«

Smith wandte sich zu mir um. Noch ehe ich begriff, wie mir geschah, legte er seine Hand über meine, die ich noch immer in die Seite stemmte. Er zog ein wenig an ihr, und atemlos stolperte ich einen Schritt nach vorn – ich war zu keiner Reaktion fähig. Dann ließ er mich los und hielt die zweite Krawatte hoch. Ich hatte ganz vergessen, dass ich sie noch umklammert hielt.

»Ich glaube, ich nehme die hier«, sagte er mit leiser Stimme, die ein Schaudern über meine Haut trieb. »Sie haben einen ausgezeichneten Geschmack, Belle. Doch in Anbetracht Ihres Kontostandes könnte ich mir vorstellen, dass Ihre Garderobe nicht dem aktuellen Trend entspricht. Wir müssen so aussehen, als ob wir schon von jeher wohlsituiert sind.«

Diesmal ignorierte ich das Wir und kam sofort auf den Punkt. »Mein Kontostand? Sie haben mein Konto geprüft?«

»Das ist üblich. Ich muss doch wissen, mit wem ich ins Bett gehe – metaphorisch gesprochen.«

Also wusste er, dass ich pleite war. Hatte er sich deshalb für mich entschieden? Weil er wusste, dass ich verzweifelt genug war, um alles zu tun, was er von mir verlangte? Oder schlimmer noch – meinte er, ich wäre so verzweifelt, dass ich mit ihm schlafen würde?

»Es hat meine Meinung über Sie nicht negativ beeinflusst«, fügte er hinzu, als könnte er meine Gedanken lesen. »Die meisten haben Schulden, wenn sie frisch von der Uni kommen.«

Ich wollte dieses Thema nicht weiter vertiefen. Ich hatte keine Ahnung, wie weitgehend er sich über meine persönlichen Verhältnisse informiert hatte. Offenbar wusste er, dass ich zuvor noch nicht fest angestellt gewesen war, desgleichen von meiner Verlobung mit Philip. Er hatte schon zugegeben, von meiner Freundschaft zu Clara und Edward zu wissen. Es war absolut nachvollziehbar, dass ein Arbeitgeber dieses Formats Hintergrundinformationen über einen potenziellen Mitarbeiter einholte – doch das verhinderte nicht, dass sich mein Magen bei der Vorstellung verkrampfte.

Eins musste ich jedoch klarstellen: »Ich bin nicht auf milde Gaben angewiesen.«

»Die biete ich Ihnen auch nicht an.« Er schlang sich die Krawatte um den Hals und kreuzte die Enden. »Ich habe doch gesagt, dass ich Sie dafür hart rannehmen werde.«

Irgendwie wurde ich den Verdacht nicht los, dass das zweideutig gemeint war, doch ich erwiderte lediglich: »Gut.«

»Habe ich die Richtige ausgesucht?«

Ich brauchte einen Moment, bis ich begriff, dass er die Krawatte meinte. Gedankenverloren streckte ich die Hand aus und strich sie glatt. »Das war meine Wahl.«

»Ach ja. Das Privileg der zarten Weiblichkeit.« Seine Augen funkelten, und ich spürte, dass er hinter den Worten, die wir gewechselt, und den wenigen Momenten, die wir miteinander verbracht hatten, etwas anderes in mir suchte, das ich fest in mir verschlossen hatte.

Aus Furcht, er könnte fündig werden, wandte ich mich ab.

6

Im frühen Morgenlicht stand Belle an meinem Schlafzimmerfenster. Das warme Licht umfing sie und verlieh ihrem Porzellanteint einen rosigen Schimmer. Ihr schlicht geschnittenes Kleid aus elfenbeinfarbener Seide schmeichelte ihrem Körper und betonte ihre leichten Kurven. Das Ensemble war relativ züchtig, von den Pumps in Leopardenmuster einmal abgesehen – schon wieder ein Zeichen für die wilde Seite, die sie zu verbergen versuchte. Während sie hinausschaute, legte sich ein trauriger Ausdruck über ihr Gesicht. Ich wurde noch nicht schlau aus ihr. Sie blieb ein Rätsel, aber ich konnte jene Melancholie fühlen, die ihr Leben zu überschatten schien.

Ich räusperte mich höflich, um sie nicht zu erschrecken.

»Guten Morgen.«

Sie wirbelte herum, um mich zu begrüßen, und ihr Gesicht verriet Erleichterung. »Oh, Sie sind angezogen.«

Sie musterte mich mit einem anerkennenden Blick. Offensichtlich mochte sie Anzüge, und mein Kleiderschrank war voll davon.

»Wir haben heute eine Menge zu tun.« Ich deutete auf den Kaffeebecher auf dem Nachttisch. »Ist der für mich?«

»Nein, der ist für mich. Ich dachte, ich ziehe einfach mal quer durch die Stadt, um mir einen Kaffee zu kochen.« Sie verdrehte die Augen, nahm den Becher und brachte ihn mir.

»Mögen Sie keinen Kaffee?«

Ein leichtes Grinsen umspielte ihre Lippen. »Ich bin Britin, ich trinke Tee.«

»Wir Schotten sind da wohl weltoffener«, sagte ich, bevor ich vorsichtig nippte. Ich hatte schließlich nicht kontrolliert, wie sie mit dem Gebrauch der Maschine klarkam.

»Ich habe ihn nicht vergiftet.« Sie knetete ihre Hände, was ihre trotzige Fassade Lügen strafte.

Sie wollte mir gefallen, auch wenn sie so tat, als wäre das Gegenteil der Fall. Jetzt wurde die Sache wirklich interessant.

»Sehr gut«, versicherte ich ihr. »Genau, wie ich ihn mag.«

»Schwarzer Kaffee ist nicht besonders schwer zu machen.« Sie schüttelte den Kopf und seufzte missbilligend.

»Vermutlich trinken Sie Ihren Tee mit Milch und Zucker?«

»Sie vermuten richtig. Finden Sie das schlimm?«

»Nein. Vielleicht bringe ich Ihnen auch mal morgens den Tee.« Ich nahm mir vor, meine Hauswirtschafterin welchen besorgen zu lassen.

Sie warf mir einen zweifelnden Blick zu, sagte jedoch nichts.

»Setzen wir die Besichtigung fort«, knurrte ich. Wenn sie auf Freundlichkeiten nicht ansprang, hatte ich auch keinen Grund, damit um mich zu werfen. Wir schienen beide besser klarzukommen, wenn ich mich wie ein Arschloch benahm.

»Sollen wir unten anfangen?«, schlug sie vor.

Wunderbar, bleib du nur schön unten, dachte ich. Doch ich nickte nur und schritt zum Fahrstuhl. Es machte mir Spaß, dass sie sich beeilen musste, um mit mir Schritt zu halten.

Sobald sich die Lifttür geschlossen hatte, wurde es eng, und ich musste tief Luft holen.

Sie musterte mich besorgt. »Sind Sie okay?«

»Mir geht's gut«, erwiderte ich knapp. Ich ließ meine Blicke und Gedanken bei ihren Brüsten verweilen, bis die Tür wieder zur Seite glitt.

Belle schoss hinaus und steuerte auf die Garage zu, dem einzigen Bereich, der ihr vertraut war. Wahrscheinlich wollte sie meinen Veyron noch einmal bewundern. Ich hielt mich nicht damit auf, ihren Irrtum zu korrigieren. Stattdessen bog ich nach links in einen Flur ab. Sie ließ sich nicht gern sagen, was sie tun sollte. Ich wusste das an Frauen zu schätzen, aber sie musste lernen, dass ich bestimmte, wo es langging.

»Wohin gehen wir?«, fragte sie, als sie endlich wieder zu mir aufgeschlossen hatte.

Ich grinste, setzte meinen Weg jedoch unbeirrt fort. »Wir machen den Rundgang.« Ich wandte mich ihr zu. »Sie mögen Autos.«

»Glaub schon«, erwiderte sie ausweichend, dabei verriet es ihr ganzer Körper – gerötete Wangen, schnelle, flache Atmung. Hemmungslose Begierde tropfte ihr praktisch aus allen Poren. Sie strich sich mit der Zunge über die Unterlippe, was ihren sündhaft roten Lippenstift zum Glänzen brachte. Mir schoss ein Bild durch den Kopf – wie sie ihren Mund um meinen Schwanz schloss.

Ich trat einen Schritt näher und hatte das Gefühl, ihr Körper würde sich ein winziges Stück in meine Richtung neigen.

»Ich habe ja angekündigt, dass ich Sie mal auf eine Spritztour mitnehme. Das müssen Sie sich jetzt nur noch verdienen.«

Ich ging weiter und ließ sie im Flur zurück. Verstohlen sortierte ich meine Erektion, bevor ich die Tür am Ende des Durchgangs öffnete. Ich könnte sie gleich hier nehmen. Oder sie zur Garage zurückbringen, gegen den Bugatti lehnen und dann vögeln. Das würde ihr gefallen. Sie würde sich nicht widersetzen. Der Wagen hatte eine Beine-breit-Garantie. Doch dann wäre das Katz-und-Maus-Spiel vorbei – und ich liebte die Jagd.

Ich beschloss, mit dem unvorteilhaftesten Teil des Hauses zu beginnen. Ein leichter Chlorgeruch waberte durch die offene Tür, als ich ihr mein privates Sportschwimmbecken zeigte. Von dem Geruch drehte sich mir der Magen um, aber ich hatte gelernt, ihn zu ignorieren.

»Sie haben einen Swimmingpool?«, kreischte sie.

Ihre Begeisterung ließ mich unwillkürlich grinsen. »Er wurde in den Siebzigerjahren eingebaut. Sie können ihn gern nutzen.«

Wir setzten unseren Weg durchs Haus fort, das sich irgendwie viel extravaganter anfühlte, weil es Belle an meiner Seite die Sprache verschlug. Ich hatte in dem Anwesen nie etwas anderes als eine Kulisse gesehen, ein Vorzeigeobjekt, das eine großbürgerliche Herkunft vortäuschen sollte, die es nicht gab. Jetzt sah ich unwillkürlich alles mit ihren Augen.

»Wir müssen ein paar Kunstwerke kaufen«, sagte Belle, der die kahlen Wände in allen Stockwerken auffielen.

Ich lächelte knapp. Vielleicht hatte ich ihren Enthusiasmus zu sehr angestachelt. »Ich habe gerade erst alles streichen lassen. Unverstellte Flächen sind mir lieber.«

»Das ist schade. Das hier ist praktisch eine Galerie.« Sie sprach wehmütig weiter, während ihr Blick nach wie vor über die freien Flächen wanderte. »Vielleicht...«

»Da draußen ist der Garten«, unterbrach ich sie. Und pass auf, dass du nicht in die Grube fällst, die ich mir gerade grabe.

Sie verstand den Wink und verstummte. Während wir unsere Tour fortsetzten, schaute ich immer wieder zu ihr hinüber. Der Schock, in den sie der Anblick meines Hauses zunächst versetzt hatte, war verflogen. Ich vermutete, dass sie in Anbetracht der Kreise, in denen sie verkehrte, schon in prachtvolleren Häusern gewesen war. Jetzt staunte sie über mich. Zweifellos würde sie demnächst anfangen, unerwünschte Fragen zu stellen.

Im dritten Stock führte ich sie durch eine Flucht von Gästezimmern.

»Sind die Zimmer tatsächlich in Benutzung?«

»Meine Hauswirtschafterin hält sie sauber.« Das war nicht unbedingt gelogen. Mrs. Andrews wechselte die Bettwäsche und hielt die Zimmer nur deshalb staubfrei, weil sie es nicht lassen konnte. In den meisten Zimmern hatte schon seit Jahren niemand mehr übernachtet.

»Haben Sie oft Gäste?« Wieder einmal hatte es den Anschein, als könnte Belle spüren, was mir gerade durch den Kopf ging. Ich konnte nicht leugnen, dass ihr rätselhaftes Einfühlungsvermögen sie noch anziehender machte. Vielleicht hatte ich sie nicht weggeschickt, weil ich hoffte, hinter ihren Trick zu kommen.

»Sehr selten.« Ich öffnete eine Tür am Ende des Flurs. »Hier ist Ihr Zimmer.«

»Mein Zimmer?«

Ich konnte es nicht lassen. »Es sei denn, Sie möchten lieber in einem anderen Zimmer schlafen.«

»Ich habe eine eigene Wohnung«, sagte sie und überging meine Andeutung.

»Glauben Sie mir – ich verlange nicht, dass Sie hier einziehen.« Ich konnte mir nichts auf der Welt vorstellen, das ich mir weniger gewünscht hätte. Mrs. Andrews ging mir während der Stunden, die wir gleichzeitig hier verbrachten, schon genug auf die Nerven. Zwei Hausdamen wären unerträglich. »Es wird Zeiten geben, zu denen ich Sie noch bis spät nachts oder ganz früh am Morgen benötige. Wenn Sie möchten, können Sie in solchen Fällen dieses Zimmer nutzen.«

Belle betrat die Suite, drehte sich langsam im Kreis und ließ alles auf sich wirken. Der Raum war in Champagnertönen gehalten, von den cremeweißen Seidenvorhängen bis hin zu dem übergroßen Doppelbett mit goldfarbener Tagesdecke. Das Sonnenlicht schimmerte auf den vergoldeten Damasttapeten. Es war ein eleganter Raum – dezent zurückhaltend und doch opulent. Sie gehörte hierher.

»Und hier ist Ihr privates Badezimmer.« Ich deutete auf eine Tür in der Ecke. »Hier können Sie Ihre Sachen deponieren, wenn Sie wollen.

»Ich werde über Ihr Angebot nachdenken«, sagte sie beim Hinausgehen. Im Flur blieb sie stehen und richtete ihre Aufmerksamkeit auf die Tür direkt vor ihr, die einzige – die verschlossen war. »Ist das auch ein Gästezimmer?«

Ich schaute nicht hin. »Nein.«

Sie ging an mir vorbei und tippte gegen das Holz. »Warum ist die zu?«

»Mir ist es lieber, wenn dieses Zimmer unberührt bleibt.«

Ich wies den Flur hinunter in die Richtung, aus der wir gekommen waren, und versuchte, die fernen Erinnerungen zu verscheuchen, die mit Macht in mein Bewusstsein drängten.

»Was ist da drin?«, hakte sie nach.

»Nichts, das Sie etwas angeht«, erwiderte ich streng.

»Dann kann ich nur vermuten, dass Sie Ihre Mordwaffen dort drin aufbewahren.« Sie schnaubte.

Ich schritt davon und lachte höflich über ihre Mutmaßung.

»Der Rundgang ist vorbei«, rief ich über die Schulter, während ich ihr von meinem Handy die Liste sendete. »Ich schicke Ihnen eine To-do-Liste. Arbeiten Sie die ab, und treffen Sie mich dann um Punkt zehn bei Harrods.«

»Ja, Sir«, zischte sie.

Sir. Sie fühlte sich von mir provoziert. »Garrison wird Sie fahren...«

»Ich kann selbst fahren«, rief sie.

Das wusste ich bereits. Denn seit ich sie zum ersten Mal gesehen hatte, steuerte sie mich an den Rand des Wahnsinns. »Mir ist es egal, wer fährt. Gehen Sie einfach.«

»Mit Vergnügen.« Sie versuchte, ihre Gefühle zu verbergen, als sie an mir vorbeistürmte und auf den Fahrstuhlknopf schlug.

Sie betrat den Lift und drehte sich zu mir um. Keiner von uns rührte auch nur einen Finger, um zu verhindern, dass die Tür sich wieder zuschob. Ich blieb stehen, wo ich war, und starrte auf den Fahrstuhl. Ich befand mich in einer Zwickmühle. Ich hätte mich nur aufraffen müssen, einen Schritt nach vorn zu gehen, fort von den Gespenstern, die am Ende des Flurs lauerten. Aber ich konnte weder umkehren und mich ihnen stellen, noch ihnen entkommen. Belle hatte das gesehen, aber nicht verstanden. Sie würde es nie verstehen.

7

Ich trat durch die Glastüren von Harrods und atmete den vertrauten Geruch ein. Manche Leute glauben vielleicht nicht, dass Schuhe und Designerkleider einen eigenen Duft haben, doch es ist so. Das volle Aroma von weichem Narbenleder und Leinen mischt sich im Kaufhaus mit floralen Noten aus den Regalen voller köstlicher Tees und den Düften der Parfümabteilung. Mit etwas Glück war noch ein wenig Spielraum auf meinem Konto, und ich konnte mir eine Belohnung zur Feier des neuen Jobs gönnen. Ich hatte die Kreditkarte seit Monaten nicht mehr belastet – nicht, seitdem ich plötzlich als Single dagestanden hatte. Doch jetzt hatte ich mir eine Belohnung dafür verdient, dass ich meine ersten Arbeitstage bei Smith Price überstanden hatte.

Noch bevor sich die Glastür hinter mir wieder hatte schließen können, rauschte eine Frau heran, die mit einem pflaumenfarbenen Frack bekleidet war, zu dem sie einen farblich abgestimmten Lippenstift trug. Auf dem großen Harrods-Schild an ihrem Revers stand der Name Harriet. Sie betrachtete mich mit einem zurückhaltenden Lächeln. »Miss Stuart?«

Ich blieb wie angewurzelt stehen, dann nickte ich.

»Ich habe Sie erwartet.« Die vorsichtige Zurückhaltung in ihrem Ausdruck löste sich und wich einem wärmeren, nahezu ungezwungenen Lächeln.

»Ich muss wohl mit meinen Ratenzahlungen weiter im Rückstand sein, als ich dachte, wenn Sie schon an der Tür auf mich warten.«

»Wie bitte?«, fragte sie. Der Witz war glatt an ihrem weichen schwarzen Haar abgeglitten. Sie neigte das Kinn, als versuchte sie, mich einzuschätzen.

»Wenn ich am Eingang namentlich begrüßt werde, heißt das wohl, dass ich in Schwierigkeiten stecke.« Ich versuchte, locker zu klingen, doch innerlich krampfte sich mir der Magen zusammen. Es hatte Zeiten gegeben, in denen in Restaurants und auf Partys Leute auf mich zugekommen waren, die darauf brannten, meine Bekanntschaft zu machen. Oder vielmehr, die Bekanntschaft von Philips Verlobter. Diese Zeiten waren vorbei.

»Oh. Nichts dergleichen!« Ihr höfliches Lachen klang glockenhell – zu hoch und eingeübt. Offenbar arbeitete sie hier schon seit Jahren. »Mister Price hat uns mitgeteilt, dass Sie kommen.«

»Hat er meinen Steckbrief geschickt?«

»Sie sind so komisch.« Sie tätschelte meinen Arm, als wären wir schon seit Ewigkeiten befreundet.

Ich hasste sie bereits jetzt.

»Mister Price hat Sie bis aufs kleinste Detail perfekt beschrieben, das muss ich schon sagen.« Sie zwinkerte mir zu und bedeutete mir, ihr zum Aufzug zu folgen. »Sie haben wirklich Glück, einen so aufmerksamen Mann zu haben.«

»Er ist mein Chef«, erwiderte ich matt, obwohl ich Schmetterlinge im Bauch hatte.

Diese Eröffnung brachte sie zum Schweigen, und ich genoss die himmlische Ruhe, während uns der Aufzug in den fünften Stock brachte. Das Öffnen der Tür brach den Bann, und sie fing erneut an zu schnattern. Sie erzählte irgendetwas davon, dass wir erst mit den Basics anfangen und uns dann zu Kombinationen vorarbeiten sollten. Ich hörte ihr nicht mehr zu. Es gab Wichtigeres zu bedenken.

Smith Price hatte mich detailliert beschrieben. Was hatte das zu bedeuten? Meine Größe und Figur? Das hätte jeder x-Beliebige gekonnt. Aber ich war kaum die erste zierliche Blondine, die heute Morgen bei Harrods durch die Tür gekommen war. Er musste ihr noch mehr erzählt haben.

»Verzeihen Sie bitte«, unterbrach ich ihren Vortrag über die wachsende Bedeutung angemessener Strümpfe. »Wie hat Mister Price mich beschrieben?«

Sie machte eine Pause, als versuchte sie, sich zu erinnern. »Ich glaube, er beschrieb Sie als eine gepflegte Blondine. Gewicht circa fünfzig Kilo mit Körbchengröße 70 B. Er vermutete außerdem, dass Sie Louboutins tragen würden.«

Der Zirkustrick hatte offenbar Eindruck bei ihr gemacht, mich überraschte er nur. Er hatte mich ganz genau gemustert bis hin zu meinen Schuhen.

»Natürlich wusste er nicht, dass es Louboutins waren, aber er erwähnte die rote Sohle«, fuhr sie fort und fügte hinzu: »Er bat uns, eine Auswahl zusammenzustellen, aber ich musste ihm zu meinem größten Bedauern mitteilen, dass wir die nicht führen.«

»Das ist wirklich schade.« Ich wusste nicht, was ich sonst

sagen sollte. Es verwirrte mich, dass Smith so aufmerksam gewesen war. Andererseits konnte ich nach der gestrigen Vorstellung in seinem Badezimmer auch seine Hemdengröße schätzen. Und einiges andere mehr.

Harriet führte mich am Empfangsschalter des Penthouse vorbei, in dem By Appointment, Harrods persönlicher Einkaufsservice, untergebracht war, und weiter zu einem eigenen Anprobezimmer. Elegante lederbezogene Lehnstühle umgaben eine große, türkisfarbene Ottomane, und an der Wand warteten nicht eine, sondern gleich drei Garderobenstangen auf mich. Sie mussten jedes Teil, das der Laden in meiner Größe vorrätig hatte, herbeigeschafft haben. Ich war durchaus nicht zum ersten Mal bei Harrods, aber zum ersten Mal wurde ich dort behandelt, als gehörte ich zum Hochadel – und das, obwohl ich zuvor schon mit Clara hier gewesen war.

»Arrangiert Mr. Price so etwas öfter?«, fragte ich. Das ganze Spektakel hatte den Beigeschmack von Privilegien, die man wohlhabenden Männern einräumte, die allzu bereitwillig ihre Portemonnaies zückten.

»Ich war noch nie für ihn tätig, aber meine Chefin hat mir die Erwartungen von Mister Price sehr deutlich mitgeteilt. Sie legt großen Wert darauf, dass wir sie alle erfüllen.«

Mehr brauchte ich nicht zu wissen. Andererseits hatte ich mich gestern aus einer Laune heraus für ihn in Schale geworfen. Vielleicht war Smith Price einfach nur ein Mann, der bekam, was er wollte.

Nur mich nicht.

Ich spazierte zu den Garderobenständern und strich mit den Fingern über die seidigen Stoffe. Shoppen zu gehen, war ein Luxus, den ich mir in den letzten Monaten nicht mehr hatte leisten können, seit ich Philips Kreditkarten zerschnitten hatte. Obwohl er mich nicht nur mit einem gebrochenen Herzen, sondern auch mit einem gut gefüllten Kleiderschrank zurückgelassen hatte, war ich der Schaufensterbummelei inzwischen überdrüssig geworden. Und zwar so sehr, dass ich eine Geschäftsidee daraus entwickelt hatte. Ich wollte eine Firma gründen, die Frauen half, deren Geschmack ihre finanziellen Möglichkeiten überstieg. Frauen wie mir.

Ein Preisschild stieß gegen meine Handfläche, und ich drehte es beiläufig um. Ich schnappte nach Luft, als ich den Preis sah. Es gab meinen Geschmack, und es gab den Geschmack von Leuten wie Smith Price. Nachdem ich sein Haus gesehen hatte, durfte mich das nicht überraschen, aber selbst ich hatte noch nie eine so außergewöhnlich hohe Summe für ein Kleidungsstück ausgegeben.

»Har er Ihnen irgendwelche Vorgaben gemacht?« Ich steckte das obszöne Preisschild unter den Kragen, weil ich seinen Anblick nicht ertrug.

»Die exklusivsten Stücke unserer Topdesigner«, antwortete Harriet, als sie sich zu mir gesellte. Sie schob ein paar Kleider beiseite, um mir das zu präsentieren, auf das ich gerade zufällig gestoßen war. Ich schaute auf, um sie zu bitten, es wegzunehmen, da entdeckte ich ihn. Harriet ratterte noch ein paar Einzelheiten herunter, aber ich hörte ihr nicht zu.

Smith stand in der Tür und musterte mich eingehend. So schaute er mich jedes Mal an, wenn wir aufeinandertrafen, als wäre ich ein Puzzle, das er lösen wollte. Vielleicht hoffte er auch, eine offene Stelle ausfüllen zu können. Mit glühendem Gesicht wandte ich mich wieder den Garderobenständern zu. Ich redete mir ein, dass ich nur deshalb verlegen war, weil ein

Mann, den ich kaum kannte, meinte, ich müsste mich neu einkleiden. Aber das war es nicht. Die Hitze, die ich spürte, rührte nicht von meinen Emotionen her. Nein, ihr Ursprung saß tiefer, an einem Ort, den ich mit einer Art Keuschheitsgürtel versiegelt hatte.

Ich spürte Smith bereits hinter mir, bevor er etwas sagte, seine Gegenwart erweckte in mir den heimlichen Wunsch, einen Schritt nach hinten zu treten und die Lücke zwischen uns zu schließen. Es bedurfte einer Willenskraft von rekordverdächtigen Ausmaßen, genau das nicht zu tun.

»Belle.« Er sprach leise meinen Namen aus, als ließe er ihn sich auf der Zunge zergehen.

Ich schloss die Augen und holte tief Luft, bevor ich mich umdrehte, um ihn zu begrüßen. »Ich dachte, Sie hätten Punkt zehn gesagt.«

»Ein Mandant hat für eine Weile meine Aufmerksamkeit beansprucht.« Die Antwort klang mehr als nur ein bisschen abweisend und duldete keine Nachfrage.

»Was ich Sie noch fragen wollte …« Rasch wechselte ich aufs Geschäftliche, um die Spannung zu zerstreuen, die in der Luft lag. »In welchen Rechtsgebieten sind Sie eigentlich genau tätig?«

»In der Grauzone«, erwiderte er knapp.

Ein Kribbeln tanzte meinen Rücken hinauf. Plötzlich bekamen das Haus, die Autos und die Extravaganz einen Sinn. Schlimme Menschen benötigten Anwälte, die sich dafür bezahlen ließen, dass sie wegschauten. Doch bevor ich mir ein Urteil über diese Erkenntnis bilden konnte, wurde mir klar, dass ich auch nicht besser war als er. Jedenfalls nicht, solange ich für ihn arbeitete.

»Benötigen Sie ein Modell, oder wollen Sie die Stücke selbst anprobieren?«, platzte Harriet dazwischen. Diesmal war ich dankbar für ihr fehlendes Taktgefühl.

»Sie probiert sie selbst an«, entschied Smith für mich.

Auch wenn meine Entscheidung genauso ausgefallen wäre, ärgerte es mich, dass er an meiner Stelle geantwortet hatte.

»Dasselbe habe ich auch gedacht.«

»Sie beide arbeiten sicher *wunderbar* zusammen«, schwärmte Harriet.

Ich schnappte mir etwas vom Ständer und flitzte damit in die Umkleidekabine, bevor ich loslachte. Angespannt? Ja. Seltsam? Ja. Sexuell explosiv? Und ob! Aber *wunderbar*? Nein. Ich hängte das Kleid an einen Haken, lehnte mich an die Kabinenwand und betrachtete es. Es war schlicht schwarz, hatte aber den gewissen Schnitt, der mehr daraus machte als nur ein kleines Schwarzes. Nein – das hier war ein Statement. Es war genau das, was ich mir selbst ausgesucht hätte.

Harriet steckte ihren Kopf durch den Vorhang. »Darf ich?«

Ich winkte sie herein. Die Arme voll weiterer Vorschläge drängte sie in die Kabine und hängte alles in der Ecke an eine Garderobenstange. Unterdessen zog ich mich aus.

»Benötigen Sie irgendeine spezielle Unterwäsche?«, fragte Harriet.

»Danke, kein Bedarf«, antwortete ich und gestattete mir dabei einen leicht sarkastischen Unterton.

Ich erwischte sie dabei, wie sie in den Spiegel schaute, um sich zu vergewissern, ob ich die Wahrheit gesagt hatte. Verblüfft betrachtete sie meine Strumpfhalter von Lucille London. Dessous dieser Machart verfehlten bei niemandem ihre Wirkung, ganz gleich, welchen Geschlechts oder welcher sexuellen

Orientierung. Als ich ein wenig herausfordernd die Lippen
schürzte, wandte sie schnell den Blick ab und nahm eifrig das
schwarze Kleid vom Bügel.

Philips Bankkonto hatte zwar auch meine Shoppingtouren
gefördert, aber meine Dessous-Schublade hatte er persönlich
gefüllt. Jede Woche brachte er etwas Neues an, mit dem er
mich wie eine Kleiderpuppe behängte. Bei der Erinnerung
krampfte sich mein Magen zusammen, und Übelkeit wallte in
mir auf. Ich war nur sein Spielzeug gewesen, während er darauf wartete, bei Pepper Lockwood zum Zug zu kommen. Und
jetzt sollte ich dieselbe Rolle bei Smith spielen. Als Harriet mir
ins Kleid geholfen und hinten den Reißverschluss geschlossen
hatte, schäumte ich innerlich bereits vor Wut. Ich war gerade
noch geistesgegenwärtig genug, in meine Pumps zu schlüpfen,
bevor ich hinausging.

Falls Smith Price eine Show haben wollte, würde ich sie ihm
liefern.

Als ich näher trat, schaute er vom Wirtschaftsteil des *Globe*
auf, und sein Ausdruck wechselte von abwesend zu überaus
interessiert.

Ich platzierte meine Hände auf den Hüften und drehte
mich vor ihm. Dann breitete ich die Arme aus. Auf dem Bügel
war das Kleid kaum mehr als ein taillierter Streifen schwarzer
Seide gewesen, doch es war vorn tief ausgeschnitten und entblößte das Tal zwischen meinen Brüsten. Das Kleid war zurückhaltend, aber sehr sexy. »Findet es Ihre Zustimmung, Sir?«

Smith legte die Stirn in Falten und gab mir ein Zeichen,
mich noch einmal zu drehen.

So wollte er das Spielchen also spielen. Ich blieb auf dem
Fleck stehen und schaute ihn herausfordernd an.

»Die meisten Frauen shoppen gern«, sagte er in einem derart kühlen Ton, dass ich erschauderte.

»Ich shoppe gern«, stieß ich hervor. »Aber ich habe keine Lust, ein Spielzeug zu sein.«

»Ich musste dabei sein, um sicherzustellen, dass wir die gleichen Vorstellungen haben, was Ihre äußere Erscheinung betrifft. Schließlich werden Sie mich oft begleiten und manchmal auch vertreten.« Smith machte eine Pause, um seine Worte wirken zu lassen.

»Das sagten Sie bereits.«

»Gefällt Ihnen das Kleid?«, fragte er.

»Ja. Aber …«

»Das reicht.« Er warf seine Zeitung beiseite und stand auf. Er deutete mit dem Kinn in einen Winkel des Raums, und Harriet eilte herbei. »Miss Stuart wünscht, ungestört einkaufen zu können. Setzen Sie die Artikel bitte auf meine Rechnung.«

»Selbstverständlich«, erwiderte Harriet eine Spur zu beflissen. Doch dann bedachte sie mich mit einem Blick, als würde man sie mit einem tollwütigen Tier alleinlassen.

War es denn so verrückt, dass ein Mädchen selbständig Kleider anprobieren und aussuchen wollte?

Smith griff nach seiner Anzugjacke, die er über die Rückenlehne gelegt hatte. Er zog sie an und verschloss die Knöpfe über der schwarzen Weste. Als er seine Manschettenknöpfe justierte, begriff ich, dass er tatsächlich ging. Hitzewellen erfassten meine Wangen und meine Brust. Es musste das zehnte Mal sein, dass ich vor ihm errötete. Wenn ich schlau war, würde ich mich so lange in die Sonne legen, bis meine Haut verbrannte und künftige Anwandlungen dieser Art verbarg.

»Warten Sie«, stieß ich hervor.

Ein paar Schritte vor der Tür stoppte er.

»Bleiben Sie.« Ich schaffte es, meine Bitte vorzutragen, obwohl mein Herz raste. »Ich werde einfach ein bisschen störrisch, wenn ich mir wie ein Sozialfall vorkomme.«

»Und wenn Sie sich wie ein Spielzeug fühlen«, fügte er mit einem nachdenklichen Schimmer in seinen grünen Augen hinzu.

Ich hatte den größten Teil meines Lebens in einer dieser beiden Rollen verbracht.

Ich holte tief Luft, ging zu ihm hinüber und hielt ihm die Hand hin. »Lassen Sie uns noch einmal von vorne anfangen.«

»Warum sollten wir das tun?«, fragte er.

»Weil ich Sie provoziert habe, seit wir uns zum ersten Mal begegnet sind«, räumte ich ein.

Smith ergriff meine Hand, schüttelte sie jedoch nicht. Stattdessen zog er mich langsam zu sich heran, so dicht, dass ich die Wärme spürte, die von seinem Körper ausging. Noch nie war ich ihm so nah gewesen. Ich roch feine Spuren von Leder und Bergamotte und musste mich zwingen, nicht an seine Brust zu sinken, um in seinem warmen, köstlichen Duft zu baden. Smith beugte sich weiter vor, bis sein Atem an meinem Ohr kitzelte. Dann flüsterte er: »Provozieren Sie mich ruhig, meine Schöne, das gefällt mir. Aber in einer Sache irren Sie sich. Ich betrachte Sie nicht als Spielzeug. Obwohl ich nur zu gern mit Ihnen spielen würde.«

Unwillkürlich schloss ich die Augen, als mein Körper die Oberhand gewann, doch Smith zog mich nicht noch dichter zu sich. Dabei sehnte ich mich so sehr danach.

»Sie haben sich gegen mich gewehrt. Gegen das hier. Wir haben uns beide gewehrt, und das ist richtig so. Wir haben eine Arbeitsbeziehung«, fuhr er leise fort. »Ich weiß nicht, ob Sie mich mögen, Belle, aber es wäre besser, Sie würden es nicht tun.«

»Mögen Sie mich denn?« Die Frage rutschte mir einfach so heraus. Ich wünschte, die Antwort wäre mir gleichgültig gewesen.

»Ich mag Sie sehr. Zu sehr.« Sein Daumen malte Kreise in meine Handfläche. »Es ist klug von Ihnen, mich auf Distanz zu halten. Versuchen Sie nicht, unsere Beziehung zu verbessern. Machen Sie Ihren Job, und hören Sie nicht auf, mich zu hassen. Passen Sie auf sich auf.«

»Sonst?« Ich trat einen Schritt zurück und löste meine Hand aus seiner hypnotischen Berührung.

»Ich könnte beißen.« Nach der letzten Silbe schlug er die Zähne aufeinander. »Betrachten Sie das als Warnung.«

Er nickte zum Abschied und verschwand durch die Tür. Sollte ich seinen Rat beherzigen, oder versuchte er, mich einzuwickeln? Seit wir uns zum ersten Mal begegnet waren, mahnte mich mein Verstand, mich von ihm fernzuhalten. Doch ich konnte nicht leugnen, dass mein restlicher Körper ganz anders darüber dachte.

Eine Stunde später gab ich auf. Ich konnte mich unmöglich zwischen all den wunderbaren Teilen entscheiden, schon gar nicht, solange mir Smiths Warnung noch durch den Kopf schwirrte. Ich ließ mich in einen der Plüschsessel sinken und wartete auf Harriet, die darauf bestanden hatte, noch eine Auswahl an Accessoires herbeizuschaffen. Das Schrillen meines

Handys störte die zeitweilige Stille, die mir ihre Abwesenheit verschaffte. Ich fischte es aus meiner Handtasche und stöhnte, als ich das Bild meiner Mutter auf dem Display sah.

»Hallo Mama«, meldete ich mich, weil ich wusste, dass ich sie nicht noch länger hinhalten konnte. Meiner Mutter aus dem Weg zu gehen war, als würde man versuchen, unter Wasser trocken zu bleiben – ein Ding der Unmöglichkeit.

»Wo treibst du dich herum?«, fragte sie argwöhnisch. »Ich höre Musik.«

»In einem Stripclub. Ich habe einen neuen Job.«

»Sei nicht vulgär. Es ist eine andere Art von Musik.« In ihrer Stimme schwang jahrelange Enttäuschung mit.

Ich seufzte. »Ich bin bei Harrods, Mama.«

»Gestattet dein Budget das?« Seit dem Tod meines Vaters war das Wort »Budget« zu ihrem Lieblingswort geworden.

»Mein Budget gestattet es.«

»Sprich nicht in diesem Ton mit mir«, ermahnte sie mich, und plötzlich war ich wieder zehn Jahre alt. »Ich habe angerufen, weil ich von deiner neuen Arbeit gehört habe. Davon hast du mir gar nichts erzählt.«

So viel zum Thema Geheimhaltung. Kurz überlegte ich, sie zu fragen, wer mich verpfiffen hatte, aber sie hatte ihre Quellen schon immer geschützt. Ich konnte es mir nur so erklären, dass sie im Großraum London über ein weitverzweigtes Netz von Spionen verfügte, die ausschließlich damit befasst waren, jede meiner Bewegungen zu verfolgen und zu melden. »Ich habe gerade erst angefangen, und ich bin ehrlich gesagt noch gar nicht sicher, ob etwas daraus wird.«

»Mit dieser Einstellung bestimmt nicht.«

Harriet schneite mit einer Auswahl unterschiedlicher Gürtel

herein. Ich hätte nicht gedacht, dass ich mich einmal freuen würde, sie zu sehen. »Mama, ich muss auflegen. Die Verkäuferin ist jetzt da.«

»Komm dieses Wochenende aufs Gut. Wir müssen uns darüber unterhalten, wie sich das auf Stuart Hall auswirkt«, befahl sie und enthüllte so den wahren Grund ihres Anrufs.

»Ich glaube, am Wochenende muss ich arbeiten.« Vermutlich war das nicht einmal gelogen. Im Laufe der letzten paar Tage hatte ich den Eindruck gewonnen, Smith erwartete, dass ich rund um die Uhr auf Abruf zur Verfügung stand.

»Was ist das denn für eine Arbeit?« Sie machte sich nicht die Mühe, die Missbilligung in ihrer Stimme zu verbergen. Eingedenk der Tatsache, dass sie in ihrem Leben nie etwas anderes als Ehefrau und Gutsverwalterin gewesen war, überraschte mich das nicht. Auch wenn es mich ein wenig verletzte.

»Das habe ich dir doch schon gesagt: Stripperin.«

»Belle!«, ermahnte sie mich.

»Tut mir leid, ich muss jetzt auflegen.« Ich beendete das Gespräch und schaltete das Handy auf lautlos. Zum Glück hatte sie nicht die Nummer des Telefons, das Smith mir gegeben hatte.

Noch nicht.

Aber noch vor Ablauf des Monats würde sie sie wissen. Ich schenkte Harriet ein müdes Lächeln. »In Wahrheit bin ich gar keine Stripperin.«

»Ich wusste, dass Sie nur scherzen.« Irgendetwas in ihrer Stimme verriet mir jedoch, dass sie mich verdächtigte, in unlautere Geschäfte verwickelt zu sein. Vielleicht hatte sie unsere heutige Anprobe falsch interpretiert. »Ich habe veranlasst, dass Ihnen die Sachen heute Nachmittag nach Hause geliefert werden. Werden Sie dort sein, um den Empfang zu quittieren?«

»Nicht persönlich, aber meine Tante kann die Sendung annehmen.«

»Perfekt. Haben Sie sich für etwas entschieden?«, fragte sie.

»Harriet, ich war noch nie so erschöpft wie heute, und dabei ist es noch nicht einmal ein Uhr. Wählen Sie für mich aus. Alles ist zauberhaft. Ich bin überzeugt, dass alles richtig sein wird.«

Sie zog skeptisch die Reste ihrer überzupften Braue in die Höhe. »Ich kümmere mich darum.«

Meine innere Stimme sagte mir, dass dies für lange Zeit meine letzte leichte Entscheidung gewesen war.

8

Der heutige Abend war ein Test – und zwar ein wichtiger Test. Nicht allein für meine Partner, sondern auch für mich. Denn ganz gleich, wie gut mir Belle gefiel, wenn sie nicht einen Abend lang fügsam sein konnte, konnte ich ihre Position nicht rechtfertigen. Ich hatte ihr hinreichend Schonzeit eingeräumt. Es war offensichtlich, dass sie nicht aufhören würde, Fragen zu stellen und Grenzen zu überschreiten. Das Problem war nur, dass mir das gefiel.

Sie erschien am Hauseingang, sobald ich den Veyron geparkt hatte. Fest entschlossen, sie von Anfang in die Schranken zu weisen, stieg ich aus und ging auf die andere Seite des Wagens, um ihr die Tür zu öffnen. Ich wartete mit den Fingern am Türgriff.

Dieses Kleid hatte ich nicht abgesegnet. Niemals würde ich ihr erlauben, ein solches Kleid bei einem Auftritt außerhalb meines Schlafzimmers zu tragen.

Weiße Seide umhüllte ihren fantastischen Körper, umspielte locker ihre Beine und fiel in einem tiefen Dekolleté zwischen ihre Brüste. Das Kleid war schulterfrei und nicht im Entferntesten zurückhaltend. Es umfloss sie wie Sahne und brachte die Kurven ihrer Brüste und ihrer Hüften zur Geltung. Ihre Brustwarzen drückten sich keck durch den dünnen Stoff, und ich wusste mit Sicherheit, dass sie darunter kein Fädchen trug. Das Haar hatte sie im Nacken zu einem kleinen Knoten zusammengesteckt. Von Wimperntusche und rotem Lippenstift abgesehen, trug sie kein Make-up. Das brauchte sie auch nicht. Sie war ein wandelnder feuchter Traum.

Belle nahm meine Hand, als ich ihr auf den Beifahrersitz des Veyron half und zuckte leicht zusammen, als ich hinter ihr die Tür zuschlug.

Vor lauter Wut brachte ich auf dem ganzen Weg bis zum Carlton kein einziges Wort heraus. Ich bearbeitete wie ein Wilder die Schaltwippen am Lenkrad, während wir uns durch den Verkehr wanden. Belle hütete ihre Zunge, aber ich hatte das Gefühl, sie genoss es, mich mehr als je zuvor provoziert zu haben. Warum um alles in der Welt hatte ich sie nur aufgefordert, damit weiterzumachen?

Weil ich einen Grund wollte, um sie zu bestrafen. Es hatte keinen Zweck, es zu leugnen, schließlich war ich schon wieder hart. Ich wollte sie übers Knie legen und ihren weißen Alabasterhintern meinen Handflächen darbringen. Doch derlei Gelüste musste ich unter Kontrolle halten. Unsere Leben passten in vielerlei Hinsicht nicht zusammen.

Als wir endlich auf dem Parkplatz ankamen, war mein Schwanz noch immer anderer Meinung. Ich stieg aus dem Wagen und knöpfte mein Jackett zu. Ich wusste genau, dass es die Beule in meiner Hose nicht annähernd verbergen konnte, falls irgendjemand hinschaute.

»Ich hatte in der Nachricht geschrieben, dass Sie sich moderat anziehen sollen«, zischte ich ihr ins Ohr, als sie sich aus dem Wagen schälte.

»Da hätten Sie erst das andere Kleid sehen sollen, das ich in Erwägung gezogen habe.« Sie schenkte dem Parkwächter ein freundliches Lächeln und ignorierte mich. Ich reichte ihm den Wagenschlüssel und hielt ihn am Ärmel zurück, bevor er sich abwenden konnte.

»Ich weiß, ich weiß«, knurrte er unbeeindruckt. »Ihr Wagen ist mehr wert als mein Gehalt.«

»Der Wagen ist mehr wert als Ihr Leben«, korrigierte ich ihn. Ich machte mir nicht die Mühe, seine Reaktion abzuwarten. Er war mir egal, solange er nicht vergaß, wo sein Platz in der Hackordnung war.

»Heute will aber jemand unbedingt den Größten in der Hose haben«, murmelte Belle, als ich die Tür für sie aufhielt.

Ich legte ihr eine Hand auf den Rücken und führte sie hinein, dann beugte ich mich zu ihrem Ohr hinunter. »Das ist etwas, worum ich mir niemals Sorgen mache, meine Schöne.«

Und bei Gott, heute Abend war sie so schön, wie ihr Name, Belle, es verhieß. Ihr Kleid war gewagt, zu gewagt angesichts der Gesellschaft, in der wir uns heute Abend befanden. Doch es fiel weich an ihrem Körper hinunter und floss bei jedem ihrer Schritte in Wellen um ihre straffen Schenkel. Der Halsausschnitt war weniger gewagt. Ich musste nur sicherstellen, dass im Laufe des Abends kein Mann auf sie hinunterschauen konnte – was darauf hinauslief, dass ich sie als meinen Besitz markieren musste. Der Umstand, dass sie meine Assistentin war, hätte die anderen Gäste unserer Gesellschaft vielleicht zur Zurückhaltung veranlassen können –

allerdings nicht, wenn sie sich präsentierte wie die verbotene Frucht.

Der Seidenstoff fühlte sich unter meinen Fingern wie ein Nichts an. Obwohl meine Hand warm war, spannte Belle sich im ersten Moment an, ließ sich jedoch gleich darauf gegen meine Berührung sinken. Ihre Reaktion gefiel mir ein bisschen zu gut.

»Sonst noch etwas?«, fragte sie mich noch schnell. »Soll ich nur reden, wenn ich angesprochen werde?«

»Falls Sie sich weiterhin benehmen wie ein Kind, wäre das wohl das Beste.«

Der *Maître d'hôtel* beugte sich bereits hinter die Rückenlehne ihres Stuhls, aber ich stellte mich vor ihn und zog den Stuhl unter dem Tisch hervor. Belle sagte kein Wort, als ich die übrigen Anwesenden begrüßte. Sie nickte und schüttelte Hände, während ich ihr ein halbes Dutzend Leute vorstellte. Als ich endlich meinen Platz neben ihr einnahm, wollte ich meine Serviette nehmen, griff jedoch ins Leere. Belle ließ sie vor meiner Nase baumeln. Ich wandte mich um und nahm sie ihr ab, wobei mich ihr strahlendes Lächeln vorübergehend völlig verzauberte. Niemand hätte vermutet, dass wir uns in den letzten zwanzig Minuten gestritten oder den ganzen Morgen miteinander gerungen hatten. Wie ich vermutet hatte, wusste sie trefflich mit der Situation umzugehen.

In der folgenden halben Stunde pflegte ich mit den anderen am Tisch Smalltalk, während sich Belle höflich mit den anderen Begleiterinnen unterhielt. Als die letzten Gäste eintrafen, entstand am Tisch eine leichte Unruhe. Belle suchte verunsichert Blickkontakt zu mir, weil ein paar von den anderen zur Begrüßung aufstanden, doch ich schüttelte den Kopf. Dazu bestand für uns keine Veranlassung.

Randolf Hammond legte auf seinem Weg ans Ende der Tafel bei meinem Platz eine kleine Pause ein.

»Smith«, begrüßte er mich und schüttelte meine Hand.

Bei dieser jovialen Begrüßung hob ich eine Braue. Ich hatte ihn vor vier Tagen zum letzten Mal gesehen. Das war zwar länger her als sonst, aber kaum rekordverdächtig. Dann fiel mir auf, dass seine Aufmerksamkeit gar nicht mir galt. Hammonds Grinsen zielte über meine Schultern hinweg.

Ich stand auf und schob meinen Stuhl zurück. Aber Hammond legte einfach seinen Arm um meine Schulter und zog mich zu sich.

»Verdammt noch mal, heute Abend hast du aber einen heißen Feger mitgebracht«, flüsterte er.

»Hammond, das ist meine neue Assistentin«, erwiderte ich in förmlichem Ton.

Belle reichte ihm ihre Hand und spreizte die manikürten Finger mit einer Geste, die so zeitlos war wie die Weiblichkeit. Hammond griff danach, doch anstatt sie zu schütteln, beugte er sich zu einem Handkuss hinab. Der Blick des Mistkerls ging dabei mit auf die Reise. So erfreut, wie er mich danach ansah, waren ihm dabei genügend Einblicke gelungen.

Verdammt.

Ich räusperte mich, und er entließ sie aus seinem Griff. Dann setzte ich mich schnell hin, legte die Serviette zurück auf meinen Schoß und den Arm über die Rückenlehne ihres Stuhls. Belle warf mir einen kurzen Seitenblick zu, sagte aber nichts.

Nacheinander wurden die Gänge des Abendessens aufgetragen. Hammond hatte ein Faible für Zeremonien. Als der Salat serviert wurde, stieß Belle, als sie nach ihrer Gabel griff, versehentlich gegen meine Hand. Sie zog die Hand sofort wieder zurück, die unscheinbare Berührung fühlte sich jedoch an, als hätten wir einen Stromschlag abbekommen. Während der gesamten Dauer des Essens redeten wir beide mit allen Anwesenden, nur nicht miteinander. Als der Gesprächsverlauf auf meiner Seite verebbte, fing ich an, bei ihr zu lauschen.

»Ich bin sicher, dass wir uns schon begegnet sind«, sagte sie zu der Frau, die ihr am Tisch gegenübersaß. »Wenn ich Sie doch nur einordnen könnte.«

Georgia Kincaid zuckte mit den Schultern und lächelte zurückhaltend. »Ich würde mich an Sie erinnern.«

Georgia und Zurückhaltung war ein Widerspruch in sich. Sie wusste ganz genau, wo sie Belle begegnet war und würde sie nicht daran erinnern. Das bedeutete, es war in einem geschäftlichen Kontext geschehen, und die Geschäfte, bei denen Hammonds engste Vertraute ihre Finger im Spiel hatte, waren in der Regel schmutzig. Als Belle dem Kellner ihr Glas zum Auffüllen reichte, schaute Georgia kurz zu mir her und verengte die Augen zu Schlitzen. Ich rutschte unbehaglich auf dem Stuhl herum, sodass ich mit der Schulter gegen Belle stieß, sie erstarrte.

An diesem Abend war jede unserer Berührungen unschuldig – und auch wieder nicht. Wenn wir die Haut des anderen streiften, geschah es versehentlich. Ungeplant. Unkompliziert.

So hätte es jedenfalls sein sollen.

Ich hatte sie in die Höhle des Löwen eingeladen, und sie hatte sich wie ein Stück Fleisch zurechtgemacht. Jetzt war ich in der Pflicht. Allerdings begegnete ich hier einem Problem, das ich so nicht kannte. Ich hegte keinen Zweifel, dass Hammond schon früher meine Assistentinnen flachgelegt hatte. Und Georgia vermutlich ebenfalls. Egal. Das war kein Thema, solange sie sich mir gegenüber loyal verhielten. Die Vorstellung, einer von beiden würde Hand an Belle legen, ließ mich jedoch so dicht an sie heranrücken, bis wir uns nicht mehr nur zufällig mit den Händen berührten oder mit den Füßen aneinanderstießen. Unterm Tisch strich mein Knie an der Außenseite ihres Schenkels entlang, und meine Blicke hafteten an ihrer entblößten Schulter. Die Schauer, die über ihre Haut huschten, verzauberten mich.

Mein Bein an ihrem, fing ich an, mich mit Hammond über die Lohnbuchhaltung seines Juwelierladens zu unterhalten. Wir sprachen in einem Code, der sich im Laufe der Jahre zwischen uns entwickelt hatte. Ich war so ins Gespräch vertieft, dass ich fast zusammengezuckt wäre, als eine Hand mein Knie drückte.

Ich schaute zu Belle hinüber, die mir einen eindringlichen Blick zuwarf.

Letzte Warnung.

Als ich mein Bein von ihr löste, fiel mir auf, dass Hammond uns eingehend musterte. Durch meine Versuche, sie für mich zu beanspruchen, hatte ich nur noch mehr Aufmerksamkeit auf sie gelenkt.

»Belle, wie alt sind Sie?«, fragte er.

»Vierundzwanzig.« Ihr Lächeln war hinreißend.

»Ungefähr so alt wie meine Tochter.« Er streckte den Arm aus und ergriff Georgias Hand. Anstatt sie nur väterlich zu drücken, umklammerte er sie. Georgia legte ihre freie Hand auf seine und beließ sie dort.

»Ich hatte keine Ahnung, dass Sie verwandt sind.« Belle schaffte es irgendwie, höflich zu klingen, obwohl ihr Blick unverhohlen ihre Verachtung offenbarte.

»Wir sehen uns kaum ähnlich«, sagte Hammond ernsthaft.

Ich seufzte und schüttelte den Kopf. »Georgia ist adoptiert.«

»Oh!« Belle wirkte erleichtert.

»Ich habe eine große Familie adoptiert«, erklärte Hammond. »Man hat mich in dem Bewusstsein erzogen, dass es die Pflicht eines jeden Bürgers sei, den Bedürftigen zu helfen.«

»Und Georgia war bedürftig?«, fragte Belle mit scharfem Unterton. Ihre unschuldige Miene täuschte darüber hinweg, aber ich hoffte, dass niemand anders so gut in ihr lesen konnte wie ich.

»Als Georgia zu mir kam, war sie erst vierzehn. Schwierige Familienverhältnisse. Seitdem arbeitet sie für mich.« Hammond prostete der attraktiven Brünetten andeutungsweise mit seinem Weinglas zu.

»Sie hat für Sie gearbeitet? Aber sie ist Ihre Tochter?«

»Hammond glaubt an Hilfe zur Selbsthilfe«, unterbrach ich sie zur Sicherheit. »Er hat vielen von uns einfach nur Starthilfe gegeben.«

»Uns?«, wiederholte Belle und ließ ihren Blick zwischen Georgia und mir hin- und herwandern.

»Es hat eine Zeit gegeben, in der selbst Smith Hilfe gebraucht hat«, sagte Hammond gutmütig. »Auch wenn man sich das heute kaum vorstellen kann. Ist er bei Ihnen auch so eigensinnig wie bei mir?«

»Vermutlich sogar noch mehr«, erwiderte sie trocken.

»Manche Dinge ändern sich nie«, fügte Georgia hinzu und zog einen perfekten Schmollmund.

Beziehungsweise einen sehr vielsagenden Schmollmund. Belle spannte ihren Körper an, verlor ihr Lächeln jedoch nicht.

»Sie müssen nachsichtig mit den beiden sein. Sie sind zusammen aufgewachsen.« Hammonds Worte sollten klingen, als würde er einem liebevoll die Haare zerzausen. Aber weil sie von Hammond kamen, klangen sie irgendwie verdreht, geradezu falsch, waren die Perversion dessen, was ein normaler Mann gemeint hätte.

Ich konnte Belle nicht darüber aufklären, dass Hammond genau das war: eine Perversion. Ich hatte keine Möglichkeit, ihn von ihr fernzuhalten. Manches, was ihn und mich aneinander band, war zu tiefgreifend. Es war die Art von Bindung, die einen fesselt, einen würgt und einem die Luft zum Atmen nimmt, je stärker man sich gegen sie wehrt.

»Moment!«, rief Georgia und ließ ihre Hand zur Brust hinaufschnellen. »Ich kenne Sie.«

Ich biss die Zähne zusammen und bereitete mich innerlich auf ihren nächsten Schachzug vor.

»Wir haben gemeinsame Freunde«, fuhr sie fort.

»Wirklich?«, fragte Belle leicht angewidert.

»Alexander und Clara.« Die Namen platzten geradezu aus Georgias Mund. Es war offensichtlich, dass sie den ganzen Abend nur auf die passende Gelegenheit gewartet hatte, damit herauszurücken.

»Alexander und Clara? Ach, woher kennen Sie die beiden?«

Jede Silbe war sorgfältig abgewogen. Belle begriff allmählich, dass sie sich auf vermintem Gelände bewegte.

»Hammond ist Juwelier«, warf ich ein. Diesmal zuckte sie nicht weg, als ich meinen Stuhl dichter an ihren schob.

»Ich habe Claras Ehering angefertigt«, sagte Hammond.

»Das war der Ring von Alexanders Mutter.« Belle stellte ihn ebenso auf den Prüfstand wie er sie.

»Ich habe ihn für seine Mutter angefertigt. Ebenso Alexanders Ehering und den Ring für Edwards jungen Freund.«

»Seinen Verlobten«, korrigierte ihn Belle kühl.

»Selbstverständlich. Ich kenne Alexander fast schon so lange wie Smith.« Georgia stützte das Kinn auf ihre Hand. Bis jetzt hatte sie vor Belle noch nicht ihr wahres Gesicht gezeigt, sondern sich freundlich und kultiviert gegeben, doch hinter dieser Fassade verbarg sich eine Giftnatter.

Nach der Art zu urteilen, wie Belle sich unruhig auf ihrem Stuhl bewegte, durchschaute meine Assistentin sie genauso gut wie ich.

Das entging auch Georgia nicht. Weil sie jetzt keinen Grund mehr sah, ihre Fangzähne zu verstecken, schnappte sie zu. »Sie waren mit Philip Abernathy verlobt. Welch eine Schande. Was für ein Flegel. Und jetzt ist er schon mit dieser furchtbaren Pepper Lockwood verlobt.«

Ich hörte deutlich, wie neben mir jemand nach Luft schnappte. Belle presste die Hände auf ihren Bauch. »Das wusste ich noch nicht.«

»Es ist natürlich nur ein Gerücht.« Georgia malte mit den Fingern Anführungszeichen in die Luft. »Aber Papa hat den Ring angefertigt. Ich erwarte eigentlich täglich, dass sie eine Anzeige in die Zeitung setzen.«

Ein vergiftetes Schweigen breitete sich an unserem Tischende aus, bis Belle ihren Stuhl so abrupt nach hinten schob, dass er fast umgestürzt wäre. »Vielen Dank für einen wundervollen Abend«, stammelte sie. »Bitte entschuldigen Sie mich, aber ich fürchte, ich bin sehr erschöpft.«

»Keine Ursache.« Hammonds Grinsen entblößte zu viele seiner krummen Zähne. »Schauen Sie doch gelegentlich bei mir im Laden vorbei. Ich würde Sie gern besser kennenlernen.«

Belles Gesicht lief grün an, und ich hätte mich kaum gewundert, wenn sie sich erbrochen hätte. Noch bevor ich aufstehen konnte, war sie schon aus dem Speisesaal geflohen.

»Du kannst deine Krallen jetzt wieder einziehen, Georgia«, forderte ich sie in kühlem Ton auf.

»Wo hast du sie aufgegabelt, Smith?« Sie zupfte an den Zinken ihrer Gabel. »So ein nettes, naives Ding.«

»Halt dich fern von ihr, Schwester.« Ich nickte Hammond knapp zu und verzichtete lieber darauf, noch etwas zu sagen.

Mit ausgestrecktem Arm stand Belle vorm Carlton auf dem Bürgersteig, um ein Taxi heranzuwinken.

Ich schob dem Parkplatzwächter im Vorbeigehen mein Ticket in die Hand. »Fahren Sie ihn bitte umgehend vor.«

Die kurze Schlange von Menschen, die ebenfalls auf ihre Wagen warteten, geriet ein bisschen in Wallung, dennoch trabte der Wächter los, um den Veyron zu holen.

»Ich fahre nach Hause«, rief Belle, als ich näher kam. »Allein.«

»In Ordnung.« Ich griff sie am Oberarm und zog sie vom Straßenrand fort. »Aber ich bringe Sie.«

»Und was wird aus Ihrer Familie?« Sie gab sich keine Mühe mehr, ihre Verachtung zu verhehlen.

»Sie haben sich Ihre Familie auch nicht ausgesucht, Belle.«

»Es klang aber, als hätten Sie sich Ihre ausgesucht.«

»Nein, das habe ich nicht.« Ich blickte ihr fest in die Augen, damit sie sich beruhigte.

Der Veyron röhrte an den Bordstein, und der Parkwächter sprang heraus. Ich reichte ihm eine Hundertpfundnote, dann hielt ich Belle die Tür auf. Sie stieg ohne Widerrede ein, aber als ich die Tür zuklappen wollte, sagte sie mit leiser Stimme: »Wie kann es sein, dass ich Sie jetzt schon besser kenne, als ich ihn je gekannt habe?«

Diese Aussage lag mir schwer auf der Seele. Sie kannte mich nicht. Nicht wirklich. Sie wusste nichts von meiner Vergangenheit und nur wenig über meine Arbeit. Sie wusste, wie ich meinen Kaffee trank, und sie hatte mich nackt gesehen. Das genügte eigentlich nicht, um ein solches Gefühl in ihr auszulösen.

Dennoch, als wir losfuhren, hatte ich das seltsame Gefühl, dass sie recht hatte. Wir kannten vielleicht nur wenige Details der Vergangenheit des anderen, aber sie wusste bereits, welche Knöpfe sie bei mir drücken musste. Sie konnte einschätzen, wie ich reagierte. Und sie konnte ebenso gut austeilen wie einstecken. Das konnte ich von kaum einer Frau behaupten.

Mehr als sie bereits wusste, würde sie allerdings nicht über mich erfahren – das war für sie das Beste.

»Ich muss die Stadt für ein paar Tage verlassen. Am Wochenende bin ich zurück.« Ich drückte die Schaltwippen, und der Veyron ging in den dritten Gang, als wir uns mühelos auf die Autobahn einfädelten.

Belle starrte immer noch aus dem Fenster, doch sie schluckte schwer, während sie versuchte, die Neuigkeit zu verarbeiten. Ohne nachzudenken, schaltete ich den Wagen auf Automatik und nahm ihre Hand, in der Hoffnung, sie aus ihren Erinnerungen herausreißen zu können. Sie drehte sich zu mir um, und nun sah ich in tränenblinde Augen, die von feuchten Wimpern gesäumt waren. Sie schaute auf unsere locker verschränkten Hände, danach in mein Gesicht. Unsere Blicke begegneten sich, und hinter ihren Tränen sah ich, wie Unsicherheit langsam ihre Traurigkeit vertrieb.

Derselbe Aufruhr tobte auch in mir. Vorahnungen, Zorn, Nicht-wahrhaben-Wollen, vor allem aber: Verlangen. Mein Gott, ich wollte sie mit ins Bett nehmen und ihr zeigen, was es bedeutete, genommen zu werden, wollte ihr die Tränen fortküssen, die nun ungehemmt über ihr Gesicht liefen, und ihre Furcht durch berauschende Seligkeit ersetzen. Sie zog die Hand ein Stück zurück – es war das Zeichen, dass sie sich entschieden hatte.

Sie wollte es nicht zulassen.

Das war die sicherste Lösung. Aber sie wurde zusehends unrealistischer. Ich musste meine eigene Entscheidung treffen.

Ich verstärkte meinen Griff und hielt ihre zarten Finger fest, sodass sie sich nicht entziehen konnte. Sie hatte reagiert, und jetzt reagierte ich. Diesmal versuchte sie nicht, ihre Hand wegzuziehen. Schweigend fuhren wir bis zu ihrer Wohnung, und die ganze Zeit hielt ich besitzergreifend ihre Hand. Jetzt gab es kein Zurück mehr.

Ich fuhr den Veyron auf den Bürgersteig, wie gern hätte ich ihn dort abgestellt und sie nach oben gebracht. Mein Körper verzehrte sich schon nach meinem neuen Besitz. Ich wollte ihr die Kleidung abstreifen, den Slip herunterreißen und ihr zeigen, was es bedeutete, dass sie jetzt mir gehörte.

Aber heute noch nicht.

»Ich bin Freitag zurück«, sagte ich leise zu ihr.

»Am Freitag«, echote sie.

Ich ließ das Lenkrad los, legte die Hände auf ihre Wangen und drehte ihr Gesicht zu mir. Da waren keine Tränen mehr in ihren Augen, an ihre Stelle war ein Verlangen getreten, das so heiß loderte, dass sie aufstöhnte, als unsere Blicke sich trafen. Meine Hand liebkoste ihre Wange und hielt sie dann am Kinn, sodass sie sich nicht abwenden konnte.

Diese Augen, dieser Mund. Die Art, wie sie sich mir entgegendrängte, mit jedem Zentimeter ihres Körpers darauf brannte, genommen zu werden. Ich strich mit dem Daumen über ihre Unterlippe, und sie öffnete instinktiv die Lippen.

So empfänglich.

»Kannst du dich benehmen, solange ich fort bin?«, fragte ich streng. Schon beim Gedanken an das, was ich mit ihr anstellen würde, wenn sie es nicht tat, durchfuhr ein Ziehen meine Hoden.

»Ja, Sir«, keuchte sie, und der bockige Spitzname, den sie mir gegeben hatte, bekam eine andere, viel willkommenere Bedeutung.

Mit dem Daumen verwischte ich ihren Lippenstift und genoss es, wie sie nach Luft schnappte und den Atem anhielt, als hinge ihr Leben von meiner Berührung ab. »Ich muss meinen Flieger kriegen. Geh jetzt rein. Ich will, dass du heute Nacht von mir träumst und dir vorstellst, was ich mit dir tun werde, wenn ich wiederkomme.«

Sie biss mir in den Finger. Sanft schlug ich sie auf die Wange, bis sie losließ.

»Freitag«, flüsterte sie, als wäre es eine Verheißung.

»Und niemand fasst dich an, bevor ich es tue, meine Schöne. Nicht einmal du selbst.« Es war kein Versprechen und keine Verabredung. Es war ein Befehl.

Belle wand sich auf ihrem Sitz, doch ausnahmsweise widersprach sie nicht. Ich ließ sie los und rückte von ihr ab. Sie öffnete den Mund, als wollte sie etwas sagen, aber dann besann sie sich und zog am Türgriff. Sie schlüpfte so anmutig aus dem Wagen, wie es die tiefe Straßenlage des Wagens und ihre hohen Absätze zuließen. Als sie schon fast komplett ausgestiegen war, schnellte meine Hand noch einmal vor und hielt die ihre fest. Hoffnungsvoll wandte sie sich wieder zu mir um.

»Deine Vergangenheit hat keine Bedeutung mehr«, sagte ich mit sanfter Stimme. »Jetzt bin ich da, und keiner wird dir mehr wehtun, Belle. Das werde ich nicht zulassen.«

Und wer es trotzdem versuchte, den würde ich umbringen.

9

»Nichts Neues?«, rief ich und versuchte den hämmernden Beat der Lautsprecheranlage im Brimstone zu übertönen. Der Club war gerammelt voll und so heiß wie das Höllenfeuer, mit dem die Wände bemalt waren. Ich wischte mir die Schweißperlen von der Stirn und erinnerte mich schuldbewusst daran, dass es meine Idee gewesen war, im Hauptbereich zu bleiben, wo wir tanzen konnten.

David deutete mit dem Daumen nach unten, während er sich schon durch die Menge kämpfte. Edward folgte dicht hinter ihm und hielt eine Batterie Shots hoch über seinem Kopf.

»Ich will es bitte erfahren, bevor es in der Zeitung steht«, maulte Lola neben mir. Seit Clara vor einer Woche offiziell Bettruhe verordnet worden war, hatten wir die letzten Tage damit zugebracht, ständig unsere Handys auf Neuigkeiten über das Baby zu checken. Wir glaubten den Ärzten, die uns versichert hatten, dass die Krise völlig normal sei, doch für mich war das Warten auf das royale Baby eine willkommene Ablenkung von Smiths Abwesenheit.

Oder vielmehr eine Ablenkung von Smith im Allgemeinen. Mein Unterleib zog sich zusammen, wenn ich nur an ihn dachte. Ich hatte heute eigentlich mit seiner Rückkehr gerechnet, aber noch immer nichts von ihm gehört. Allmählich kam es mir vor, als bestünde mein Leben nur noch aus Kurznachrichten und Voicemails. Ich nahm Edward einen Shot ab und kippte ihn herunter. Jetzt konnte ich mir einbilden, dass nicht meine widerstreitenden Gefühle an den Hitzewallungen schuld waren, die mich durchströmten, sondern dass es am Alkohol lag.

»Clara hat angerufen. Sie will ein Foto von dir beim Tanzen haben, und zwar – ich zitiere – mit einem Mann. Schlag mich nicht, ich soll es nur ausrichten.« Edward hob beide Hände, aber das breite Grinsen in seinem charmanten Gesicht strafte seine Geste Lügen.

»Das kannst du knicken«, brüllte Lola zu meiner Verteidigung. »Ich will sie für mich. Ein Foto ihrer besten Freundin und ihrer Schwester muss ihr reichen.«

Lola kippte den Shot, knallte das Glas auf den Tisch und zog mich auf die Tanzfläche. Claras jüngere Schwester entpuppte sich als völlig anders als erwartet. Sonst waren immer entweder Clara oder ihre Mutter Madeline mit uns unterwegs gewesen. Wie sich jetzt zeigte, hatte sie sich da zurückgehalten. Als sie anfing, ihren Unterleib an einem der Jungs auf der Tanzfläche zu reiben und mir Zeichen machte, es ihr gleichzutun, merkte ich, dass sie viel lockerer war als die anderen Frauen in ihrer Familie. Erst fünf Minuten zuvor hatte sie brillante Gedanken über neue Entwicklungen im viralen Marketing formuliert. Sie hatte konzentriert und ehrgeizig gewirkt. Aber nun hatte sie offenbar einen Schalter umgelegt und verwandelte sich in ein Partygirl.

Ich musste zugeben, dass sie mir jetzt noch besser gefiel.

Sie streckte den Arm aus und wedelte mit der Hand, dass ich näher kommen sollte. Ich kicherte – der Wodka tat seine Wirkung – und drängte mich an sie. Der Typ hinter ihr ließ seine Hände von ihrer Taille zu ihren Hüften gleiten. Lola schob mich sanft vorwärts und machte sich mit einem amüsierten Kopfschütteln von ihm los. Im Club war es zu dunkel, um sein Gesicht zu erkennen, aber der Mann streckte in gespielter Trauer die Arme nach ihr aus.

Lola lachte und legte mir ihren Arm um den Hals. Dann schoben wir uns noch weiter in die Menge. Ich war ein wenig skeptisch gewesen, ob es klug war, im unberechenbaren Londoner Herbst einen Minirock anzuziehen, aber jetzt war ich froh, die Gelegenheit genutzt zu haben. Ich verlor jedes Zeitgefühl, als ich mit Lola tanzte. Ein paar Männer wollten mitmachen, doch irgendwann wurden sie immer handgreiflich. Das schwarze Kleid klebte längst an meiner verschwitzten Haut, als der DJ die Musik änderte und sich die schnellen Elektrobeats in einen hypnotischen Basspuls verwandelten. Er war langsamer – fast schon träge – und vibrierte durch meinen Körper bis ins Mark. Ich ließ den Kopf in den Nacken sinken und die Wellen durch mich hindurchfließen.

Vertraute Arme umschlossen meine Hüfte, und ich lehnte mich entspannt an Edward. Es hat einige Vorteile, wenn der beste Freund schwul ist. Zum Beispiel, immer einen Tanzpartner zu haben – der nicht versucht, einem seine Hand unter den Rock zu schieben.

Der Song floss nahtlos in einen Lana-Del-Ray-Mix über. Ich ging tiefer in die Knie und ließ meine Hüften an Edward kreisen. Er stützte mich bei meinen Schwüngen mit seinen starken

Armen, und die Nähe seines Körpers heizte mich nur noch mehr auf. Ich schob mir das Haar aus dem Nacken und hielt es in einem losen Knoten, während wir uns weiter zum Rhythmus bewegten.

Eine Hand griff mich an der Schulter, ich riss die Augen auf und sah Smith, der mich besitzergreifend anstarrte. In seinem Anzug stach er deutlich aus der Menge hervor. Andererseits wäre er wohl überall aufgefallen. Sein Haar war zerwühlt und passte zu der Wildheit, die trotz der spärlichen Beleuchtung des Clubs gut sichtbar in seinem Blick loderte.

»Sorry, Kumpel«, sagte Edward und schob Smiths Hand von mir.

Ich löste mich aus meiner Erstarrung und schaffte es gerade noch, mich zwischen die beiden zu stellen. Smith hatte schon die Fäuste geballt. Ich legte ihnen beiden eine Hand an die athletischen Oberkörper, dann wandte ich mich zu Edward und sagte leise: »Alles in Ordnung.«

Er kniff die Augen zusammen, machte aber Platz und nickte, um Smith seine Zustimmung zu signalisieren. Dabei warf er mir allerdings einen Blick zu, der besagte, dass wir uns später noch darüber unterhalten würden.

Smith schloss seine Hand fest um meine und zog mich aus der Masse tanzender Körper in Richtung Hinterausgang.

Ich blieb wie angewurzelt stehen und zwang ihn, ebenfalls stehenzubleiben.

»Komm jetzt. Sofort.«

Ein erwartungsvoller Schauer rieselte über meine Haut, aber ich schüttelte den Kopf. »Ich muss meinen Freunden sagen, dass ich gehe.«

Eigentlich hatte ich nach dem Auftritt eben vorgehabt, ihm

zu sagen, dass er Leine ziehen sollte. Doch jetzt wollte ich nur noch dahin gehen, wohin er mich führte.

»Das werden die schon mitkriegen.« Er zerrte an meiner Hand, aber ich entzog sie ihm wieder.

»Sie werden sich Sorgen machen.« Ich wartete nicht auf neue Befehle, sondern drehte mich um und ging zu unserem Tisch zurück. Smith folgte mir ein Stück, dann blieb er stehen.

»Ich schätze mal, das ist Smith«, sagte Edward mit deutlicher Abneigung in der Stimme. Er musterte ihn einen Moment lang, dann verzog er das Gesicht. »Mein Gott, der Schwanz von diesem Typ muss eine Rakete mit Wärmeleitkopf sein.«

Lola kam zum Tisch zurück. Sie war schweißüberströmt. Ihr Blick wanderte von Edward zu mir und wieder zurück. »Was ist denn hier los?«

»Kennst du den Witz, wo zwei Alphatiere in die Bar kommen?«, ätzte ich.

»Klingt ziemlich steif!« Sie zuckte neckisch mit dem Mittelfinger. Ihr Blick wanderte ein paar Meter hinter mich. »Da wir gerade vom Muschihimmel reden …«

»Darf ich dir Belles Stecher des Tages vorstellen?« Edward deutete mit dem Kopf auf Smith.

Lola packte meinen Arm und schüttelte ihn. »Warum besteigst du ihn nicht auf der Stelle?«

»Weil wir in der Öffentlichkeit sind.« Ich löste sanft ihre Hand von mir und tätschelte sie. »Ich lass euch jetzt allein.«

»Du lässt es dir jetzt besorgen, meinst du wohl.« David machte einen Kussmund neben Edward, der ihn dafür an die Schulter knuffte. »Du solltest so ein Benehmen nicht auch noch gutheißen«, warnte er.

»Seit Monaten betest du, dass sie mal wieder einen Kerl

kriegt, und jetzt spielst du hier den Macker?«, sagte David verzweifelt. »Wie uncool.«

Edward blickte über meine Schulter. »Ich wollte nur, dass sie mal wieder Sex hat. Aber nicht, dass sie die ganze verlorene Zeit in einer Nacht nachholt.«

»Woher willst du denn wissen…«

»Süße, ich bin vielleicht schwul, aber ich bin immer noch ein Mann.«

»Dann sollte ich mich wohl auf den Weg machen. Ich habe heute Nacht offenbar noch viel vor.« Ich streckte ihm die Zunge raus, und David reichte mir meine Geldbörse.

Smith wirkte deutlich missgestimmt, als ich zu ihm zurückkam. Ich hielt kurz inne und verschränkte die Arme vor der Brust. Wenn er sich nicht einkriegte, würde ich mit ihm nirgendwo hingehen.

»Du musst hier raus«, erklärte er.

»Vielleicht solltest du lieber gehen«, erwiderte ich hochmütig. Er hatte mir gesagt, dass es ihm gefiel, wenn ich ihn provozierte. Und da mir seine Befehle wirklich auf die Nerven gingen, hatte ich keine Probleme damit, ihm genau das zu geben, was er brauchte.

Aus seiner Kehle stieg ein tiefes Grollen empor. Er knurrte tatsächlich. Ich gab mein Bestes, um unbeeindruckt zu wirken, dabei war längst mein Höschen feucht. So viel zum Thema Würde bewahren. Smith stürzte sich auf mich, packte meine Hüften und hob mich hoch. »Komm. Jetzt. Mit.«

Ich vergaß den Club, die Menschen, die Musik. Es gab nur noch uns. Nur noch die Lust, die in mir loderte, wo sich unsere Körper berührten. Nur noch ihn. Ich blinzelte und nickte. Jeder Versuch, den Bann zu brechen, war völlig sinnlos. Ich wollte nicht, dass er mich wieder in die tosende Menge entließ. Ich wollte, dass er mich forttrug und über mein Schicksal entschied.

Smith setzte mich ab, nahm meine Hand, drehte sich wieder um und steuerte den Hinterausgang an. Als wir zur Tür kamen, machte uns der Türsteher Platz.

»Mister Price.« Er tippte sich an die Schläfe und öffnete uns.

Eine nächtliche Brise strich über meine feuchte Haut und kühlte mich augenblicklich ab. Ich hob das Gesicht den Sternen entgegen und atmete gierig die frische Luft.

Der Veyron parkte in der hinteren Einfahrt, bewacht von einem weiteren Security-Mann des Brimstone. Er trollte sich wortlos.

»Kommst du oft hierher?«, fragte ich, während ich dem Mann hinterhersah, der im Gebäude verschwand.

»Der Besitzer ist ein Mandant von mir.« Er öffnete mir die Wagentür, hielt meine Hand aber noch immer fest umschlossen.

Vielleicht lag es an der frischen Luft oder daran, dass ich den Lärm und die volle Tanzfläche hinter mir gelassen hatte, aber allmählich bekam ich einen klaren Kopf. »Woher wusstest du, dass ich hier bin?«

»Das spielt keine Rolle.« Sein Tonfall klang ziemlich beunruhigend. »Ich habe schon seit Stunden versucht, dich zu erreichen.«

»In diesem Kleid ist kein Platz für ein Telefon. Ich habe es zu Hause gelassen.« Ich zuckte mit den Schultern.

Smith reagierte darauf so, wie ich es erwartet hatte.

Er griff meine Hüften und drängte mich zurück und gegen die Backsteinmauer hinter uns. »Dein Hintern passt nicht in dieses Kleid.«

»Gefällt es dir nicht?«

»Das ist kein Kleid, das ist eine Bandage.«

»Es ist wirklich ein Bandagenkleid.« Ich drückte ihm meine Hüften entgegen und rieb mich an seinem Schwanz, der längst hart war. »Erregt es dich, wenn ich mir nicht alles gefallen lasse?«

Blitzartig riss er meine Arme über meinen Kopf. Sein Gesicht senkte sich über meins und verharrte dort gefährlich nah, dann strichen seine Lippen über meinen Kiefer. »Ich habe dir doch gesagt, dass du dich anständig benehmen sollst.«

Seine Zähne knabberten an meinem Ohrläppchen.

»Das habe ich doch«, stöhnte ich.

Sein Mund bewegte sich tiefer, bis er schließlich seine Zähne in meine Schulter schlug, und zwar fest.

»Ich habe gesehen, wie dich ein anderer Mann angefasst hat«, knurrte er. »Er hatte seine Hände überall an diesem erbärmlichen Fetzen, den du als Kleid bezeichnest.«

Ich stöhnte – zum Teil, weil er einen falschen Eindruck bekommen hatte, zum Teil auch, weil seine Lippen an meinem Schlüsselbein angekommen waren. »Edward? Der ist so schwul wie ein Frisörkongress.«

»Er hat angefasst, was mir gehört«, explodierte Smith und presste meinen Körper mit seinem ganzen Gewicht gegen die Wand. An seinen Handlungen war nichts Verstohlenes, nichts Subtiles. Er rieb sich lüstern an meinem Bauch und drängte seinen Schwanz in mein weiches Fleisch.

»Was dir gehört?«, wiederholte ich außer Atem. »Ich gehöre niemandem.«

»Da irrst du dich, meine Schöne.« Er wich zurück, und wir standen regungslos voreinander und sahen uns an. Die Grenze

108

lag direkt vor uns. Wir waren auf Zehenspitzen um sie herumgeschlichen und waren auch schon auf ihr balanciert. Aber wir hatten sie noch nicht überschritten. Bis jetzt.

Smith stöhnte auf, seine Augen schlossen sich für einen kurzen Moment, dann beugte er sich herunter.

Er presste seinen Mund auf meinen, stieß so heftig gegen meine Lippen, dass ich Blut schmeckte. Ich wusste nicht, ob es meins war oder seins. Es war mir egal. Ich wollte nur mehr. Mehr von seinem Geschmack, mehr von seiner Zunge, mehr.

Ich stand vollkommen in seinem Bann. Meine Lippen bewegten sich im Einklang mit seinen. Willig öffnete ich den Mund für seine kraftvolle Zunge. Er konnte mich nehmen, wann und wie er wollte, und das würde er auch tun.

»Ist es das, was du willst, Belle, meine Schöne?«, fragte er, während er mit der Zunge über meine Zähne strich. »Willst du mich in deinem Mund? Wo willst du mich noch?«

Hier. Dort. Überall. Meine Synapsen gaben Dauerfeuer, so überwältigt war ich von den Gefühlen, die meinen Körper durchströmten, wo immer unsere Haut sich traf. Ich stöhnte und schob mich dichter an ihn heran. Worte brachte ich nicht mehr zustande. Ich konnte ihm nur noch zeigen, was ich wollte.

»Du musst dich etwas klarer ausdrücken«, murmelte er an meinem Mund. »Wenn ich dich erst im Bett habe, gibt es kein Ja oder Nein mehr. Dann gehörst du mir. Jetzt sag, willst du mir gehören?«

Er trat einen Schritt zurück, musterte mich und wartete auf eine Antwort.

Es fiel mir schwer zu sagen, was ich sagen musste. Aber schließlich reichten sechs einfache Worte.

»Halt den Mund, und fick mich.«

10

Wir schafften es bis zur Garage. Smith nahm den Gang raus, sprang von seinem Sitz und war schon an meiner Tür, bevor ich den Sicherheitsgurt gelöst hatte. Ich nahm die mir dargebotene Hand und stieg mit weichen Knien aus dem Auto. Die Kombination aus überhöhter Geschwindigkeit und Lüsternheit hatte mich zittrig gemacht.

Er schlang den Arm um meine Hüfte, drängte mich gegen den Wagen und presste seine Lippen auf meine. Er schmeckte nach Bourbon und Gier. Ich strich durch sein Haar und drückte ihn an mich. Ich war süchtig nach ihm, nur er konnte mir geben, was ich brauchte. Ich hatte Zeit gebraucht, doch jetzt war ich bereit nachzugeben und mit meiner Kleidung auch alle Hemmungen fallen zu lassen. Das Autofenster war kühl an meiner heißen Haut, meine Finger glitten über das edle Metall, und ich stöhnte an Smiths Lippen.

Er saugte meine Zunge in seinen Mund und ließ mich seine scharfen Zähne spüren.

Er hatte versprochen, mich zu beißen.

Mein Körper wollte ihm näher sein. Es war zu viel Stoff zwischen uns, nicht genug Haut. Smith wich zurück und drehte mich um, dann drückte er mich fest gegen den Wagen.

»Ich werde dir zeigen, warum ich etwas gegen dieses Kleid habe«, keuchte er in mein Ohr, als er sein Bein zwischen meine Schenkel schob und sie spreizte. »Siehst du, wie leicht man an deine Muschi kommt?«

Ich versuchte zu nicken, doch meine Wange war ans Wagendach gepresst, mein Atem ließ das Metall beschlagen.

Smith griff mir ins Haar und zog mir den Kopf in den Nacken. »Ich kann dich nicht hören, meine Schöne.«

»Ja«, keuchte ich.

»Ja, was?« Er zog noch fester und bog meinen Kopf schmerzhaft zurück.

Eine warme Woge der Erregung durchströmte mein Geschlecht, als ich wimmerte: »Ja, Sir.«

»Braves Mädchen.« Vorsichtig ließ er meinen Kopf sinken und strich über meine Wange. Dann bedeckte er meinen Nacken mit Küssen. »Mein Mund wird sich jetzt deine Muschi vornehmen, und ich will, dass du genau so bleibst, wie du bist. Rühr dich nicht vom Fleck.«

Ein verzweifelter Seufzer entfuhr meinen Lippen, er presste seinen Mund auf meinen und schob mir das Kleid bis zur Taille nach oben. »Ich weiß, dass du dich mir hingeben willst. Noch nie hat sich jemand richtig um dich gekümmert – dich richtig verwöhnt, stimmt's?«

Ich schloss die Augen und schüttelte den Kopf.

»Aber das brauchst du, oder?« Er strich mir eine Haarsträhne hinters Ohr und rieb dabei sein Knie an meinem Geschlecht.

Ich befeuchtete meine Lippen, öffnete die Augen und suchte

seinen Blick. Ich brauchte nicht erst Ja zu sagen. Er wusste es auch so.

»Ich werde mich um dich kümmern, meine Schöne«, versprach er. »Das wird dir gefallen.«

Er ließ die Finger unter die Bänder meines Stringtangas gleiten und umschloss sie mit seiner Faust. Als er mir den Slip herunterzerrte, rissen sie und hinterließen eine Brandspur auf meinen Hüften. Das Spitzengewebe rieb zwischen meinen Schenkeln, und ich biss mir in die Wange, um nicht zurückzuzucken. Er warf den Tanga auf den Garagenboden. »Seit wir uns zum ersten Mal begegnet sind, habe ich mir vorgestellt, dich zu schmecken. Öffne dich weit für mich.«

Ich klammerte mich so fest an den Wagen, wie ich konnte, und wackelte auf meinen High-Heels, als ich mich bemühte, die Beine noch weiter zu spreizen. Smiths Hände glitten an meinem Körper hinunter, als er sich zwischen meine gespreizten Schenkel kniete. Er fuhr mit den Fingerspitzen an meinem Damm entlang und schickte elektrische Stromstöße durch meine Muschi.

»Du bist so verdammt nass für mich. Reif und bereit.« Seine tiefe Stimme strich über meine Haut. Er schob die Finger tief in mich hinein und dehnte mich, während sein Daumen um meine Klitoris kreiste. Doch anstatt sich vorzubeugen, legte er den Arm um meine Hüften und zwang mich die Knie gerade so weit zu beugen, dass ich über ihm kauerte. Mit einer schnellen Bewegung zog er mich an seinen Mund. Seine Zunge schnellte vor und strich über meine empfindliche Spalte.

Ich saß praktisch auf seinem Gesicht und klammerte mich dabei an einen Bugatti. Die Vorstellung entfachte ein Feuer, das meinen ganzen Körper in Flammen setzte. Meine Schenkel brannten von der Anstrengung, aufrecht zu bleiben, doch das machte mir meine Position nur noch bewusster. Die Lust steigerte sich und hielt mich fest im Griff, als Smith an meiner Knospe saugte. Als er schließlich behutsam und ohne Eile mit der Zunge darüber strich, schrie ich auf und verlor fast das Gleichgewicht. Ich klammerte mich an den Wagen, und Smith fasste meine Hüften, um mir Halt zu geben.

»Ich lass dich nicht fallen«, versicherte er mir mit einer Stimme, die vor Lust vibrierte, »aber du musst dich gehenlassen und auf meiner Zunge kommen.«

Stöhnend schüttelte ich den Kopf, doch er merkte es nicht. Oder es war ihm egal. Ich konnte mich nicht mehr zusammenreißen, den Empfindungen nicht mehr widerstehen, die meinen Körper in Besitz nahmen. Smith nippte an meiner Muschi wie an einem köstlichen Drink, von dem er nicht genug kriegen konnte, und ich zerbarst. Die fiebrige Spannung, die meinen Körper beherrschte, steigerte sich zu reiner Ekstase, als er mich zwischen halb geöffneten Zähnen hindurch austrank. Ich ließ die Arme sinken und sackte nach unten, als höchste Lust durch meine Glieder strömte.

Aber ich fiel nicht auf den Boden. Smiths starke Arme stützten mich. Seine Zunge hielt mich fest. Ich sank wie betäubt gegen den Wagen, doch er hörte nicht auf, mich mit seinem Mund zu reizen. Ich versuchte, die Schenkel vor seinem Ansturm zu schließen, doch dazu reichte meine Kraft nicht. Er verlangsamte seinen Rhythmus und strich behutsam an meiner pochenden Muschi entlang, bis ich spürte, wie sich meine Muskeln zusammenzogen.

Das konnte doch nicht sein.

Doch meinem hyperventilierenden Hirn blieb keine Zeit,

weiter darüber nachzudenken, schon erbebte mein ganzer Leib von Neuem, als er mir zu einem weiteren fantastischen Höhepunkt verhalf.

Als mein Orgasmus verebbte, ließen mich meine Muskeln endgültig im Stich. Doch bevor ich stürzen konnte, schlang Smith die Arme um mich, lehnte mich gegen den Wagen und barg meinen Körper an seinem. Ich war sprachlos. So etwas hatte ich noch nie erlebt.

Er strich mit dem Daumen über meine Unterlippe, bis ich den Mund öffnete. »Jetzt will ich deinen sexy Mund.«

Ich griff nach unten und fummelte an seinem Reißverschluss, doch Smith schüttelte den Kopf. Er legte den Arm um mich und führte mich zur Fahrerseite des Wagens. »Ich weiß immer noch nicht, was dich mehr aufgeilt – ich oder der Wagen?«

Ich machte den Mund auf, um zu protestieren, aber er verschloss ihn mit seinem Zeigefinger.

»Es ist mir egal, was dich scharfmacht, Hauptsache, es gehört mir, meine Schöne.« Es klickte, und die Fahrertür schwang auf. »Ich will deine Knie auf meinem Fahrersitz. Zeig mir, wie schön deine Muschi ist, wenn sie nackt in meinem Wagen zuckt.«

Ich taumelte zurück und hielt mich am Türrahmen fest, als ich mich umdrehte und in den Schalensitz kletterte. Das unablässige Pochen zwischen meinen Beinen wurde noch fordernder, als meine Haut über das butterweiche Leder strich.

»Mein unbezahlbarer Besitz und mein teuerster«, sagte er mit heiserer Stimme, als er seine Hand auf mein Geschlecht presste.

Ich verlangte keine Aufklärung, welchem ich mich zurechnete. Ich hätte mich daran stören sollen, dass er mich als sein Eigentum bezeichnete, aber ich wollte nur, dass er wieder und wieder Besitz von mir ergriff. Ich hatte aufgehört, an etwas anderes zu denken als an ihn, an seine Berührungen und meinen Wunsch, ihm zu gefallen.

Hinter mir hörte ich das Geräusch eines Reißverschlusses. Ich drehte den Kopf und beobachtete, wie er sein Glied herausholte. Ich hatte es zwar zuvor gesehen, aber nicht so. Es ragte an seinem Unterleib hervor, majestätisch flankiert von seinen schweren Hoden. Ich wusste ja, dass er gut bestückt war, aber so, zur vollen Größe erwacht, erregte er mich – und machte mir Angst.

»Mach dir keine Sorgen.« Smith schien zu spüren, was ich dachte. »Ich nehme dich erst, wenn du so weit bist.«

Schüchtern drückte ich die Lippen an meine Schulter. Er war zwar nicht gerade mein Erster, durchaus nicht, aber es war klar, dass er in einer anderen Liga spielte als meine früheren Liebhaber. Ich war mir nicht einmal sicher, ob er überhaupt dasselbe Spiel spielte wie sie.

»Nicht den Mund verstecken«, befahl er. »Ich will ihn in Aktion sehen. Ich habe dir doch gesagt, dass ich nicht weiß, ob du mit mir oder mit meinem Bugatti fickst. Jetzt zeig mir mal, was dein Mund mit meinem Wagen anstellen kann.«

Vielleicht lag es daran, dass ich ihm ausgeliefert war. Vielleicht hatten die beiden Orgasmen, die er mir bereitet hatte, meinen Verstand aussetzen lassen. Vielleicht hatte ich mich so lange beherrscht, dass ich nicht mehr unterscheiden konnte, was ich wollte und was er. Aber ich kroch weiter in den Wagen und so nah ans Lenkrad, dass ich mit der Zunge das weiche Leder berühren konnte. Es schmeckte teuer, nach Luxus und Sünde. Ich drehte ein wenig den Kopf, bis ich ihn im Blick hatte. Ich zog meine Zunge über das Rund. Der warme Moschusgeschmack des Leders mischte sich mit salzigen Spuren von Smiths Hand. Ich strich über die Ledernaht des Lenkrads, wobei ich jeden Millimeter seiner Oberfläche verwöhnte.

Aus dem Augenwinkel sah ich, wie Smith die Hand fest um seinen Schaft legte. Ich stöhnte, als er begann, sich selbst zu befriedigen. Ich war hin- und hergerissen, denn einerseits wünschte ich, es wäre meine Hand, andererseits wollte ich ihm aber auch eine Vorstellung liefern.

Ich kroch am Steuer hoch, führte die Lippen ans Armaturenbrett und nahm mir die Zeit, jeden einzelnen Knopf zu küssen.

»Ja, genau so, meine Schöne. Zeig mir, wie versaut du bist.« Fest packte er mit der Hand meinen Hintern, und das Pochen in meiner Lustknospe steigerte sich von einem schwachen Zucken bis zu einem Trommelsolo. Seine Reaktion heizte mich an. Ich streckte das Hinterteil in die Luft, schloss meine Lippen um den Schalthebel und ließ ihn tief in meinen Mund gleiten.

Smith stöhnte hinter mir auf. »Ich kann nicht mehr warten, aber ich werde sanft sein.«

Die warme Spitze seines Schwanzes stieß gegen meine Pforte, und ich schlug voller Erwartung meine Zähne in den ledernen Schaltknopf. Er wartete einen Moment und ließ mir Zeit, mich in die richtige Position zu bringen. Dann drang er in mich ein. Meine Muschi, die immer noch angeschwollen war, dehnte sich schmerzhaft, um seinen erstaunlichen Umfang aufzunehmen. Gott, sein Schaft war unfassbar kräftig. Ich zog mich zurück, gab die vulgäre Zurschaustellung auf, damit ich zu Atem kommen konnte, während er sich tief in mich hineinschob.

Dagegen hatte ich mich die ganze Zeit gewehrt: Lust. Unbeschreibliche Lust.

»Jetzt werde ich dich richtig nehmen, Belle«, knurrte er.

Ich hielt den Atem an und wartete. Als er nicht anfing, schob ich die Hüften zurück und versuchte, ihn tiefer in mich aufzunehmen.

»Noch nicht.« Er tätschelte meinen Rücken, während er mit flachen, leichten Stößen pumpte. Er ließ sich Zeit mit mir, obwohl ich immer wieder versuchte vorauszueilen. Als er sich plötzlich zurückzog, hinterließ er so viel ungestilltes Verlangen, dass ich unwillkürlich seufzte. »Ich will dich sehen, wenn ich komme.«

Ich löste mich von ihm, um mich auf den Rücken zu drehen, und sah, wie er ein Kondom aus der Tasche zog. Er riss die Verpackung auf und streichelte sich selbst, als er es über seine Eichel streifte und hinunterrollte. »Falls du noch nichts für die Empfängnisverhütung tust, solltest du bis zur nächsten Woche dafür gesorgt haben.« Noch ein Befehl. »Ich will sehen, wie mein Sperma aus dieser hübschen rosa Muschi heraustropft.«

Ich nickte und biss mir auf die Unterlippe, um dem Verlangen zu widerstehen, ihn anzutreiben. Ich überlegte, ob ich ihm sagen sollte, dass ich die Pille nahm, aber ich konnte es nicht mehr erwarten, ihn wieder in mir zu spüren. Heute Nacht war Smith am Zuge, und ich konnte nur ahnen, was passieren würde, falls ich versuchen sollte, das Heft in die Hand zu nehmen. Als er fertig war, streckte er mir die Hand entgegen. Zögernd ergriff ich sie, und er zog mich hoch. Doch kaum berührten meine Füße den Boden, hob er mich hoch, drückte mich an den Wagen und platzierte mich direkt über seinem Pfahl.

»Wenn du so weit bist, meine Schöne.«

Ich senkte sofort die Hüften und nahm ihn bis zur Wurzel in mich auf. Auch wenn ich morgen früh wund sein würde, wollte ich in diesem Moment jeden einzelnen Zentimeter seiner herrlichen Länge in mir spüren. Smith blieb unbeirrt. Er legte seine Arme um mich, fasste meinen Hintern und trug mich zur Motorhaube des Veyron. Er legte mich vorsichtig darauf ab und sorgte dafür, dass wir den Körperkontakt nicht verloren, dann grinste er durchtrieben. »Ich habe gerade eine meiner Jugendfantasien ausgelebt.«

»Ich auch.« Ich hakte die Daumen unter die Träger meines Kleids, schob es herunter und offenbarte ihm meine Brüste. In der kalten Luft zogen sich meine Nippel zusammen. »Mal sehen, was aus den anderen Fantasien wird.«

Bevor ich meinen Gedanken zu Ende führen konnte, schloss sich auch schon sein Mund um die vorwitzige Knospe. Er knetete meine Brust, dann zog er sich für eine Sekunde zurück, bevor er seine Lippen um den anderen Nippel schloss. Oh Gott, hoffentlich war er gut versichert, denn an der Stelle, an der er mich so hemmungslos auf der Haube nahm, würde es mit Sicherheit eine Delle geben. Ich bog den Rücken durch, woraufhin er meinen Körper umfasste und ihn als Hebel benutzte, um noch tiefer in mich einzudringen. Und fester.

Er schenkte mir keinen Orgasmus, er eroberte ihn. Er diente meiner Lust, als wäre es seine eigene, und als ich diesmal um ihn zerbarst, gab es keine Blitze, keinen Donner, kein Feuerwerk. Ich explodierte mit einem markerschütternden Schrei.

Smiths Gesicht wurde streng, er biss die Zähne aufeinander, streckte den Arm aus und packte meinen Nacken.

»Schau mich an«, befahl er und ließ in seinem Tempo nicht nach, als er mich mit den Armen anhob.

Ich versuchte, die Augen zu öffnen, aber sie gehorchten mir nicht mehr. Als mein Kopf zur Seite sank, zwang er ihn zurück.

»Sieh mich an.« Diesmal lag in seinem Befehl etwas Unerbittliches, dem ich mich besser fügte. Er schloss die Finger um meinen Hals, und ich riss die Augen auf, als er den Druck erhöhte. »Genau so, Belle, meine Schöne. Ich bin kurz davor, und wenn ich komme, gehört diese Muschi mir. Du gehörst mir. Du kannst immer noch Nein sagen. Sag, ich soll mich selbst ficken. Das ist deine letzte Chance.«

Einen kurzen, hitzigen Moment lang liebkosten seine Lippen die meinen.

»Wenn ich komme, gibt es kein Zurück mehr für uns beide«, warnte er und sah mich aus seinen grünen Augen fest an. Auch als er unermüdlich weiterstieß, wankte sein Blick nicht. »Entscheide dich jetzt ein für alle Mal.«

Selbst wenn ich imstande gewesen wäre, einen klaren Gedanken zu fassen, ich musste nicht erst nachdenken. Meine Entscheidung war bereits gefallen, als er im Auto meine Hand genommen hatte. Ebenso gut hätte ich sie schon treffen können, als ich ihn zum ersten Mal gesehen hatte.

Ich schob meine Finger in sein Haar, zog seinen Mund auf meinen und besiegelte die Entscheidung mit einem Kuss, während er nahm, was ihm gehörte.

11

Sie fühlte sich so gut an in meinen Armen.

Es war nicht lange her, dass ich andere Frauen gevögelt hatte, einen verfügbaren Schlitz für meinen Schwanz zu finden, war nicht kompliziert. Das hier war kompliziert. Das hier war anders.

Ich wollte sie, seit ich sie zum ersten Mal gesehen hatte, aber ich hatte nicht vorhersehen können, was passieren würde, wenn ich sie endlich genommen hatte. Die letzten paar Tage ohne sie waren trübe gewesen. Ich hing in Paris fest, leitete Anhörungen und hatte dabei einen Dauerständer. Vermutlich gab es schlechtere Orte als Paris für so viel Geilheit.

»Ich bin fast durchgedreht, als ich dich vorhin nicht erreichen konnte«, sagte ich ihr.

Eigentlich brauchte sie eine weitaus deutlichere Maßregelung, aber diesmal sollte sie noch mit einem Tadel davonkommen. Meine Erwartungen waren zwar unmissverständlich, aber Neuland für sie.

»Ich wusste nicht, wann du zurückkommst.«

Sie kuschelte ihren Kopf unter mein Kinn, und ich roch den Lilienduft in ihren blonden Locken.

»Du hattest dein Telefon nicht dabei.« Ich brauchte Präzision und Klarheit von ihr. Aber mich jetzt aufzuregen brachte ja nichts. Am besten erlegte ich mir fürs Erste eine Beschränkung auf, bis wir unsere jeweiligen Grenzen besprechen konnten.

»Keine Taschen«, murmelte sie verträumt und kuschelte sich noch enger an meine Brust, als ich den Fahrstuhlknopf drückte.

»Willst du ins Bett gehen?«, fragte ich nüchtern.

Sie unterdrückte ein Gähnen und schüttelte den Kopf.

Ich trat in den Lift und drückte mit dem Ellenbogen auf den Knopf für den zweiten Stock. Mit dem kleinen Finger hob ich ihr Kinn an und fuhr fort: »Wenn du dein Telefon dabeigehabt hättest, hätte ich dich früher erreichen können. Dann hätte ich dich jetzt schon stundenlang gevögelt. Aber du hattest es nicht mit, oder?«

»Nein«, flüsterte sie.

»Du standest nicht zu meiner Verfügung. Und jetzt werde ich dich leider noch ein paar Stunden wachhalten müssen.«

Ihre blauen Augen weiteten sich.

»Ich habe noch nicht genug von dir. Wir werden beide wach bleiben, bis ich genug habe. Das ist dir hoffentlich klar.«

»Soll das etwa heißen, ich darf nicht schlafen gehen, bis du zufrieden bist?«

»Nein, meine Schöne«, korrigierte ich sie sanft. »Ich sage, dass sich keiner von uns beiden schlafen legt, bevor wir nicht befriedigt sind. Ich denke schon seit Tagen darüber nach, was ich mit dir anstellen will. Wir haben gerade erst angefangen.«

Ich ließ ihr keine Wahl. In der Garage hatte ich ihr die Wahl gelassen. Zum Teufel, ich hatte ihr seit unserem Bewerbungsgespräch Auswege gezeigt. Sie hatte sich mir hingegeben. Das sollte die letzte Entscheidung sein, die sie heute Abend zu treffen hatte.

»Ich verstehe.« Ihre Lippen öffneten sich zu einem zaghaften Lächeln.

Ich hob eine Braue. »Ist das wahr?«

Sie hielt ihre zarten Finger an meine Wange und wartete, bis ich mein Gesicht in ihre Hand schmiegte. Dann schaute sie mir in die Augen. In ihrem Blick las ich Fragen, Furcht und Verwirrung, aber auch Verlangen. »Ja, Sir.«

Ihre geflüsterte Antwort verriet mir, was ich wissen musste. Irgendwie begriff sie, worauf sie sich einließ. Trotzdem würde ich es mit ihr langsam angehen lassen.

Fürs Erste nahm ich sie mit ins Bett.

Das Licht der Sonne strich über ihr friedliches Gesicht. Ihr blondes Haar umrahmte ihren Kopf wie ein Heiligenschein und ließ sie wie ein Engel aussehen. Sie bewegte sich im Schlaf und schob sich eine Hand unters Kinn.

Was machte sie mit mir?

Manches, das kaputtgegangen ist, lässt sich nicht mehr reparieren. Das wusste ich. Zu oft schon hatte ich das erlebt. Ich hatte gesehen, wie Menschen an gebrochenem Herzen zugrunde gegangen waren. Wieder zusammenzufügen und zu heilen, was zerstört war, war unfassbar schwer. Ich hatte immer geglaubt, es wäre sicherer, meine Wunden zu schützen und mich für die Zukunft zu wappnen, um nicht noch einmal verletzt zu werden.

Aber letzte Nacht war ich wachgeblieben, hatte ihre Atemzüge gezählt und mir jede einzelne ihrer Bewegungen eingeprägt. Sie strahlte den Frieden aus, den der Schlaf ihr schenkte. Fast konnte ich spüren, wie er auf mich überging.

Ich redete mir ein, dass ich zu ungeschützt war, wenn ich neben ihr schliefe. Zu verletzlich. Aber in Wahrheit wollte ich bloß meine Augen nicht schließen.

Obwohl Belle noch tief und fest schlief, begann sie, ihre Lippen zu bewegen. Ich stützte mich auf den Ellbogen hoch und war hin- und hergerissen zwischen dem Wunsch, sie aufzuwecken und der Hoffnung, sie würde weiterschlafen. Dann drehte sie sich auf den Rücken und erstarrte. Sie warf den Kopf auf das Kissen und stieß einen leisen Schrei aus.

Das Gequälte ihres Schreis zog mir das Herz zusammen. Ich war für ihren Schutz verantwortlich, selbst wenn sie träumte.

Ich legte ihr meine Hand an die Wange, liebkoste sie und lotste sie aus dem Albtraum zurück und zu mir. Erschrocken riss sie die Augen auf. Dann erblickte sie mich, und ihre Furcht wich Verwirrung.

»Ich bin da, meine Schöne.«

Beim Klang meiner Stimme zeichnete sich Erleichterung auf ihrem hinreißenden Gesicht ab. Die Spannung in meiner Brust löste sich, ich beugte mich vor und drückte ihr einen Kuss auf die Stirn. Sie sank entspannt ins Kissen und unternahm keinen Versuch, ihren Körper unter der Decke zu verbergen oder sich von mir zurückzuziehen.

Ihre Reaktion fühlte sich bedenklich nach Vertrauen an.

»Schaust du mir etwa beim Schlafen zu, du Spanner«, murmelte sie verschlafen.

»Du hattest einen Albtraum.« Mein Beschützerinstinkt

weckte den Wunsch in mir, sie in die Arme schließen und an mich zu drücken. Doch ich strich ihr nur das Haar aus dem Gesicht. »Hast du das öfter?«

»Ein Albtraum reicht doch wohl?« Sie drehte sich zu mir um und schob ihr Gesicht in meine Hand.

Sie wich der Frage aus – aber warum?

Ich hatte kein Recht, sie zu bedrängen. Also schob ich einen Arm unter ihren Oberkörper und zog sie näher zu mir. Sie rollte sich zusammen, und gemeinsam fielen wir in einen dunklen, traumlosen Schlaf.

12

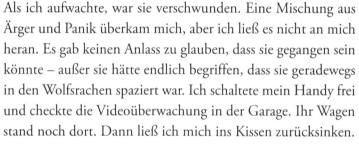

Als ich aufwachte, war sie verschwunden. Eine Mischung aus Ärger und Panik überkam mich, aber ich ließ es nicht an mich heran. Es gab keinen Anlass zu glauben, dass sie gegangen sein könnte – außer sie hätte endlich begriffen, dass sie geradewegs in den Wolfsrachen spaziert war. Ich schaltete mein Handy frei und checkte die Videoüberwachung in der Garage. Ihr Wagen stand noch dort. Dann ließ ich mich ins Kissen zurücksinken.

Belle Stuart war ein harter Brocken.

Wenn sie nackt war und sich vor Lust verzehrte, tat sie alles, was ich von ihr verlangte. Das wusste ich bereits. Aber in der übrigen Zeit war sie unberechenbar.

Wenn ich mich doch nur von berechenbaren Frauen angezogen fühlte!

Als ich meine Füße aus dem Bett schwenkte, entdeckte ich ihr Kleid auf dem Boden. Bei dem Anblick musste ich grinsen. Weit konnte sie also nicht gekommen sein. Ich schlüpfte in meine Boxershorts und begab mich auf die Suche. Wenn ich sie gefunden hatte, wollte ich ihr zeigen, was sie verpasste, wenn sie so früh aus dem Bett stieg und sich unerlaubt entfernte.

Eine kurze Suche in der Küche und im Wohnzimmer blieb erfolglos. Sie war auch nicht in das Zimmer gegangen, das ich ihr zugewiesen hatte. Dann hielt ich inne und betrachtete die Tür, die ihrer Tür gegenüberlag.

Es gab keinen Grund, dort nach ihr zu suchen. Ich hatte sie vor den Konsequenzen gewarnt.

Schließlich entdeckte ich sie, wie sie am Grund meines Pools entlangglitt.

Splitterfasernackt.

Ich sah, wie sie sich schwerelos fortbewegte, das Wasser strömte an ihren Kurven entlang, und das blonde Haar bauschte sich hinter ihr. Keine üble Art, den Samstagvormittag zu verbringen.

Als sie schließlich den Oberkörper hochstieß und über den Beckenrand schaute, schenkte sie mir ein durchtriebenes Grinsen. Ich hielt ihr ein Handtuch hin.

»Ich bin hier noch nicht ganz fertig. Warum leistest du mir nicht Gesellschaft?« Sie warf sich auf den Rücken und ließ ihre perfekten Brüste an die Oberfläche schweben. Es war ein verlockendes Angebot.

»Ich schwimme nicht«, rief ich.

Sie kicherte. »Und warum hast du dann einen Pool?«

»Damit sich hübsche Mädchen für mich ausziehen und eine Runde abtauchen.« Ich trat noch näher an den Beckenrand, um sie besser betrachten zu können.

»Warum kommst du nicht herein und zeigst mir, was du mit diesen Mädchen machst?«, schlug sie vor und klimperte mit den Wimpern.

»Warum kommst du nicht heraus?«, konterte ich.

»Weil ich diejenige bin, die nichts anhat.« Sie tauchte wieder unter und gewährte mir einen Blick auf ihr Hinterteil.

Fast überzeugte sie mich, selbst ins Wasser zu springen. Aber ich verteidigte meine Position. Als ihr Kopf das nächste Mal durch die Wasseroberfläche stieß, krümmte ich meinen Finger und befahl sie zu mir zurück. »Für all die Dinge, die ich mit dir vorhabe, brauche ich mehr Platz.«

Ihre Arme wischten über die Wasseroberfläche. »Hier ist jede Menge Platz.«

Na schön. Wenn sie es so haben wollte. Ich drehte mich um und steuerte auf die Tür zu. Auf dem Weg nach draußen ließ ich meine Shorts fallen.

Noch bevor der Lift ankam, war Belle bereits im Flur. Wasser tropfte von ihrem Körper, und das klatschnasse Haar klebte ihr strähnig am Nacken. Ihre Lippen waren blau angelaufen, aber ansonsten hatte es nicht den Anschein, als wäre ihr kalt.

Als die Fahrstuhltür aufging, tänzelte sie an mir vorbei und trat hinein. »Nach oben?«

»Ich dachte eher an die untere Etage.« Ich folgte ihr, griff sie mir und schob ihre Arme über ihren Kopf. Von ihrem nackten Leib spritzten Wassertropfen an den Spiegel und liefen daran herunter. »Dreh dich um, meine Schöne.«

Sie gehorchte, bückte sich und bot mir ihren Hintern dar. Gott, was ich alles mit ihr anstellen würde! Aber zunächst wollte ich es mit etwas Neuem probieren. Ich wusste, dass ich damit eine Reaktion aus ihr herauskitzeln konnte.

Ich streichelte mit der Hand über ihr perfekt gerundetes Hinterteil, dann schlug ich so fest zu, dass mein Handabdruck zurückblieb. Fünf unübersehbare rote Striche auf ihrer hellen Haut.

Belle schnappte nach Luft, doch sie entzog sich mir nicht, und sie drehte sich nicht um. Sie hielt sich für alles bereit, was ich als Nächstes mit ihr vorhatte.

»Ich habe dir doch gesagt, dass du aus dem Pool herauskommen sollst«, sagte ich mit rauer Stimme und streichelte über die Spuren, die ich auf ihrer Pobacke hinterlassen hatte.

»Du hast mich gebeten«, schnurrte sie.

»Du solltest meine Befehle nie mit Bitten verwechseln, meine Schöne. Oder es wird Konsequenzen haben.«

»Was meinst du mit …« Ein schmerzhafter Schlag auf die andere Backe beantwortete die Frage, bevor sie sie ganz ausgesprochen hatte. »Oh!«

»Begreifst du allmählich?«, fragte ich. »Ich wollte dich vögeln, und du warst nicht da. Das passiert, wenn du nicht gehorchst.«

Sie krümmte sich ein wenig und ging dabei auf die Zehenspitzen. Schwer zu sagen, ob sie sich nur auf den nächsten Schlag vorbereitete oder ob sie gar darauf hoffte. Es war mir auch egal.

»Dein Körper hat auf mich reagiert, seit wir uns zum ersten Mal begegnet sind, und darum gebettelt, von mir gezähmt zu werden.« Ich legte einen Arm um sie, zog sie an mich und presste meinen Schwanz gegen ihr brennendes Hinterteil. »Willst du gezähmt werden?«

Sie brachte nur ein unverständliches Wimmern heraus. Ich ließ meine Hand an ihrem Körper hochgleiten und legte sie um ihren Hals. »Willst du gezähmt werden?«

»Ja, Sir!«

»Sehr gut«, flüsterte ich ihr meine Anerkennung ins Ohr

und drückte zugleich mein Knie gegen ihr nacktes Geschlecht. Die Nässe, die ich dort spürte, hatte nichts mit dem Pool zu tun. »Bist du davon feucht geworden, als ich dir den Hintern versohlt habe?«

Sie nickte, so gut sie es mit meiner festen Hand im Nacken konnte.

»Ich werde dich lehren, mir zu gefallen, meine Schöne. Aber fürs Erste: Wenn du mich nett darum bittest, werde ich dich ficken.« Ich drückte meinen Schwanz noch fester in das fleischige Rund ihres Hinterns.

»Ja, bitte, fick mich«, keuchte sie.

Ich wartete. Sie wusste, was ich wollte, ich musste sie nicht daran erinnern. Doch sie blieb stumm. Enttäuschend. Ich hatte auf ihren Instinkt gebaut, sich mir zu unterwerfen.

Ich fühlte die Bewegung in ihrer Kehle, als sie schluckte, dann flüsterte sie: »Bitte ficken Sie mich, Sir.«

Das war schon viel besser. Ich wollte, dass sie darum bettelte, und ich wusste, dass sie es eines Tages tun würde. Aber fürs Erste sollte ein bescheidenes Bitten reichen. Ich fasste nach unten, griff mit der freien Hand meinen Schwanz und führte ihn zu ihrer triefenden Muschi. »Ich habe kein Gummi.«

»Vergiss es«, keuchte sie und stellte sich noch etwas breitbeiniger hin, um mir einen besseren Zugang zu gewähren.

Meine warme Eichel glitt über ihren Spalt, als ich mich mit ihrem Saft benetzte. »In dem Dossier, das ich über dich zusammenstellen ließ, war auch deine Krankenakte. Du bist gesund, was übrigens auch für mich gilt, und nimmst immer noch die Pille, obwohl du behauptet hast, du hättest den Männern abgeschworen. Wenn es dich stört, ohne Kondome weiterzumachen, würde ich es an deiner Stelle jetzt sagen.«

Als sie schwieg, fuhr ich fort: »Warum hast du die Pille nicht abgesetzt? Vielleicht, weil du von Anfang an mit mir vögeln wolltest?«

Sie schnappte nach Luft, war außerstande, mir zu antworten. Sie hatte mich gewollt, seit wir uns zum ersten Mal gesehen hatten. Sie hatte sich eingeredet, dass sie auf der Hut sein würde, aber nicht aufgehört, die Pille zu nehmen. Es war unvermeidlich. Einem Mann wie mir konnte sie sich auf Dauer nicht entziehen.

»Das muss ich mir anschauen«, stöhnte ich und lockerte meinen Griff. Mit beiden Händen spreizte ich ihre Backen und betrachtete, wie meine Schwanzspitze ihre perfekte Muschi dehnte. Ihr rosa Fleisch umschloss mich, als ich in ihr versank. Dann zog ich mich langsam aus ihr heraus und bewunderte, wie ihr Geschlecht über meinen Schaft glitt. »Ich könnte den ganzen Tag damit verbringen. Es ist zu schön zuzuschauen, wie deine geile Muschi meinen Schwanz verschlingt.«

»Bitte«, schrie sie, als ich meine Vorstöße in Zeitlupe fortsetzte.

Meine Hände glitten zu ihren Hüften, und ich nahm sie mit schnellen, tiefen Stößen. »Ich will sehen, wie mein Saft aus dir heraustropft.«

»Oh Gott«, schrie sie mit erstickter Stimme. »Spritz mich voll!«

Das war eine Bitte, der ich allzu gern nachkam. Als sie spürte, wie ich die erste heiße Ladung meines Samens in sie hineinpumpte, kam sie zum Orgasmus. Sie wurde immer enger, und von der Gewalt ihres Höhepunktes begann ihr ganzer Körper zu zittern. Ihre warmen Kontraktionen melkten

mich weiter, ich presste Ladung um Ladung heraus und ver-
ausgabte mich restlos.

Gemeinsam sanken wir gegen die Fahrstuhlwand, immer
noch pulsierte mein Schwanz in ihr.

»Beweg dich nicht«, befahl ich. Ich entzog mich ihr langsam
und betrachtete, wie meine Sahne aus ihrer zitternden Muschi
tropfte. »Du bist so süß, wenn du zitterst.«

Belle rührte sich nicht und sagte kein Wort. Sie lehnte
einfach zusammengesackt an der Wand, bis ich sie auf ihre
wackeligen Beine hochzog.

»Kannst du es spüren?«, fragte ich.

Ich wollte von ihr hören, dass es ihr gefiel – und dass sie genauso verdorben und geil war, wie ich gehofft hatte. Sie nickte
und wirkte noch reichlich benommen.

»Er ist heiß«, flüsterte sie.

»Berühre ihn.«

Sie ließ ihre zitternde Hand nach unten gleiten und teilte
ihre Spalte mit den Fingern.

»Genau so, meine Schöne«, redete ich ihr zu, legte meine
Hand auf ihre und schmierte die zähe Flüssigkeit über ihr
geschwollenes Geschlecht.

Sie legte den Kopf in den Nacken, als ich ihr half, ihre bean-
spruchte Muschi zu verwöhnen.

»Ich will dich noch einmal kommen sehen«, knurrte ich
und drückte fester auf ihre Hand.

Sie biss sich auf die Lippe und stemmte ihre Hüften gegen
unsere Finger.

»Gib es dir«, verlangte ich.

Ein kehliger Schrei brach aus ihrer Brust hervor, als sie kam.
Als die Spasmen nachließen, wurde sie still, den Mund noch

immer wie ein perfektes O geöffnet. Ich beugte mich herunter, holte mir einen Kuss, dann noch einen, bis ich spürte, wie ich wieder steif wurde.

»Jetzt werde ich dich richtig rannehmen. Bist du so weit?«, fragt ich noch einmal. »Willst du gezähmt werden und dich mir ausliefern? Ich schwöre dir, dass du jede Sekunde genießen wirst.«

Sie rieb ihren Mund über meinen, biss mir in die Unterlippe und nahm sie zärtlich zwischen ihre Zähne. »Ich tue alles, was du willst.«

Ich presste mich an sie und tastete nach der Fahrstuhlschaltung. Mir war egal, wohin er uns bringen würde.

Für mich hatte der Spaß gerade erst angefangen.

Belle kroch übers Bett und ließ sich auf die zerknüllten Laken fallen. Lange hatte ich keine Frau mehr in mein Bett gelassen. Ich bevorzugte Hotels, schon allein, um von vornherein die Gefahr unerwünschten Klammerns auszuschließen. Belle jedoch wirkte, als gehöre sie hierher, als sei es schon ihr eigenes Terrain. Eigentlich hätte mir das mehr Sorgen bereiten müssen, als ich momentan empfand.

Ich ging zu meinem Wandschrank und öffnete einen kleinen Karton, der seit Jahren unangetastet geblieben war. Ich wusste genau, was ich daraus benötigte.

Mit der Schachtel in der Hand kehrte ich ins Schlafzimmer zurück. Neugierig hob sie eine Braue, als sie die lange rote Feder sah, die an einer lederumwickelten Gerte befestigt war. Ich hatte schon immer ein Faible für Kontraste. Mit dem einen

Ende konnte ich einem Frauenleib subtilste Genüsse verschaffen, mit dem anderen Ende konnte ich ihr Hinterteil röten. Ich konnte nur hoffen, dass sich Belle für beide Enden empfänglich zeigte.

»Dreh dich auf den Bauch«, wies ich sie an und setzte mich auf die Bettkannte. Dann nahm ich ein Kissen und schob es unter ihren Kopf. Sie sah mir zu, wie ich die seidige Feder mit den Fingern umschmeichelte. »Weißt du, wovon ich rede, wenn ich Unterwerfung sage?«

»Ich habe eine Ahnung«, erwiderte sie unumwunden.

»Du hast dich mir in der letzten Nacht unterworfen«, führte ich aus. »Was hast du gedacht, als ich sagte, du sollst dich bücken, oder als ich dir den Befehl gab, meinen Wagen zu ficken?«

»Ich wollte dir gefallen«, flüsterte sie. Sie atmete jetzt in schnellen, flachen Zügen. Sie sehnte sich danach mit demselben Verlangen, mit dem ich darauf brannte, es ihr zu geben.

»Unterwerfung hat mit Kontrolle zu tun. Mit meiner Kontrolle über deinen Körper. Dich zu besitzen macht mir fast genauso viel Spaß, wie ich es genieße, dir Lust zu verschaffen. Habe ich dich geil gemacht?«

Sie nickte. Ihr Gesicht lief rosa an.

»Nun gibt es Leute, die das mit Schmerz verbinden«, erklärte ich und klatschte mit dem Lederende der Gerte in meine Hand.

»Verbindest du es mit Schmerz?« Ihre Stimme klang jetzt ängstlich.

Beruhigend strich ich ihr über die Wange. »Mir geht es um Lust. Es gibt eine feine Grenze zwischen Lust und Schmerz. Als ich dir im Fahrstuhl den Hintern versohlt habe, bist du davon feucht geworden. Weshalb?«

»Weil es mich erregt hat.« Jetzt fürchtete sie sich nicht mehr, stattdessen schämte sie sich. Sie verbarg ihr Gesicht in dem Kissen.

»Lass das«, befahl ich. »Schau mich an. Ich will dir nicht wehtun. Ich will, dass du fühlst, wie lebendig du bist. Du warst erregt, weil du dich durch und durch gespürt hast.«

»Frei«, erwiderte sie.

»Und ausgeliefert zugleich. Wenn es heißt, dass sich die Gegensätze anziehen, dann denke ich immer, in Wirklichkeit ist Sex damit gemeint. Wenn du jemandem die völlige Kontrolle über dich gibst, erlebst du absolute Ekstase. Wenn ich dich mit diesem Ende schlage, wird es brennen. Das andere Ende wird dich verwöhnen. Wenn ich die Gegensätze aber kombiniere, wirst du von den Empfindungen überwältigt. Es wird dich so entfesseln, dass dein Körper nur noch Lust empfindet.« Ich strich mit der Feder über ihre Wirbelsäule und beobachtete, wie sich ihr Körper der Berührung entgegenwölbte. »Letzte Nacht habe ich dich gewarnt. Sobald ich dich einmal genommen habe, will ich dich ganz besitzen. Bist du immer noch bereit, dich mir auszuliefern – mit deinem Körper und mit deinem Willen?«

Ich brauchte die Gewissheit, dass sie die Lektion gelernt hatte.

Sie befeuchtete sich die Lippen, dann antwortete sie mit sanfter Stimme: »Ja.«

»Wenn ich dich zähme, will ich keinen anderen Menschen aus dir machen. Dein Körper soll lernen, sich zu beherrschen, bis ich etwas anderes befehle. Ich allein kann dich befreien, und deshalb gestehst du mir die Kontrolle über dich zu.« Die Federspitze kitzelte ihren Hintern, der immer noch glühte. »Noch willst du irgendwie darauf reagieren. Es zurückweisen oder um mehr betteln. Ich aber entscheide, wann es aufhört. Und ich entscheide auch, wann es mehr gibt.«

Ich bewegte mich im Bett weiter vor, bis ich neben ihr kniete. »Komm auf alle viere.«

Sie stützte sich auf Hände und Knie, und ich strich über ihren Rücken.

»Ich habe dir noch gar nicht gesagt, wie perfekt dein Körper ist – glatt und weich. Seit ich dich zum ersten Mal gesehen habe, habe ich mir vorgestellt, wie du nackt aussiehst. Aber meine Fantasie hat nicht ausgereicht. Die Realität ist um vieles süßer.« Ich nahm die Feder und legte sie auf ihre bloße Schulter. »Gleich wirst du spüren, wie die Feder über dich streicht, aber du sollst dich nicht bewegen. Schaffst du das? Antworte einfach nur mit Ja, Sir, wenn ich dich etwas frage, außer du willst, dass ich aufhöre.«

»Ja, Sir«, flüsterte sie und wand sich ein wenig in den Hüften, was ich mit einem kurzen Schlag unterband.

»Rühr dich nicht. Ich trainiere dich jetzt und bringe dir bei, brav zu sein, damit ich mit dir zufrieden sein kann. Und das willst du doch, oder?«

»Ja, Sir«, antwortete sie, diesmal etwas schneller.

Ich zog die Feder zuerst über ihre Schulter, dann hinten über ihren Nacken und achtete darauf, ob sie Anstalten machte, sich zu bewegen. Als sie stillhielt, machte ich weiter und ließ die Feder tiefer wandern, bis sie zwischen ihren Schulterblättern lag. Dann strich ich an der Linie ihrer Wirbelsäule entlang. Es gefiel mir, dass sie sich unter Kontrolle hatte.

»Jetzt öffne deine Beine.« Ich bewegte die Feder tiefer, bis sie über ihren Hintern strich. Belle drückte ihre Knie nach außen. »Weiter.«

Ihr Geschlecht war von unserem letzten Liebesakt geschwollen, immer noch prall vor Verlangen. Ich legte die Feder darauf und bewegte sie hin und her, bis ich sicher war, dass sie bei all den Empfindungen, die durch ihren Leib strömten, die zarten Fasern spüren konnte. Belles Schenkel begannen zu zittern, aber sie schaffte es, reglos zu bleiben.

»Du willst jetzt mehr. Aber ich entscheide, wann du es bekommst. Ich entscheide, wann du einen Orgasmus hast. Willst du jetzt kommen?«, fragte ich und fuhr fort, zärtlich ihre Muschi zu bearbeiten.

»Ja, Sir«, stöhnte sie. Ich hörte die Anspannung in ihrer Stimme.

»Noch nicht. Es gibt noch so viele andere Dinge, die ich dir zeigen will«, erwiderte ich in beruhigendem Tonfall. »Wie geil es sich anfühlen wird, zu mir zu kriechen und um einen Schwanz zu betteln. Ich werde so gut zu dir sein, wenn mir dein Körper gehorcht. Manchmal werde ich dich aber auch an deine Grenzen bringen. Jetzt gerade muss es dir wie eine Tortur vorkommen, wie diese Feder dir Versprechungen auf die Haut flüstert. Aber wenn ich das hier mache ...«, ich wendete die Gerte in meiner Hand und hieb ihr das lederne Ende quer über die Spalte, was sie still ertrug, »dann sehnst du dich sogar noch mehr danach.«

Ich strich weiter mit der weichen Spitze über ihr fiebriges Fleisch und versetzte ihr Hiebe mit der anderen Seite, bis ihr Geschlecht noch stärker anschwoll. Die Erregung tropfte aus ihr, aber sie rührte sich nicht vom Fleck.

»Du hast deine Lektion gut gelernt. Ich bin sehr zufrieden mit dir.« Ich beugte mich vor und schob meine Zunge über ihre nasse Spalte. Ich spürte, wie sie sich anstrengen musste, ruhig zu verharren. Dann zog ich mich zurück. »Ich wollte nur kosten, meine Schöne. Ich weiß, es ist schwer. Ich erwarte auch nicht, dass du gleich alles auf einmal lernst.«

Ich ließ die Feder aufs Bett fallen, dann nahm ich Belle hoch und drehte sie zu mir um. Sie spreizte die Beine, hielt sich aber im letzten Moment zurück, bevor sie auf meinen Schwanz rutschte.

»Ist es das, was du willst?«, fragte ich und schob meinen Schwanz vor ihre entflammte Pforte.

»Ja, Sir«, keuchte sie.

»Dann sitz auf, meine Schöne. Ich will sehen, wie du mich reitest.«

Sie ließ sich langsam heruntersinken und pfählte sich mit meinem Schaft. Ich wippte mich so lange tiefer in sie hinein, bis sie in meinen Armen erstarrte.

»Bist du wund?«

Sie nickte.

»Dann lass es uns langsam angehen.« Ich stützte ihren Rücken, und sie lehnte sich zurück und kreiste die Hüften. »Aber eins sollst du wissen, ich bin noch lange nicht mit dir fertig.«

»Versprochen?«, winselte sie mit schneller werdendem Atem.

»Ja«, versicherte ich ihr und rieb meinen Unterleib gegen sie. »Und jetzt fick mich, Baby. Ich will dich schreien hören.«

13

Ein Schauplatz- und Garderobenwechsel schien mir die beste Methode zu sein, den Montagmorgen einzuläuten. Ich hinterließ einen Zettel auf Smiths Nachttisch, in dem ich ihn aufforderte, sich seinen Kaffee selbst zu kochen. Um acht würde ich in seinem Büro sein. Dann machte ich mich auf den Weg quer durch die Stadt und war froh, unterwegs zu sein, bevor die morgendliche Rushhour die Straßen in Parkplätze verwandelte.

Ich brauchte ganze zwei Sekunden, um das handgenähte schwarze Kleid aus meinem Schrank zu pflücken, das ich Smith bei Harrods vorgeführt hatte. Vielleicht war es nur eine sentimentale Geste. Und ich kannte mich mit Männern zumindest gut genug aus, um zu wissen, dass er es vermutlich nicht einmal bemerken würde.

Andererseits war Smith anders als die meisten.

Mir blieb noch Zeit für eine kurze Dusche, aber nicht, um mich groß zurechtzumachen. Zum Glück hatte das unablässige Cardiotraining des Wochenendes meinem Gesicht einen nachhaltigen postkoitalen Schimmer verliehen. Etwas Mascara und ein wenig transparenter Lippenstift, dann war ich bereit für den Tag.

Als ich aus dem Schlafzimmer kam, machte ich einen Satz, so überrascht war ich, dass Tante Jane in der Küche auf mich wartete. Ihr unfrisiertes, platinblondes Haar stand sogar noch mehr ab als sonst. Das und der weite, pinkfarbene Kimono, den sie trug, verrieten, dass sie gerade erst aufgestanden war. Sie lächelte mich an, nahm den Kessel vom Herd und goss Wasser in zwei bereitstehende Tassen.

»Du siehst erholt aus«, stellte sie fest und reichte mir eine davon.

Ich rührte etwas Milch und Zucker hinein, versuchte nach Kräften, ihrem Blick auszuweichen, und zuckte mit den Schultern. »Ich habe zurzeit nicht allzu viel zu tun.«

»Anscheinend brauchst du auch keinen Schlaf«, sagte sie mit einem wissenden Grinsen. Sie wollte, dass ich ihr verriet, wo ich die letzten Tage gesteckt hatte.

Doch was zwischen mir und Smith lief, war noch zu neu für mich, als dass ich anderen schon davon hätte erzählen können. Vielleicht hatte es ja am Ende nichts zu bedeuten, und zwei Erwachsene frönten lediglich einvernehmlich ihrer Triebhaftigkeit. Doch ich war noch nie mit jemandem zusammen gewesen, der so war. So wild. So hemmungslos. Zu allem bereit, was ihm in den Sinn kam. Und wir waren auf einer Wellenlänge. Ich wusste, was er von mir verlangte, und ich tat es, ohne Fragen zu stellen.

Ich nippte vorsichtig am Tee, um mir die Zunge nicht zu verbrennen, und dachte darüber nach, wie ich das alles finden sollte.

»Du lässt es dir noch einmal durch den Kopf gehen«, teilte

mir Jane mit und durchbrach die Gedanken, hinter denen ich mich verschanzt hatte.

Mein Blick zuckte zu ihr hinüber. Ich zweifelte keine Sekunde daran, dass Jane für meine sexuellen Eskapaden Verständnis hatte. Über die ihren hatte ich mir in den letzten Monaten schon so manche blumige Geschichte anhören müssen. Vielleicht konnte sie mir helfen, die Dynamik zwischen ihm und mir zu beurteilen.

»Vielleicht«, räumte ich ein. Dieses Wochenende gehörte nur uns, Smith und mir. Ich wollte ihn nicht teilen, nicht einmal die Erinnerungen, die ich an ihn hatte. Es war ein besitzergreifender Zug, den ich bislang nicht an mir kannte.

Ich setzte die Tasse ab und beugte mich vor, um Jane einen Kuss auf die Wange zu geben. »Warum bist du überhaupt schon so früh wach? Ich habe dich noch nie vor zehn aus dem Bett kommen sehen.«

»Meine Mitbewohnerin ist endlich nach Hause gekommen. Ich dachte, ich sage besser mal Hallo, bevor sie wieder verschwindet.« Jane schürzte die Lippen. Sie hatte versucht, etwas aus mir herauszuholen, aber ich war noch nicht bereit, die Karten auf den Tisch zu legen.

»Hast du dir Sorgen gemacht?«, fragte ich schuldbewusst. Das hatte ich wirklich nicht beabsichtigt.

»Überhaupt nicht. Ich habe doch deine SMS bekommen.« Sie wischte mein schlechtes Gewissen mit einer lässigen Handbewegung weg, dann musterte sie mich wieder mit ihrem durchdringenden Blick. »Das heißt wohl, du willst die schmutzigen Details für dich behalten, was?«

Unwillkürlich huschte ein verstohlenes Grinsen über mein Gesicht.

Jane prustete los. »Ich glaube, mehr brauche ich gar nicht zu wissen.«

Es gab Begriffe für das, was ich mit Smith getan hatte. Begriffe, die ich bisher nur aus Büchern kannte. Keiner meiner Exlover hatte einen Hang zur Dominanz, und vielleicht war ich deshalb nie auf den Gedanken gekommen, dass ich dafür so empfänglich sein könnte. Jetzt verzehrte ich mich nach seinen Händen auf meinem Körper. Die Schläge. Die Finger um meinen Hals. Die Lust, an meine Grenzen gebracht und zur Hingabe gezwungen zu werden. Das alles war neu für mich, und ich dachte unwillkürlich darüber nach, was es wohl über mich aussagte. Ein Teil von mir fand besorgniserregend, wie sehr ich mich nach seiner Dominanz sehnte, aber ein viel größerer Teil scherte sich nicht darum.

Als ich schließlich außer Atem an meinem Arbeitsplatz eintraf, marschierte ich an Doris vorbei und ging geradewegs zu Smith. Er hatte gesagt, dass ich jetzt ihm gehörte, und ich war versessen darauf, mich wieder in seinen Besitz zu begeben.

Hätte ich beim Betreten seines Büros eine überschwängliche Begrüßung erwartet, wäre ich sicherlich enttäuscht gewesen. Aber weil ich mich allmählich an Smiths rasche Stimmungswechsel gewöhnte, war ich darauf vorbereitet. Dennoch tat die Kälte weh, mit der er mich empfing.

»Du warst nicht da, als ich aufgewacht bin.« Er machte sich nicht einmal die Mühe, mich anzuschauen. Sein Ton war so kühl, dass ich fast erwartete, in der Luft würden sich Eiskristalle bilden.

Doch das heizte mich nur an. Zwar hatte ich ihm meinen Körper überlassen, aber doch nicht jeden wachen Moment meines Lebens. Dass ich ihm im Bett so viel Macht über mich gab, hatte ihn womöglich zu Fehlschlüssen verleitet, wie es zwischen uns stand. Denn so sehr ich unser Wochenende auch genossen hatte, ich war noch immer dieselbe, die er vor ein paar Wochen eingestellt hatte. Jedenfalls im Großen und Ganzen. »Ich habe einen Zettel hingelegt. Ich musste nach Hause und mir etwas anderes anziehen.«

Smith tippte ungerührt eine Nachricht in sein Handy. Er verzog leicht das Gesicht, sagte aber nichts mehr.

War er wirklich so sauer, weil er alleine aufgewacht war? »Ich weiß nicht, was ich falsch gemacht haben soll. Ich musste mich umziehen. Ich hatte den Eindruck, dass die lockere Kleiderordnung vom Wochenende am Montagmorgen vorbei ist. Vielleicht wäre es sinnvoll, ein Memo zu schreiben und die Büroordnung zu spezifizieren.«

Seine Lippen zuckten, aber er lächelte nicht. Kurz darauf legte er endlich sein Telefon auf den Tisch und wandte sich mir zu. »Ich werde dafür sorgen, dass ein paar Sachen in mein Haus geliefert werden.«

Shit. Wie brachte er es nur fertig, gerade noch total abschätzig zu sein und mir dann den Kleiderschrank vollzuhängen? So etwas konnte schon reichen, um ein Mädchen, das weniger selbstsicher war als ich, zur Flasche greifen zu lassen.

»Ich glaube nicht, dass das nötig sein wird. Ich habe eine eigene Wohnung.«

»Im Gegenteil.« Smith lehnte sich in seinem Sessel zurück und legte die Finger aneinander. »Du hast ein Zimmer in meinem Haus, das du bei Bedarf nutzen kannst. Du sollst dort ein paar Sachen zum Wechseln haben. Es ist nicht nötig, dass du durch halb London fährst, nur um dir etwas anderes anzuziehen.«

Seine völlig pragmatische Argumentation hatte für mich einen seltsamen Beigeschmack. Ich verschränkte die Arme und schaute ihn an. »Wäre es dir lieber, wenn ich das Zimmer nutze?«

»Ich habe dich selbstverständlich lieber nackt in meinem Bett. Aber da dir ja sehr daran liegt, deine Grenzen abzustecken, habe ich mir lediglich erlaubt, dir eine praktische Lösung anzubieten, die uns beiden gerecht wird.« Smith nahm einen Stapel Akten und stand auf. Mit einer Hand knöpfte er seine Anzugjacke zu, dann verließ er das Büro.

Ich hörte, wie er Doris bezüglich der Akten Anweisungen gab, aber ich kümmerte mich nicht darum. Vielleicht sollte ich ihn einfach auch solch einem Wechselbad der Gefühle aussetzen, wie er es mit mir tat. Er musste doch einsehen, wie verrückt es war, von einer Frau zu erwarten, mit demselben Kleid zur Arbeit zu gehen, mit dem sie am Freitag noch durch die Clubs gezogen war.

»Außerdem wollen wir ja vielleicht auch an diesen – wie nanntest du sie? An diesen Wochenenden mit lockerer Kleiderordnung irgendwohin gehen, wo du angezogen sein musst«, fuhr er fort, als er wieder im Türrahmen erschien. »Wenn es dir aber lieber ist, ohne Slip bis zu dir nach Hause zu laufen, meinetwegen.« Er verharrte mitten in der Bewegung und nahm meine Hand. »Und weil ich heute Morgen noch nicht dazu gekommen bin, es zu sagen: Guten Morgen, Belle, meine Schöne.«

Er presste seine Lippen auf meine Finger und versuchte, sich mit Charme aus der Affäre zu ziehen. Doch so kam er mir nicht davon. Smith musste einsehen, dass ich mich von ihm nicht in einen Käfig sperren ließ – ganz gleich, wie viel er mir zahlte – und dass es bestimmte Dinge gab, bei denen ich mich nicht umstimmen ließ.

»Ich trage stets einen Slip in der Öffentlichkeit«, erwiderte ich und gab mir keine Mühe, den leicht bissigen Unterton in meiner Stimme zu verbergen.

»Nicht in meiner Gegenwart.« Er ließ sich wieder in seinen Sessel sinken, und ein teuflisches Grinsen umspielte seine Lippen. »Ich will deine blanke Muschi – und sollte ich irgendetwas finden, das sie bedeckt, dann reiße ich es dir einfach vom Leib.«

»Ich hoffe, deine Bekleidungspauschale umfasst auch neue Unterwäsche.« Ich weigerte mich, sein Spiel mitzuspielen. Zumindest wollte ich mich selbst glauben machen, dass ich mich weigern konnte. Aber als ich mich vor seinem Schreibtisch wiederfand, musste ich feststellen, dass ich wohl schon ein paar Schritte in seine Richtung gegangen war.

So stand es also um meine Willenskraft.

»Allzu viele wirst du wohl nicht brauchen.« Nachdenklich legte er den Zeigefinger an die Lippen.

In meinem Innern loderte ein Feuer. Er brauchte mich nur anzuschauen, und schon war ich bereit. Es würde nicht einfach sein, ihm gegenüber meinen Standpunkt zu verteidigen, wenn schon seine bloße Gegenwart einen heißen Sumpf aus mir machte.

Seit er im Brimstone aufgetaucht war, hatte Smith alles unter Kontrolle gehabt. Vielleicht musste er einmal seine eigene Medizin schmecken?

»Aber wenn du nicht in der Nähe bist …«, schnurrte ich

und pirschte mich näher an ihn heran, »...weiß ich nicht, ob ich mich zurückhalten kann.«

Smith hob eine Braue, als ich mich über seinen Schreibtisch beugte und ihm den vollen Einblick in mein Dekolleté gewährte.

»Wenn du das nicht schaffst, wäre ich enttäuscht«, erwiderte er streng – obwohl ich sah, wie seitlich an seinem Hals eine Ader zuckte.

»Und was wäre, wenn es mir nicht gelingt? Wenn ich die Kontrolle verliere?« Ich schlenderte um den Schreibtisch herum und schwang mich hinauf. Dann schlug ich die Beine übereinander und schenkte ihm mein strahlendstes Lächeln.

»Ich würde dir raten, es nie so weit kommen zu lassen.« Er stützte die Hände auf die Armlehnen des Schreibtischsessels und beugte sich zu mir vor. Der Abstand zwischen uns wurde immer geringer. »Sonst würde ich dich bestrafen.«

»Bestrafen?«, wiederholte ich dieses archaische Wort und kostete jede einzelne Silbe aus. »Würdest du mir dann wieder den Hintern versohlen?«

»Als Erstes. Dann würde ich dich meinen Schwanz lutschen lassen, bis du so nass bist, dass du darum bettelst, ihn in dir zu spüren. Aber du weißt, was mit ungezogenen Mädchen passiert, meine Schöne.«

»Klär mich auf.« Ich zog die Worte in die Länge und ließ sie viel länger auf der Zunge, als nötig gewesen wäre.

»Wenn du mir nicht gehorchst, kann ich deinem Wunsch nicht entsprechen.«

Zur Bekräftigung griff er nach der dicken Beule in seiner Hose und strich über seinen harten Schwanz. »Den hier kann ich dir dann nicht geben.«

Aber so schnell wollte ich mich nicht geschlagen geben, obwohl der Gedanke daran, dass er mir die Lust versagen könnte, mich in Panik versetzte. »Wie gut, dass ich noch einen Freund habe, der mit Batterien funktioniert.«

»Das wäre sehr ungezogen von dir. Und dann würdest du den hier ja gar nicht mehr brauchen, oder?«, fragte er und löste dabei seinen Gürtel. »Wir wissen doch beide, dass du so viel mit deinem Spielzeug herumwerkeln kannst, wie du willst – einen Orgasmus, wie ich ihn dir gebe, wirst du damit nicht haben. Weißt du noch, wie es war? Wie du geschrien hast?«

Ich schob meinen Hintern weiter auf den Schreibtisch und gab mich ruhig und gelassen, doch in Wahrheit hatte ich die Situation längst nicht mehr im Griff. Dagegen half nur eins.

Ich umfasste den Rand der Schreibtischplatte, stieß mich ab und ging auf die Knie. Dann rutschte ich zwischen seine Beine und strich mit dem Handrücken über seine mächtige Erektion.

Ich kannte den perfekten Weg, einen Mann wieder in den Griff zu bekommen. Mit flinken Fingern knöpfte ich seinen Hosenbund auf, aber noch ehe ich den Reißverschluss herunterziehen konnte, klingelte sein Schreibtischtelefon. Smiths Linke schnellte vor und packte mein Handgelenk, während er mit der Rechten den Hörer abnahm.

Ich beugte mich vor und presste meinen Mund auf die Beule in seiner Hose, doch er schob den Sessel zurück. Er hob das Kinn und formte tonlos die Worte: »Steh auf.«

Ich entwand ihm meine Hand und machte mich weiter an seiner Hose zu schaffen, doch dann stand er derart abrupt auf, dass er mich beinahe umwarf.

»Nein, diese Klausel können wir gern noch einmal diskutieren. Aber es ist für uns alle das Beste, wenn dieser Zusammenschluss so reibungslos wie möglich über die Bühne geht«, sprach er ins Telefon und entfernte sich einen Schritt von mir.

Die Botschaft war nur zu deutlich. Meine Annäherungsversuche waren unerwünscht. Ich richtete mich auf und bekam vor Verlegenheit einen roten Kopf, als ich meinen Rock herunterzog und glattstrich. Smith beugte sich vor und kritzelte etwas auf einen Zettel.

Auch wenn er sich wie ein Mistkerl benahm, lieferte er mir zumindest eine Erklärung. Dachte ich. Doch als er mir die Notiz gab, bestand sie nur aus einem einzigen Wort.

»Kaffee.«

Blödmann. Das hätte ich ihm gern auf einen Zettel geschrieben. Aber ich zerknüllte das Papier nur, stürmte aus dem Büro und knallte die Tür hinter mir zu.

Bis ich in der Schlange des Coffeeshops an der Straßenecke endlich an die Reihe kam, hatte ich mir schon hundert Arten ausgedacht, ihn umzubringen. Seinen Espresso zu vergiften, schien die leichteste und eine sehr poetische Methode zu sein, aber mit Sicherheit war sie auch am leichtesten nachzuweisen. Andererseits hoffte ich, die Polizisten würden mich wieder laufen lassen, wenn sie mein Motiv erfuhren.

Smith hatte sich von mir keinen blasen lassen.

Das war ein berechtigter Anlass für drastische Reaktionen. Das würden sie sofort einsehen.

Am Zeitungsstand machte ich Halt, schnappte mir eine Modezeitschrift und blätterte darin. Wenn ich ihn schon nicht vergiftete, wollte ich wenigstens dafür sorgen, dass der Kaffee kalt war, bevor er seine Lippen benetzte.

Rache genießt man am besten kalt, oder?

Ich blieb bei einem Artikel über das perfekte kleine Schwarze hängen. Ein paar Seiten hafteten aneinander, sodass aus der Überschrift »Black Dress« »Bless« wurde – »Segen«.

Ich lächelte. Jedes Mädchen würde mir recht geben, dass das richtige schwarze Kleid mit Sicherheit ein Segen war.

Beim Blättern ignorierte ich zunächst das Schrillen meines SMS-Alarms, aber als er zum zweiten Mal ertönte, wühlte ich das Handy aus meiner Handtasche. Es waren jedoch keine Nachrichten eingegangen. Falsches Telefon. Ich kramte mein privates Handy aus den Tiefen meiner Tasche. Als ich Edwards Nachricht las, wäre es mir beinahe aus der Hand gefallen.

Die Wehen haben eingesetzt. Komm zum Krankenhaus.

Ich machte auf dem Absatz kehrt, stopfte die Zeitschrift in meine Handtasche und hätte dabei fast den Kaffee verschüttet.

»Miss! Miss!« Wild gestikulierend deutete der Zeitungsverkäufer auf meine Handtasche.

»Oh, hier!« Ich drückte ihm den Kaffee in die Hand, kramte eine Fünfpfundnote heraus und reichte sie ihm, dann lief ich die Straße hinunter, noch bevor er mir das Wechselgeld geben konnte.

Ich war schon fast beim Parkhaus, als mein Handy erneut zu klingeln begann. Ich brauchte einen Moment, bis ich begriff, dass es nicht das in meiner Hand war. Ich zog mein Diensthandy hervor. Smith rief an. Kurzerhand drückte ich ihn weg.

Dann schaltete ich das Telefon ganz aus.

14

Norris, Alexanders persönlicher Leibwächter und ältester Freund, erwartete mich in der Tiefgarage und führte mich an den Horden von Gratulanten und Paparazzi vorbei, die sich zum freudigen Ereignis versammelt hatten. Soweit mir bekannt war, standen nur drei Personen auf der Gästeliste: Ich selbst, Edward und Alexander.

Und das Baby natürlich.

Aller Frust und alle Verlegenheit waren wie weggewischt. Smith war vergessen. Jetzt war ich nur noch darauf gespannt, gleich dem neuen Erdenbürgerchen zu begegnen. Der halbe königliche Sicherheitsdienst parkte vor den verschiedenen Eingängen des St. Mary's Hospital. Das konnte ich Alexander nach all dem Furchtbaren, was im vergangenen Jahr geschehen war, kaum zum Vorwurf machen. Aber trotz des massiven Aufgebots an Sicherheitsleuten war er völlig aufgelöst, als er mich schließlich an der Tür empfing.

»Wie geht es ihr?« Ich versuchte, an ihm vorbeizulinsen, doch er hielt mich am Arm fest.

»Sie macht einiges durch. Immerhin konnte ich sie endlich überreden, sich etwas gegen die Schmerzen geben zu lassen.«

Ich drückte ihm verständnisvoll die Schulter. »Dein Platz ist dort drin. Edward und ich warten hier draußen.«

»Ich fürchte, ich gehe ihr gerade ziemlich auf die Nerven.«

»Also willst du, dass ich reingehe und sie daran erinnere, dass du der Beste bist?«, riet ich.

Er grinste kurz, doch gleich darauf erlosch das Lächeln wieder. »Als ich vor fünf Minuten einen Scherz darüber gemacht habe, dass ich ihr Herr und Gebieter sei, war sie nicht besonders amüsiert.«

»Sie muss heftige Schmerzen haben.« Ich hatte kein Problem damit, ihn daran zu erinnern, dass er sie in diese Lage gebracht hatte.

»Weißt du, sie hat sich schon viel zu lange mit dieser Schwangerschaft rumgeplagt, ohne dass ich ihr beigestanden habe. In zehn Minuten gehe ich wieder rein, ob sie will oder nicht.«

»Ich bin mir ziemlich sicher, dass du als amtierender König von England hingehen kannst, wo du willst.«

»Ich glaube nicht, dass es ihr gefallen würde, wenn ich sie daran erinnere.«

»Gib mir ein paar Minuten.« Ich huschte an ihm vorbei nach drinnen. Alexander war zum Mittelpunkt von Claras Welt geworden, doch sie war auch der Mittelpunkt seiner Welt. Es gefiel mir nicht immer, abgedrängt worden zu sein, aber ich liebte Clara, und ich konnte nicht bestreiten, dass er sie glücklich machte. Denn ganz egal, wie frustriert sie manchmal seinetwegen war, konnte ich sie mir nicht mehr ohne ihn vorstellen.

»Gott sei Dank! Der Testosteronlevel in diesem Zimmer war nervtötend hoch«, verkündete Clara, als ich hereinkam.

Sie streckte mir ihre Hand entgegen, als im selben Augenblick die Kurve des Wehenschreibers neben ihrem Bett einen neuen Spitzenwert erreichte. Clara stieß einen erstickten Schrei aus, ließ den Arm aber vorgestreckt, während sie die andere Hand an ihren runden Bauch presste. Ich eilte an ihre Seite, nahm ihre Hand und fragte mich, ob die Wehenkontraktion wohl ebenso schmerzhaft war wie der unbarmherzige Griff, mit dem sie meine Finger zusammenquetschte. »Atmen!«, brachte ich heraus und zog die Hand weg.

Sie warf mir einen warnenden Blick zu.

»Oder lass es«, sagte ich kurzerhand. »Aber ich glaube, es wäre besser, du tust es.«

Clara atmete gepresst aus und ließ sich in die Kissen fallen.

»Ich glaube, du hast mir ein paar Finger gebrochen«, teilte ich ihr mit und bewegte die Hand, um die Blutzirkulation wieder in Gang zu bringen.

»Tut mir leid«, sagte sie kleinlaut.

»Kein Problem.« Ich reichte ihr einen Becher mit Eiswürfeln vom Tisch neben dem Bett. Meine Erfahrungen mit Geburten beschränkten sich auf das, was ich aus Filmen kannte. Soweit ich wusste, schrien die Frauen, fluchten und lutschten Eiswürfel. Geburt war einer dieser merkwürdigen Übergangsriten – für Außenstehende vollkommen unverständlich. »Und jetzt verrate mir, warum du Alexander verbannt hast.«

»Weil ich ihn sonst hiermit«, sie hielt ihren Infusionsschlauch hoch, »erwürge. Er scheint ganz vergessen zu haben, wer von uns beiden das Baby zur Welt bringt.«

»Was sagt der Arzt?« Ich wollte das Gespräch schnell von ihrem Ehemann ablenken.

»Ich weite mich nicht schnell genug. Man hat mir ein paar

wirkungslose Schmerztabletten gegeben, und jetzt überwachen sie das Baby. Ach, und eine Krankenschwester hat mir gerade erzählt, dass draußen die halbe Nation darauf wartet, dass ich sie herauspresse.«

»Ach, es hätte schlimmer kommen können«, sagte ich. »Vor ein paar hundert Jahren wären die jetzt alle hier drin, um dir dabei zuzusehen.«

»Das könnte das Einzige sein, was sich zum Besseren verändert hat«, sagte Clara matt und schnappte nach Luft, als die nächste Wehe Besitz von ihr ergriff. »Erzähl mir irgendwas.«

»Ich habe mit Smith geschlafen«, platzte ich gleich mit dem Erstbesten heraus, was mir in den Sinn kam. So viel zum Thema »Geheimnisse für sich behalten«.

»Ich weiß«, schrie Clara. Als der Schmerz wieder nachließ, schenkte sie mir ein schwaches Lächeln.

»Die Neuigkeiten verbreiten sich aber schnell.«

»Edward meinte, ihr hättet es im Brimstone quasi auf der Tanzfläche getrieben«, sagte sie atemlos.

»Edward ist ein Schuft.«

»Er hat auch gesagt, dass ihn Smith fast geschlagen hätte.« Clara sah mich durchdringend an.

»Ja. Edward und ich haben ziemlich heiß miteinander getanzt. Das hat ihn auf die Palme gebracht. Smith ist vermutlich der einzige Mensch in England, der noch nicht gehört hat, dass der Prinz schwul ist.«

»Bin ich das?«, meldete sich mit tiefer Stimme Alexander zu Wort, der gerade in der Tür erschien. »Und wie sind wir dann in diese Umstände gekommen?«

Seine Gegenwart machte sich bei Clara sofort bemerkbar. Trotz ihres Geredes, wie satt sie seine Beschützeranwandlungen hatte, veränderte sich sofort ihr Gesicht, als er hereinkam. Der Raum wirkte gleich viel freundlicher. Selbst wenn sie von ihm genervt war, hatte er noch diese Wirkung auf sie.

Das Fehlen einer solchen Magie war eins der ersten Alarmsignale dafür gewesen, dass Philip und ich vielleicht doch nicht so gut zusammenpassten. Damals hatte ich es lieber ignoriert. Dass das überhaupt ging, erstaunte mich selbst, aber vielleicht hatte ich einfach unbedingt jemanden haben wollen, der mich wenigstens ein kleines bisschen liebte.

Hinter Alexander trat eine Schwester ins Zimmer und scheuchte mich hinaus. »Ich muss nachschauen, wie es vorangeht. In einer Minute können Sie wieder hereinkommen.«

»Ich suche Edward.« Ich drückte Clara die Hand, doch als ich sie wieder loslassen wollte, hielt sie mich fest.

»Ich weiß nicht, ob ich das schaffe«, flüsterte sie.

»Ich weiß ganz genau, dass du das schaffst.« Ich küsste sie auf die Wange, dann wandte ich mich zu Alexander um.

»Versuch, ihr nicht auf die Nerven zu gehen.«

»Ich glaube, diese Chance habe ich schon vor neun Monaten verpasst«, murmelte er.

Ich schob ihn zu ihr. Meiner Erfahrung nach konnte keiner der beiden dem anderen allzu lange böse sein.

Die Krankenhausflure waren verwaist. Man hatte den gesamten Flügel geräumt und ließ nur Mitarbeiter und angemeldete Besucher durch. Mein Telefon zirpte, und ich fand eine Nachricht von Lola vor.

Madeline droht, ihre Tochter zu verstoßen, wenn sie nicht hereingelassen wird.

Ich tippte:

Soll ich mit Clara sprechen? Vielleicht lässt sie sie rein.

Die Antwort kam praktisch sofort:

Ganz sicher nicht. Das steht Clara mit allen Schmerzmitteln der Welt nicht durch. Noch habe ich Madeline im Griff. Aber halt mich auf dem Laufenden, was da drin vor sich geht.

Ich versprach es ihr, dann setzte ich meine Suche nach Edward fort. Als ich um eine Ecke bog, entdeckte ich ihn in einem Wartezimmer. Sein Verlobter David grinste mich schief an, als ich eintrat und die Hände auf die Hüften stemmte.

»Versteckt ihr euch?«, fragte ich vorwurfsvoll.

»Windeln, Fläschchen. Ich bin im Grunde auf alles vorbereitet«, erklärte Edward, »aber nun war ich zehn Minuten da drin, und habe feststellen müssen, dass ich das nicht packe.«

»Gerade hat er noch zu mir gesagt, wie froh er sei, dass keiner von uns beiden Kinder gebären könne«, erzählte David.

»Und Adoptivkinder kommen auch nicht infrage?«, erkundigte ich mich.

Beide antworteten zugleich.

»Vielleicht«, war die eine Antwort. »Wir werden keine Kinder haben«, die andere.

Ich hob hilflos die Arme. So wie es aussah, zettelte ich heute überall in London Streit an.

»Was soll das heißen: Wir werden keine haben?«, wollte David wissen.

»Hast du nicht gesehen, wie kaputt meine Familie ist?«

David verschränkte die Arme und schüttelte grinsend den Kopf. »Wenn ich mich recht entsinne, hat Alexander früher dasselbe über Kinder gesagt.«

»Zum Glück kannst du nicht schwanger werden«, ätzte Edward.

»Darüber ist das letzte Wort noch nicht gesprochen«, warnte David und stand auf. Er umarmte mich kurz, dann steuerte er auf die Tür zu. Beim Hinausgehen rief er mir noch über die Schulter zu: »Bring du die königliche Hoheit doch bitte zur Vernunft.«

»Das scheint heute mein offizieller Job hier zu sein: Die Monarchen zur Vernunft zu bringen.« Ich zog eine Grimasse. »Wie habe ich es nur fertiggebracht, mich mit der halben Königsfamilie anzufreunden? Die meisten von euch sind ziemlich verkorkst.«

»Apropos verkorkst: Wie läuft's bei dir?«, fragte Edward und klopfte mit der flachen Hand auf den Stuhl neben sich.

»Ich glaube, es würde mir besser gehen, wenn mein Leben irgendeinen Sinn ergeben würde«, gab ich zu. »Ich weiß nicht, wie ich hilfreich sein soll, wenn ich selbst die ganze Zeit nur Fehlentscheidungen treffe.«

»Ist es mit Smith nicht so gut gelaufen?«, riet Edward und legte den Arm um mich.

Ich schüttelte den Kopf und lehnte mich an ihn. »Das mit Smith ist etwas zu gut gelaufen.«

»Deine Probleme möchte ich haben«, neckte er mich.

»Wir können gern tauschen«, schlug ich vor. »Ich glaube, David und ich könnten wunderbare Kinder haben.«

»Hände weg von meinem Mann«, antwortete Edward in gespieltem Ernst. »Außerdem sah es letzte Nacht wirklich so aus, als hättest du dir einen von eurem Ufer gegriffen.«

»Das dachte ich auch.« Normalerweise hätte ich mit Clara über die Sache gesprochen, weil sie wusste, wie es war, sich mit einem komplizierten Mann einzulassen. Aber die hatte momentan ganz andere Sorgen. Und ich musste mich einfach jemandem anvertrauen. »Ich weiß nicht. Er ist so fordernd.«

»Im Schlafzimmer?«, fragte Edward mit einem verschmitzten Blick.

»Überall.« Ich behielt für mich, dass ich zwischen den Laken durchaus nichts gegen seine Besessenheit und seine Liebe zum Detail einzuwenden hatte.

»Nun ja, wie anstrengend das sein kann, habe ich bei unserem Paar der Stunde gesehen.« Edward hielt inne und rieb sich nachdenklich das Kinn. »Du solltest dir überlegen, ob du dir eine Zukunft mit ihm vorstellen kannst.«

»Ich kenne ihn noch nicht gut genug«, räumte ich ein. »Aber ich hätte nichts dagegen, ein paar Wochen in seinem Bett zu verbringen.«

»Dann musst du klare Grenzen setzen. Schau mal, Belle…«, Edward beugte sich vor und drückte mein Knie, »…wir wissen doch beide, dass du dich nicht leicht auf eine Beziehung einlässt.«

Ich schnaubte. »Willst du mir das etwa vorwerfen?«

»Überhaupt nicht. Aber du solltest dich nicht derart auf deine Freiheit versteifen, dass du dich am Ende auf gar nichts mehr einlässt. Lass dir das von einem Typen sagen, der seinen Liebsten jahrelang gezwungen hat, so zu tun, als wären sie nur gute Freunde.«

»Stimmt. Wenn ich es mir recht überlege, bist du nicht gerade die geeignete Person, mir Beziehungsratschläge zu geben«, zog ich ihn auf.

»Ich habe es offiziell gemacht.«

Wir lachten beide, als David seinen Kopf zur Tür hereinstreckte.

»Sie bringen Clara in den OP.«

Sofort sprang ich auf. »Ist alles okay?«

»Das Herz des Babys schlägt unregelmäßig.«

Mehr brauchte er nicht zu sagen, schon eilten wir zu ihrem Zimmer zurück. Wir kamen gerade noch rechtzeitig an, um zu sehen, wie man Clara in den Korridor rollte.

»Belle!«, rief sie verzweifelt.

Ich eilte zu ihr.

»Wenn irgendetwas passiert ...«

»Es wird überhaupt nichts passieren«, unterbrach Alexander sie.

»Wenn irgendwas passiert«, fuhr sie unbeirrt fort, »geh du mit ihr shoppen.« In ihren Augen glitzerten Tränen. »Sie wird einen fantastischen Papa bekommen. Aber ich will, dass sie auch ein bisschen von der Welt der Frauen mitkriegt.«

Ich schluckte meine Tränen hinunter. Ich wollte sie nicht noch mehr beunruhigen, indem ich ihr zeigte, dass ich auch Angst hatte. »Wir nehmen sie zusammen mit zum Shoppen. Was meinst du wohl, wer dir beigebracht hat, dich gut anzuziehen? Oder hast du das schon vergessen?«

»Sir«, unterbrach der Arzt. »Wir müssen ...«

Alexander und ich tauschten einen Blick, dann rannte er neben ihr her, ohne ihre Hand loszulassen. Sein Mund bewegte sich, und obwohl ich nicht hörte, was er sagte, konnte ich es mir vorstellen.

Man konnte das Leben nicht an Momenten messen, doch das lag nur daran, dass sich Momente wie dieser endlos dehnten. Edward und ich tigerten abwechselnd vor der Tür zum OP hin und her. Niemand hatte uns gesagt, wie lange es dauern würde.

»Sie wird alles gut überstehen«, versicherte David uns beiden, während er Edwards Schulter tätschelte. Edward ergriff seine Hände und hielt sie fest.

Wir hatten in diesem Jahr schon so viel verloren. Es hatte den Anschein, als sei jeder Moment der Freude von Tragödien und Schrecken überschattet gewesen. Meine gescheiterte Verlobung. Das Attentat bei der Hochzeit, das den Tod von Edwards Vater zur Folge hatte. Der Autounfall. Es schien, als versuchte das Schicksal immer wieder, uns Clara zu nehmen.

Vielleicht war ihr Alexanders besessene Sorge um ihre Sicherheit in den letzten paar Wochen auf die Nerven gegangen, aber im Stillen war ich froh, dass er jetzt bei ihr war. Ich war mir ziemlich sicher, dass nicht einmal der Tod persönlich an ihm vorbeikam.

Hinter uns ging eine Tür auf. In der Hoffnung, endlich etwas Neues zu erfahren, drehten wir uns alle um. Doch statt eines Arztes stand dort Smith mit loser Krawatte und wirrem Haar.

»Wie zum Teufel bist du hier hereingekommen?«, fuhr ich ihn an. Ich wollte nicht, dass er hier war. Nicht jetzt. Nicht, solange ich mich so verletzlich fühlte, und ganz sicher nicht nach der Abfuhr, die er mir heute Morgen erteilt hatte.

Er hielt eine Tüte hoch. »Ich habe dir etwas zu essen gebracht.«

Mit vor der Brust verschränkten Armen ging ich zu ihm. »Das erklärt noch nicht, wie du hier hereingekommen bist.«

»Ich vertrete einige der Ärzte hier«, erklärte er. »Ich habe sie um einen Gefallen gebeten.«

»Das hättest du dir sparen können, ich will dich nicht hier haben.«

»Wie schade«, erwiderte er tonlos. Dann richtete er seine Aufmerksamkeit auf Edward. »Ich habe gehört, dass sie schon fast eine halbe Stunde im OP ist.«

»Stimmt.« Edward musterte ihn aus schmalen Augen. Smiths Erinnerungsspanne mochte kurz sein, doch Edward hatte den Showdown zwischen den beiden im Brimstone ganz offensichtlich noch nicht verwunden.

»Es wird sicher schon bald eine Nachricht geben. Es dauert einen Moment, alles wieder zuzunähen.«

Beim Gedanken daran drehte sich mir der Magen um. Ich fand es furchtbar, dass meine beste Freundin da drin war und ich nicht bei ihr sein konnte. Andererseits würde es mich eindeutig überfordern, jetzt an ihrer Seite zu sein.

Ich nahm Smith am Arm und schob ihn Richtung Tür. Hier hatten alle schon genug Sorgen, unser Gezänk sollte sie nicht auch noch belasten.

»Woher wusstest du, dass ich hier bin? Das ist schon das zweite Mal, dass du seltsamerweise genau dort auftauchst, wo ich gerade bin.« Im Brimstone hatte er mich auch aufgespürt. Entweder konnte er wirklich meine Gedanken lesen, oder ich sollte mich bei Gericht um eine einstweilige Verfügung bemühen.

»Am Freitag hat mir deine Tante verraten, wo du steckst«, verriet er, zog seinen Ärmel aus meinen Fingern und strich ihn wieder glatt. »Und heute? Na ja, das war nicht sehr schwer, nachdem alle Medien darüber berichten, dass deine beste Freundin gerade mit dem nächsten Regenten Großbritanniens in den Wehen liegt.«

»Danke für das Essen, aber ich habe keinen Hunger.« Ich wollte mich gerade abwenden, doch da trat er auf mich zu und baute sich vor mir auf, sodass ich buchstäblich mit dem Rücken zur Wand stand.

»Das vorhin war ein wichtiger Anruf«, erklärte er. »Mit deinen Lippen um meinen Schwanz hätte ich mich nicht konzentrieren können.«

»Ich verspreche dir, dass ich dich nie wieder auf diese Weise belästigen werde.«

Er neigte den Kopf. »Ob es dir gefällt oder nicht, Belle: Du arbeitest für mich. Manches muss ich eben diskret erledigen.«

»Du hast mir gesagt, ich wäre für alles zuständig«, erinnerte ich ihn. »Aber in Wahrheit hast du mir überhaupt nichts von dir preisgegeben. Ich weiß nichts über dich, Smith.«

»Es braucht Zeit, jemanden kennenzulernen.«

»Ja. Aber dabei muss man ehrlich sein«, erinnerte ich ihn leise.

Smith beugte sich vor, bis seine Lippen mein Ohr berührten. »Hast du mir denn schon alles von dir gezeigt, meine Schöne?«

Ich zuckte zurück. Er rührte an einen Nerv, der heute nicht schmerzen sollte. Am besten niemals wieder. Womit ich nicht zurechtkam, war, dass er ganz bewusst bestimmte Aspekte seiner Tätigkeit von mir fernhielt. Ich sah ja ein, dass er der

Schweigepflicht unterlag, aber er beantwortete mir ja nicht einmal die simple Frage, auf welches Rechtsgebiet er spezialisiert war. Jetzt versuchte er, mir die Worte im Mund herumzudrehen. Typisch Anwalt. »Ich habe kein Interesse an solchen Spielchen, Mister Price.«

»Ich lasse das hier.« Er stellte die Tüte mit dem mitgebrachten Essen auf den nächsten Stuhl, verneigte sich kurz und höflich in Richtung Edward und David und wandte sich dann zum Gehen. »Nehmen Sie sich ein paar Tage frei, Miss Stuart. Verbringen Sie etwas Zeit mit Ihrer Freundin. Ich bin sicher, sie braucht Sie jetzt dringender als ich.«

Ich war nicht sicher, was schmerzhafter war: dass er mich freistellte oder dass er mich gewinnen ließ.

»Wichser«, schrie ich, als die Tür hinter ihm ins Schloss fiel.

»Das ist schon das zweite Mal, dass mich heute jemand anbrüllt. So viel zum Thema Respekt der Monarchie gegenüber«, sagte Alexander hinter mir. Ich wirbelte herum. Mir war entgangen, dass meine kleine Szene Aufmerksamkeit erregt hatte. Aber all meine Wut verrauchte, als ich das kleine rosige Bündel in seinen Armen sah.

»Elisabeth, darf ich dir deine Patentante vorstellen?«, gurrte Alexander und trat zu mir. »Sie hat ein sehr freches Mundwerk. Nimm dir besser kein Beispiel an ihr.«

Ich knuffte ihn in die Rippen. »Du hast es gerade nötig, Papi. Wie geht es Clara?«

»Sie ruht sich aus«, antwortete er, ohne den Blick auch nur für eine einzige Sekunde von seiner Tochter zu lösen. »Beiden geht es prächtig.«

Sein Blick sagte alles. Seine Welt war gerade ein Stück größer geworden. Er verfügte über mehr Geld und Macht, als sich die meisten von uns überhaupt vorstellen konnten, doch das Einzige, was für ihn zählte, waren das kleine Baby in seinen Armen und dessen Mutter am Ende des Korridors.

Meine Brust schnürte sich zusammen. Das war Liebe. Als ich ihm Elisabeth vorsichtig abnahm, erlebte auch ich so etwas wie eine kleine Erleuchtung.

Ich wusste, was Liebe war. Ich hatte sie schon erlebt. Ich empfand sie für die Menschen in diesem Raum. Vielleicht bekamen manche Menschen in ihrem Leben einfach nicht mehr – und war das nicht schon eine Menge?

Ich blickte zurück zu Alexander und sah die pure Freude in seinem Gesicht.

Ein Happy End konnte es nicht für jeden geben. Clara und Alexander hatten ihres gewiss verdient. Doch ich musste dafür sorgen, dass mein kleines Patenkind irgendwann unbeschadet die Welt der Märchen verließ.

»Es war einmal eine wunderschöne Prinzessin«, flüsterte ich und küsste ihre weiche, helle Stirn, »Und die konnte alles tun, was sie wollte … auch ohne einen Mann.«

15

Die Woche mit dem neuen Menschen in meinem Leben zu verbringen und ihn in den Armen zu halten, wirkte Wunder an meiner Seele. Es vermochte jedoch nicht, den Trennungsschmerz zu lindern, den ich zugleich empfang. Smith hatte Essen und Blumen geschickt, sich selbst aber nicht mehr im Krankenhaus blicken lassen. Dafür war ich ihm dankbar. Er hatte mir Zeit gelassen zu begreifen, dass ich einen Fehler begangen hatte, als ich ihn in mein Leben ließ – oder zumindest in mein Höschen.

Am Freitag kehrte Clara nach Hause zurück, um sich an ihr neues Leben als Mutter zu gewöhnen, und ich musste vor meinem Chef antreten.

Chef! Chef! Chef, rief ich mir ins Gedächtnis. An diesem Punkt hatte unsere Beziehung ihren Anfang genommen, und dort sollte sie auch enden. Falls ich meine Gefühle für Smith nicht in den Griff bekam, würde ich kündigen müssen. Der Lohn für die paar Wochen dürfte genügen, um mein Geschäft wenigstens aus der Planungsphase herauszubringen. Wenn ich durch meine Arbeit für ihn mein Herz in Gefahr brachte, musste ich eben andere Wege finden, das Projekt auf die Beine zu stellen.

Sein Gesicht verriet keine Gefühlsregung, als ich am Freitagmorgen an seinen Schreibtisch trat und ihm eine Tasse schwarzen Kaffee reichte. Er sah gut aus – viel zu gut –, und ich verfluchte ihn im Stillen dafür, jenen marineblauen Nadelstreifenanzug zu tragen, der sich wie ein Handschuh um seinen athletischen Körper schmiegte. Sein gewelltes Haar war ordentlich zurückgekämmt, und ich verspürte das Verlangen, den Arm auszustrecken und es durcheinanderzubringen. Nachdem ich beim Vögeln darin Halt gesucht hatte, hatte ich gesehen, wie er zerzaust aussah. Ein Teil von mir vermisste ihn. Das wilde, ungezähmte Tier, das von meiner Welt Besitz ergriffen hatte. Aber Smith war ein Wolf im dreiteiligen Maßanzug. Warum war ich nur so erpicht darauf, mich ihm als seine nächste Mahlzeit anzudienen?

»Heute Nachmittag hole ich Ihre Anzüge aus der Reinigung. Für Ihre New-York-Reise nächsten Monat habe ich das Penthouse im Plaza gebucht«, ratterte ich die To-do-Liste all der Dinge herunter, die ich entweder schon erledigt hatte oder noch heute Nachmittag erledigen würde.

»Können Sie Doris bitten, das hier für mich abzuheften?« Er reichte mir einen großen Stapel Akten.

Als ich heute wieder hergekommen war, hatte ich nicht gewusst, was mich erwartete. Ich hatte damit gerechnet, dass ich ihn begehren würde. Ich hatte mich sogar gefragt, ob ich ihm vielleicht in die Arme fallen würde. Mit der distanzierten Professionalität, die er jetzt an den Tag legte, hatte ich nicht gerechnet. Nicht, nachdem er ein kleines Vermögen für Essen und Geschenke ausgegeben und mir die Sachen ins Krankenhaus geschickt hatte.

»Sonst noch was?«, fragte er und tippte sich ungeduldig mit dem Zeigefinger ans Kinn.

Es war, als wäre nie etwas zwischen uns gewesen.

»Eines möchte ich noch klarstellen«, sagte ich und umklammerte fest die Akten in meinen Armen. Als ich plötzlich ein Brennen an meinem Zeigefinger spürte, merkte ich, dass ich mich am Papier geschnitten hatte. Der Blutstropfen erinnerte mich daran, dass es bei Männern immer auf Schmerzen hinauslief. »Ich hasse Sie.«

Smith lehnte sich in seinem Sessel zurück, verschränkte die Arme hinter dem Kopf und musterte mich mit einem arroganten Grinsen. »Lässt du dich immer von Leuten ficken, die du hasst, Belle?«

Was hätte ich dafür gegeben, ihm sein blödes Grinsen aus dem Gesicht zu polieren – aber der Versuch hätte mich seinen Lippen gefährlich nahe gebracht. Und leider konnte ich mich nicht darauf verlassen, dass mich mein Körper nicht verraten würde. Schließlich wusste er nur zu gut um die unglaublichen Orgasmen, die er mir geben konnte. »Hass-Ficks, das trifft es genau«, erwiderte ich und wollte ihn mit meinen Worten treffen. »Ich habe jede Sekunde davon gehasst.«

Nachdem die Worte meinen Mund verlassen hatten, entstand eine Pause. Im Büro herrschte absolutes Schweigen. Keiner von uns rührte sich. Keiner atmete. Es war eine angespannte Stille. Eine Stille, wie sie auf gefährliche Lügen folgte. Die Zeit schien langsamer zu vergehen, bis plötzlich Smiths Arm nach vorne schoss, Papiere zu Boden fegte und die Schreibtischlampe quer durchs Zimmer schleuderte. Noch bevor ich ganz begriffen hatte, was geschah, war er schon auf den Beinen. Als er das nächste Mal ausholte, erwischte er mich am Bund meines Rocks. Er zerrte mich zu sich heran und schlug mir die Akten aus den Armen, die daraufhin zu Boden fielen.

»Lüg mich nicht an«, warnte er mich. »Du sollst mich verdammt noch mal nicht anlügen.«

»Ich hasse dich«, keuchte ich, auch wenn mir die Worte den Hals verätzten. Konnte er meinen Herzschlag hören? Es fühlte sich an, als wollte meine Brust zerspringen. Mein Körper war von dem eigenartigen Cocktail aus Hass, Verlangen und Hoffnung völlig aus der Bahn geworfen.

Smith stieß mich zurück, sodass ich auf seinem Schreibtisch zu sitzen kam. Sein Telefon begann zu klingeln, doch das registrierte ich nur ganz am Rande, während er mir unter den Rock griff und den Tanga wegriss.

An dieser Stelle hätte ich Nein sagen müssen. Ihn schlagen. Schreien. Aber mir wurde klar, dass ich nichts dergleichen wollte. Ich wollte ihn nicht zurückweisen. Ich wollte nur, dass er mir nach unserem Streit vom Anfang der Woche bewies, dass er mich noch immer begehrte.

Und jetzt, nachdem er es mir bewiesen hatte, begriff ich, wie dumm der Streit gewesen war. Ich war zickig gewesen. Und er zu herablassend. Wir mussten beide Zugeständnisse machen, und dies schien die perfekte Methode dafür zu sein.

Als er den Knopf an seinem Bürotelefon drückte, hatte er alles voll unter Kontrolle. Er fixierte mich, und die Intensität seines Blickes ließ mich unter meinen flachen Atemstößen erzittern. Er stellte sich zwischen meine Beine, drängte meine Schenkel weiter auseinander und griff dann nach dem Schal, den ich mir locker um den Hals gelegt hatte. Er führte ihn an meine Lippen und hielt ihn dort, bis ich den Mund so willig öffnete wie meine Schenkel. Ich biss auf den Knoten und war dankbar, dass etwas das Stöhnen ersticken würde, das ich unausweichlich von mir geben würde.

»Hammond«, sagte er knapp und ließ seine Hand unter meinen Rock gleiten. »Ich bin davon ausgegangen, dass wir alles heute Abend beim Abendessen durchsprechen.«

Er strich über meine Scham, und seine federleichte Berührung erregte mich derart, dass ihm zur Begrüßung meine Nässe entgegenperlte. Ich schloss die Augen und wartete mit einladend gespreizten Beinen, dass er mich vögelte, wie es ihm gefiel. Für mich zählte nur noch, dass er das verzweifelte Verlangen stillte, das tief in mir loderte. Doch mit der anderen Hand umfasste er fest meinen Nacken und zwang mich, die Augen wieder zu öffnen. Erschrocken sah ich ihn an. Es stand völlig außer Frage, wer hier das Heft in der Hand hielt, und als er seine Finger zurückzog, sagte er tonlos: »Augen auf.«

»Ich wollte eigentlich nur unsere Pläne durchsprechen«, antwortete Hammond. »Passt es gerade nicht?«

Der Knoten, der meinen Mund verschloss, hinderte mich daran, »Ja« zu schreien, aber Smith grinste mich nur durchtrieben an und schüttelte den Kopf. »Aber nein, es passt perfekt.«

Smith schob einen Finger in meine nasse Muschi, umkreiste meine Perle und entlockte mir ein ersticktes Stöhnen.

Oh Gott, wie sehr wollte ich ihn in mir spüren. Ich wollte, dass dieses quälende Vorspiel endlich zum Ende kam. Ich wollte genommen werden, und das wusste Smith. Deshalb hörte er auch nicht auf, mich mit den Berührungen zum Wahnsinn zu treiben. Ich war wie von einem Raubtier in eine Ecke getrieben, und es gab für mich keine Hoffnung auf Befreiung. Weil ich mich gar nicht befreien wollte. Ich wollte verschlungen werden.

»Ich möchte dich unter vier Augen treffen«, teilte ihm Hammond mit. »Lass dein Spielzeug zu Hause.«

Wie von fern begriff ich, dass ich gerade ausgeladen worden war, aber das war mir in diesem Moment völlig egal. Umso mehr als Smith mit seinen Fingern Zauberkunststücke an meiner Klitoris vollführte. Dieser Mann konnte einem den Verstand rauben. Er genoss die langsam schwelende Glut, und ich begriff, dass er sich gern viel Zeit nahm, wenn es ums Vergnügen ging. Anscheinend wusste er nicht, dass ein Mädchen manchmal eine schnelle, harte Nummer brauchte.

»Miss Stuart ist meine Assistentin. Sie kommt, wann und wohin ich es ihr sage.« Er sah mir in die Augen, und es war klar, was er meinte. Er sprach jetzt nicht mit Hammond. In Wirklichkeit erteilte er mir Anweisungen. Ich durfte erst zum Höhepunkt kommen, wenn er es erlaubte.

»Es ist eine Privatsache. Ich kann dir versichern, dass du sie dazu nicht brauchst«, argumentierte Hammond, der sich aber bemühte, ruhig zu bleiben. Seine Stimme spiegelte genau wider, wie ich mich fühlte.

»Ich brauche sie ständig.« Smiths Finger tauchte in mich ein, ein zweiter folgte. Er bewegte sie, massierte mich und führte mich dichter und dichter an die Grenze. Nur mit äußerster Willenskraft hielt ich stand. Ich klammerte mich mit aller Macht an die Schreibtischkante und suchte nach einem festen Anker in dem Ozean, auf dessen Weiten seine Finger mich hinaustrieben. Noch war das Wasser ruhig, doch die Strömung kündigte bereits die herannahenden Wellen an, die mich überfluten und nicht wieder freigeben würden.

Hammonds Stimme wechselte blitzartig von einem geschäftsmäßigen zu einem drohenden Tonfall. »Muss ich dich erst daran erinnern, dass sie mit ein paar sehr wichtigen Leuten Umgang pflegt?«

Smith rückte vor und presste sein ganzes Gewicht gegen meinen Körper, während er mit dem Daumenballen wieder meine Perle bearbeitete. Ein Zittern erfasste mich, und ich schlang meine Beine um seine Hüften. Ich spürte seinen heißen Atem auf meinem Gesicht, seine Lippen waren nur wenige Zentimeter von meinen entfernt. Ich wollte ihn so gern küssen – um die Kluft zu überbrücken, die stets zwischen uns war. Zwischen seinen Worten und dem unwiderstehlichen Druck seines Körpers schien das möglich. Doch das war es nicht. Schon gar nicht mit dem Schalknoten zwischen meinen Zähnen. Nein – ein weiterer Kuss wäre aus vielerlei Gründen gefährlich. Küsse bedeuteten auch Erwartungen, und ich wagte es nicht, irgendetwas von Smith Price zu erwarten.

Er war einfach zu widersprüchlich, und das machte ihn gefährlich: Einerseits wollte er mich und meinen Körper kontrollieren. Er wollte mich beschützen und stieß mich doch zugleich von sich fort. Er hielt mich in seiner Nähe, auch wenn er mich ausschloss. Aber vielleicht täuschte ich mich da auch. Vielleicht begriff ich nur nicht, was er von mir wollte, weil mir das heiße Verlangen, das er in mir entfachte, den Verstand raubte. Smith beugte sich vor und strich mit den Lippen über meine Stirn, während er zugleich den Druck seiner Hand zwischen meinen Beinen verstärkte. »Und jetzt pflegt sie auch Umgang mit mir.«

Aus seiner Stimme sprach der Befehl loszulassen, und ich tauchte kopfüber in die Fluten. Lust ergriff mich, zog meinen

Unterleib zusammen, bis es sich anfühlte, als müsste ich sterben, und dann … die Erlösung. Mein Orgasmus kam in Wellen, und ich klammerte mich am Schreibtisch fest, während ich die Beine um ihn schlang und ihn an meinen schier berstenden Körper zog. Die Finger in mir, die Hand, die ihre Belagerung unermüdlich fortsetzte, waren meine Anker. Mein ganzes Dasein konzentrierte sich ganz auf ihn und auf die Lust, die er mir bereiten konnte.

Oder verweigern.

Ich konnte die Stimme am anderen Ende der Leitung hören, aber sie war in den Hintergrund getreten gegen das Rauschen des Blutes und der Lust, das mich durchströmte, während ich mich jeder Welle hingab. Smith murmelte etwas, das ich nicht verstand, und drückte auf den Knopf. Mit einer raschen Bewegung zog er mir den Schal aus dem Mund und befreite mein letztes Luststöhnen. Er hielt den lockeren Schal am Knoten fest und zog mich nach vorn. Es kam nicht infrage, sich seinem Zug zu widersetzen – nicht, solange er mich in jeder Hinsicht an die Leine gelegt hatte. Und ganz sicher nicht, solange ich immer noch unter dem Nachhall seiner Berührungen bebte.

Der Orgasmus hatte mein Verlangen nach ihm nur noch stärker entfacht. Alle meine Vernunftgründe, mich von ihm fernzuhalten, um emotional ungebunden zu bleiben, schwanden, als er mich an dem Schal grob an seine Lippen zog. Auch wenn er mich wieder gehen ließe, stünde ich immer noch unter seinem Bann. Und mit jedem Tag, der verstrich, wurde die Möglichkeit einer Flucht – die Möglichkeit, ihn zu verlassen – immer unvorstellbarer. Sah er denn nicht, dass er mich gar nicht einzufangen und zu kontrollieren brauchte?

Dass ich ihm bereits gehörte?

Unsere Lippen fanden sich, und ich verlor mich in ihm. Ihm zu widerstehen, hatte bedeutet, den Atem anzuhalten, und dieser Kuss war das erste Atmen danach. Ich wollte ihn aufsaugen, ihn verzehren, ihn in meiner Blutbahn spüren – und ich hoffte so sehr, dass er dasselbe empfand.

Er wich ein kleines Stück zurück – seine Lippen liebkosten noch immer meinen Mund – und zog fester am Schal, bis er straff gespannt war. Meine Hüften drängten nach vorn, ich wollte seinen Körper fühlen. Der Orgasmus war unglaublich gewesen, aber nicht gänzlich befriedigend. Seine Nähe und die Stellen, an denen wir uns berührten, weckten ein stärkeres Verlangen.

»Es hat dir gefallen, als ich mit dir gespielt habe, meine Schöne.« Er knabberte an meiner Unterlippe, woraufhin ich vor Verlangen erschauderte. »Du bist ein braves Mädchen. Tust immer, was ich dir sage. Fühl mal, wie hart mich das macht.«

Ich löste meine Finger von der Schreibtischkante und griff nach der Erektion, die sich unter seiner Hose wölbte. Er war fest und heiß. Unwillkürlich streichelte ich seinen harten Schaft und stellte mir vor, wie er sich in mir anfühlen würde. Smith stöhnte und drängte sich dichter an mich, während er mit der freien Hand seine Hose öffnete.

»Ich werde dich nehmen, Belle«, knurrte er. »Und ich werde nicht sanft mit dir sein. Ich werde es dir richtig besorgen.«

Ich öffnete den Mund, um den Schal aufzunehmen, weil ich wusste, dass ich meine Schreie unterdrücken musste, aber er schüttelte den Kopf.

»Ich will dich hören, wenn mein Schwanz in dir ist. Keine Zurückhaltung, oder ich werde dich züchtigen.«

»Mich züchtigen?«, wiederholte ich halb ängstlich, halb hoffnungsvoll.

»Das gefällt dir, stimmt's?«, fragte er, streifte seine Boxershorts herunter und bot mir seinen stattlichen Schwanz dar.

Der Anblick und die Überlegung, was eine richtige Züchtigung durch Smith bedeutete, ließ mich noch nasser werden, wenn das überhaupt möglich war.

»Das kommt darauf an«, wich ich aus.

»Ich habe dir schon einmal den Hintern versohlt.«

Ich errötete und nickte. »Aber doch nur zum Spaß.«

»Diesmal wird es kein Spaß«, warnte er leise, während sich meine Finger um seinen Schaft schlossen. Er wiegte sich hin und her und machte es sich selbst in meiner Faust. »Es wird brennen und wehtun, und ich höre erst auf, wenn dein Hintern die Farbe deiner hübschen Wangen hat. Du wirst nicht mehr sitzen können, ohne dich an meine Hände zu erinnern.«

Oh mein Gott. Ich unterdrückte den Impuls, mich umzudrehen und ihm meine Backen zu präsentieren. Ich wollte wissen, wie es sich anfühlte, ihm ganz und gar zu gehören, denn ich wusste, dass jeder echte Schmerz, den ich durch seine Hände erfuhr, tausendfach durch Lust aufgewogen wurde. Ich wollte seine Hände auf mir spüren, ich brauchte diesen Mann – hart, leidenschaftlich und auf jede erdenkliche Weise.

Still senkte er die Lider, als würde er mir beim Denken zuhören. »Aber so weit ist es noch nicht. Du hast dir noch keine Züchtigung verdient.«

»Was habe ich dann verdient?«, fragte ich keuchend.

»Das hier.« Er wiegte sich und drückte seinen heißen, samtigen Schwanz in meine Handfläche. Er fasste an meine Hüften, grub seine Nägel in meine zarte Haut und zwang mich ungeduldig dazu, mich umzudrehen. Der Schal hing locker um meinen Hals. Smith hielt die Enden noch immer in der Hand. Dann legte er mir die gespreizte Hand auf den Rücken und drückte mich nach unten, bis meine Brüste auf der kalten, glatten Schreibtischoberfläche lagen.

»Mach die Beine breit und zeig mir deine Muschi«, befahl er.

Bereitwillig spreizte ich die Beine. Ich war auch schon mit anderen Männern zusammen gewesen, aber keiner hatte es jemals geschafft, mich im Handumdrehen dermaßen zu erregen. Ich konnte mich seiner Anweisung nicht widersetzen, obwohl ich ein gewisses Unbehagen verspürte, mich auf eine solche Weise zur Schau zu stellen.

»Ich habe dir erzählt, dass ich dich schon haben wollte, als wir uns zum ersten Mal gesehen haben«, erinnerte er mich, als er meine Schamlippen auseinanderschob. Dann hielt er inne und quälte mich mit seiner Geduld, die ich ganz und gar nicht teilte. »Ich wollte dir deine hübsche Perlenkette so um den Hals drehen …«, er zog ruckartig am Schal, »… und deine roten Lippen sehen, wie du nach Luft schnappst, während ich dich ficke. Ich wollte wissen, ob ich ein anständiges Mädchen versauen kann. Du hast mir bewiesen, dass ich es kann, stimmt doch, oder?«

Er kannte die Antwort bereits, wusste, wie er meine Selbstkontrolle unterlaufen konnte. Es brauchte es nur zu verlangen, schon gehörte ich ihm. Meine Schreie, mein Körper, meine Lust. Das alles gehörte ihm, seit er zum ersten Mal einen Blick auf mich gerichtet hatte.

»Leg die Hände hinter den Rücken. Jetzt zeige ich dir, wo es langgeht.«

Ich tat, wie mir geheißen, kreuzte die Handgelenke über meinem Steißbein und drehte meinen Kopf, bis meine Wange auf der Schreibtischplatte lag. Im Augenwinkel konnte ich ihn sehen, immer noch im Jackett, die Krawatte noch immer ordentlich am Hals geknotet.

»Ich werde dich ficken, meine Schöne.« Sein Schwanz drang ein paar Millimeter tief in mich ein und dehnte mich, bis von mir nichts als ein abgrundtiefes Verlangen übrig blieb. »Danach wirst du mich für den Rest des Tages in dir spüren. Willst du das?«

Ich nickte und biss mir unwillkürlich in die Unterlippe.

Smith ruckte am Schal und zog meinen Kopf vom Schreibtisch hoch.

»Gib mir gefälligst eine anständige Antwort, wenn ich dich etwas frage.«

»Ja, Sir«, keuchte ich mit rasendem Puls und voller Erwartung.

»Oh, meine Schöne«, sanft drückte er mich auf den Schreibtisch zurück, »ich liebe es, wenn du mich ansprichst, wie es sich gehört. Es erinnert mich daran, dass du eine Lady bist, sogar, wenn du dich wie eine Schlampe benimmst. Es verrät mir, dass du weißt, wem du gehörst und was ich erwarte. Für dein Benehmen hast du dir eine Belohnung verdient, deshalb darfst du dir jetzt etwas wünschen.«

Ich leckte mir die Lippen und schloss erwartungsvoll die Augen. »Ich möchte, dass Sie mich ficken, Sir.«

Für meine Antwort erhielt ich einen brennenden Schlag auf den Hintern.

»Sag bitte«, erwiderte er.

»Bitte, würden Sie mich bitte ficken, Sir?«, piepste ich, während sich die Folgen seiner Zurechtweisung heiß an meinem Hintern bemerkbar machten.

»Ja, meine Schöne. Das werde ich.« Ungestüm schob er sich tief in mich hinein. Er hielt den Schal straff und hob meinen Kopf hoch, bis ich an die Decke schaute, ohne etwas zu sehen, denn seine rhythmischen Stöße ließen vor meinen Augen kleine Leuchtfeuer explodieren. Seine andere Hand ließ meine Hüfte los und schloss sich um meine Handgelenke. Smith zog mich noch höher, bis meine Brüste gegen das kalte Holz stießen. Er stieß zu und zog sich wieder zurück, wechselte zwischen langsamen und heftigen Stößen, die meine Füße vom Boden hoben. Mit seinem Tempo beschleunigte sich auch mein Atem, bis ich nicht länger an mich halten konnte und zu stöhnen begann. Es klang wie ein gequältes Wimmern.

Es war zu viel. Die Kontrolle, die Art, wie er jeden Winkel meines Körpers und meiner Seele dominierte. Es war genau das, was ich schon immer gewollt hatte, ohne zu wissen, wie sehr ich es brauchte.

Smith drang immer tiefer vor, unglaublich tief. Er ließ die Hüften kreisen, drückte mit den gefesselten Handgelenken auf meinen Rücken und manövrierte meinen Körper so, dass die harte Kante seines Schreibtisches sich gegen meine pulsierende Knospe drückte. Dann fing er wieder an, mich mit ausgesuchter Präzision zu vögeln. Mein Verstand hatte längst ausgesetzt, übrig blieben nur die Lustschauer, die aus meinem tiefsten Inneren hervorbrachen und sich wellenartig durch meinen ganzen Körper ausbreiteten. Es gab nur noch seinen Schwanz, nur noch ihn.

»Komm«, befahl er barsch. Seine Stimme bebte, er war selbst kurz vor dem Höhepunkt. »Ich will es hören, ich will, dass es jeder hier im Haus hört und alle wissen, dass du jetzt mir gehörst.«

Wie um seinen Worten Nachdruck zu verleihen, rammte er seinen Körper in meinen und pfählte mich mit seinem Schwanz. Ich riss den Kopf zurück und verging mit einem animalischen Heulen, Ekstase überflutete meinen Körper und entzündete meine Nervenbahnen.

Smith knurrte, seine Zähne gruben sich in meinen Nacken, und er schleuderte die ersten heißen Eruptionen tief in meinen geschundenen Leib. Er ließ meine Handgelenke los, sodass ich mich abstützen konnte, als ich nach vorn fiel. Und dann füllte mich sein Schwanz plötzlich nicht mehr aus, die letzte Ladung seines Samens landete auf meinem Steißbein.

Ich konnte ihn noch in mir fühlen. Vor ihm hatte ich es keinem Mann erlaubt, woanders als in meinem Mund zum Höhepunkt zu kommen. Jetzt wünschte ich mir, Smith würde seine Spuren jeden Tag in mir hinterlassen. Er machte einen Schritt zurück, und ich spürte, wie er die Blicke über seine Eroberung schweifen ließ. Ich selbst schwebte noch auf Wolke sieben und war außerstande, mich zu bewegen. Ich hätte mich wohl ohnehin kaum auf meinen wackeligen Beinen halten können. Seine Finger glitten über meine geschwollene Scham und dehnten sie, sodass die Spuren seines Höhepunktes aus meinem Geschlecht heraustropften.

»Spürst du das, meine Schöne?«, fragte er mit heiserer Stimme. »Deine Muschi ist voll von mir. Wem gehörst du?«

»Ihnen, Sir«, murmelte ich, denn zu komplexeren Gedanken war ich noch nicht imstande.

Smith schob einen Arm unter meinen Oberkörper und zog mich hoch. Ich drehte mich zu ihm um, barg mein Gesicht an seinem Jackett und atmete den Geruch seines würzigen Rasierwassers ein. Er schob meinen Rock herunter, legte seinen Finger unter mein Kinn und hob es hoch, bis sich unsere Blicke trafen. Die Begierde, die in seinen Augen gelodert hatte, war gestillt, und er küsste mich zärtlich.

»Der Wagen wird dich um sieben abholen.«

Ich blinzelte und versuchte, das Durcheinander in meinem Kopf zu sortieren. »Ich dachte, ich bin nicht eingeladen.«

»Dein Platz ist an meiner Seite. Ich habe dich dort die ganze Woche über vermisst, und heute Abend will ich nicht auf dich verzichten.« Damit war für ihn das letzte Wort gesprochen, und ich wollte mich nicht mit ihm streiten. Schon gar nicht, weil es genau das war, was ich hören wollte. »Halt dich um sieben bereit.«

»Für dich bin ich immer bereit.« Ich lief rot an, denn es stand außer Frage, was ich damit meinte.

»Wenn du so weiterredest, wirst du ganz schnell wieder über dem Schreibtisch liegen, meine Schöne«, knurrte er, »aber wir haben beide noch einiges zu erledigen.«

Er ließ mich los, und ich schlug die Augen nieder. Plötzlich wurde ich von Schüchternheit übermannt. Es gab noch immer so vieles, das ich nicht über Smith wusste, so vieles, das ich nicht verstand – an ihm und seiner Arbeit –, und dennoch hatte ich mich ihm ganz übereignet. Er legte eine Hand auf meinen Rücken, und ich spürte, dass er mir damit Zuversicht geben wollte. Wir sagten beide kein Wort, als ich die Bluse zuknöpfte, aber als ich damit fertig war, beugte er sich vor und berührte mein Ohr mit seinem Mund.

»Es ist ein formelles Abendessen. Trag Strümpfe und Absätze, die so hoch sind, dass ich dich ohne Schwierigkeiten vögeln kann, wenn ich es brauche. Aber lass deine Muschi unbedeckt«, befahl er.

Mir stockte der Atem, und ich bekam einen trockenen Mund, aber ich zwang mich zu antworten. »Ja, Sir.«

»Ich will, dass du heute Nacht mit zu mir nach Hause kommst«, fuhr er fort und musterte mich mit kühlem Blick. Er strich mir eine Locke aus dem Gesicht. »Sag deine Verabredungen fürs Wochenende ab. Du wirst ziemlich eingebunden sein.«

Erneut schlug eine Woge der Erregung über mir zusammen, doch ich gab mir alle Mühe, mir nicht anmerken zu lassen, wie sehr mich die Vorstellung erregte, wieder ein Wochenende in seinem Bett zu verbringen. Sosehr es mich auch nach seinem Körper verlangte, ich musste aufpassen, dass ich nicht vollends außer Kontrolle geriet. Es mochte angehen, dass ich seinen Berührungen rückhaltlos verfallen war, für die übrige Zeit wünschte ich mir jedoch ein etwas ausgeglicheneres Kräfteverhältnis.

»Ich werde tun, was ich kann, um meinen Terminkalender freizuräumen.« Mehr wollte ich ihm im Moment nicht versprechen, auch wenn ich wusste, dass ich seine Anfrage unter keinen Umständen ausschlagen konnte.

»Mach dich frei, meine Schöne. Ich habe vor, dich das ganze Wochenende lang kommen zu lassen, und ein Nein von dir kommt überhaupt nicht infrage.«

Er senkte den Kopf und drückte seinen Mund auf meinen. Ich schmolz dahin. Immerhin hatte ich nicht Ja gesagt. Das war ziemlich tapfer angesichts dessen, dass ich kaum stehen konnte vor Lust. Aber eine andere Wahl würde mir ohnehin nicht bleiben. Ich würde Ja sagen.

Wem wollte ich etwas vormachen? Das war kein ausgeglichenes Verhältnis. Nicht mal ein kleines bisschen. Ich war dabei, mich in Smith Price zu verlieben. Hals über Kopf.

Ich hoffte nur, dass ich am Ende nicht ganz allein dastehen würde.

16

Um die Mittagszeit verwandelt sich der Londoner Verkehr in einen Albtraum. Deshalb entschloss ich mich, meine To-do-Liste zu Fuß abzuarbeiten, obwohl Smith den Schlüssel für den Veyron auf dem Schreibtisch am Empfang liegengelassen hatte – was ich als Einladung verstand. Ich nahm mir vor, ihm später dafür zu danken, dass sich seine persönlichen und geschäftlichen Aufträge auf ein relativ überschaubares Gebiet begrenzten. Zu Fuß unterwegs zu sein, bedeutete allerdings auch, dass mir vor unseren abendlichen Essensplänen weitaus weniger Zeit zum Abarbeiten jeder einzelnen Aufgabe zur Verfügung stand.

Ich hoffte, der Abend würde so heiß werden, wie es der Morgen gewesen war. Smith und ich schienen uns auf einer ewigen Achterbahnfahrt zu befinden, ständig schwankten wir zwischen Nähe und Abstand, Hass und Zuneigung, heiß und kalt. Waren wir getrennt, konnte ich nicht einmal mit Gewissheit sagen, ob ich ihn überhaupt mochte, doch wenn wir zusammen waren, brauchte ich ihn.

Ich wollte ihn ständig.

»Belle.«

Ich blieb wie angewurzelt stehen. Diese Stimme konnte ich unmöglich wirklich gehört haben, doch als ich mich umdrehte, stand er tatsächlich vor dem Eingang der Kanzlei und strich sich durchs dünne Haar: Philip. Er sah immer noch aus wie der schlaksige Typ aus der Harris-Tweed-Reklame. Obwohl sein Haaransatz höher gewandert war. Er hatte gute Chancen, noch vor seinem dreißigsten Geburtstag mit Glatze dazustehen. Die Schicksalsgöttin hatte zwar so einiges Unangenehme im Köcher, aber in diesem Fall hatte sie es gut mit mir gemeint.

»Damit hast du bestimmt nicht gerechnet, oder? Dass ich dir über den Weg laufe«, fragte er etwas unbeholfen.

»Genau genommen bist du der letzte Mensch, dem ich über den Weg laufen wolltc«, erwiderte ich kühl und setzte noch einen drauf: »Für den Rest meines Lebens.«

Ich hatte keine Ahnung, was er hier wollte. Ich hatte ihn auf Claras Hochzeit kennengelernt, bevor dann alles schiefgegangen war. Ich war ihm bis auf Weiteres aus dem Weg gegangen.

Und nun stand er direkt vor mir. Ich wartete, ob sich mein Herzschlag beschleunigte oder andere Zeichen darauf hinwiesen, dass ich immer noch etwas für ihn empfand. Zum Glück war da gar nichts mehr. Das Einzige, was ich fühlte, war der Abgrund, der sich vor mir auftat.

»Ich weiß, dass das zwischen uns nicht so gut auseinandergegangen ist.«

Ich warf den Kopf in den Nacken und lachte über seine Wortwahl. Es war sehr befreiend.

»Ich habe von dir und Pepper gehört. Herzlichen Glückwunsch.« Meine Stimme bekam einen schneidenden Ton.

»Hoffentlich seid ihr nicht sauer, wenn ich kein Geschenk schicke.«

»Belle«, hob er an, aber ich ließ ihn mit einer Handbewegung verstummen.

»Zwischen uns gibt es wirklich nichts mehr zu sagen. Ich habe noch einiges zu erledigen.« Ich schaffte es, Philip den Rücken zuzukehren – und allem Belastenden, das mit ihm verknüpft war.

»Ich habe gehört, dass du jetzt für Smith Price arbeitest«, rief er mir hinterher, woraufhin ich stehenblieb.

»Es läuft gut«, sagte ich schulterzuckend und drehte mich erneut zu ihm um. So weit war es also mit uns gekommen – es reichte nur noch für Smalltalk über unsere Jobs. Was kam als Nächstes? Bemerkungen über das Wetter? Vielleicht lag es nur daran, dass ich Smith kennengelernt hatte – aber inzwischen erkannte ich, was für ein Langweiler Philip eigentlich war. Die letzten paar Monate hatte ich geglaubt, dass er eine Schnepfe wie Pepper Lockwood verdient hätte. Jetzt erst begriff ich, dass auch sie nicht unbedingt das große Los gezogen hatte. Sie musste ihn jetzt bis in alle Ewigkeit ertragen.

»Er vertritt eine Menge schräger Vögel«, warnte mich Philip.

Philip hasste auch Alexander. Eigentlich schaute er auf die meisten Menschen herab. Mich eingeschlossen. Aber hier aufzutauchen, um mich über meinen Chef zu belehren, brachte das Fass zum Überlaufen.

»Wage es ja nicht!«, platzte es aus mir heraus. »Lass dich ja nicht mehr hier blicken und tu so, als könntest du noch etwas Positives in meinem Leben bewirken. Deine Meinung ist mir inzwischen vollkommen egal. Und das hätte schon immer so sein sollen.«

Philip trat noch einen Schritt auf mich zu, und der Knoten in meinem Bauch zog sich fester zusammen. »Ich mache mir Sorgen um dich, Belle. Ich liebe dich noch immer. Als ich hörte, dass du für ihn arbeitest, musste ich einfach etwas sagen.«

»Du hast kein Recht mehr, mir irgendetwas zu sagen, seit du mich betrogen hast. Und quatsch nicht von deiner Liebe zu mir. Menschen, die man liebt, belügt man nicht.« Das war keine Anschuldigung, sondern die Wahrheit. Und wir wussten es beide.

»Glaubst du denn, dass er ehrlich zu dir ist?«, stichelte er. »Hat er dir von den Verbrechen erzählt, die seine Mandanten begehen? Mit wem er ins Bett geht?«

Bei seinen Worten lief ich knallrot an, und Philip verstummte.

»Ach so«, sagte er nach einem langen Augenblick. »Du schläfst also mit ihm.«

»Das geht dich gar nichts an.«

»Er hilft Mördern freizukommen, Belle. Sein Vater war in organisierte Kriminalität verwickelt. Ich bin sicher, dass er dir nicht erzählt hat, was mit ihm passiert ist.«

Mir gefror das Blut in den Adern. Sein Vater war tot. Ich hatte ihn nicht nach den Einzelheiten gefragt. Vielleicht hätte ich es tun sollen. »Er ist nicht der einzige Mensch, dessen Vater nicht mehr lebt. Das macht ihn noch nicht zum Kriminellen.«

»Manche Menschen haben schreckliche Väter und kommen unbeschadet davon. Smith Price gehört nicht zu diesen Leuten.« Er sprach mit einem leisen, warnenden Tonfall, aber das Einzige, was ich hörte, war das Wort schrecklich.

»Mein Vater war kein schlechter Mensch.« Meine Lippe fing an zu beben. Bei allem, was mir Philip bisher zugemutet hatte, hatte er doch nie durchblicken lassen, dass er meinen Vater verurteilte. Jetzt wurde ich eines Besseren belehrt.

»Kein Wunder, dass du Schluss gemacht hast, wenn du so denkst. Wahrscheinlich wählst du genau aus, mit wem du dich einlässt. Ich hätte dir einen besseren Geschmack zugetraut als ausgerechnet Pepper.«

»Es ist komplizierter, als es aussieht, Belle. Ich habe versucht, die Sache mit Pepper zu beenden. Denn ich wollte mit dir zusammen sein, und ich werde mir nie verzeihen, dass ich dir wehgetan habe.«

Nun sprudelten also die Entschuldigungen. Ich hatte eine Flut von Erklärungsversuchen ausgelöst, die ich weder brauchte noch wollte.

»Und jetzt hast du dich mit ihr verlobt«, erinnerte ich ihn.

»Sie hat mir gesagt, dass sie schwanger ist«, gab er unumwunden zu.

»Dann darf ich wohl gleich noch mal gratulieren.« Mir kam die Galle hoch, und ich hatte das dringende Bedürfnis, mich zu übergeben. Zumal er so nah war, dass er etwas abkriegen würde.

»Ist sie aber gar nicht«, fuhr er fort. »Sie hat versucht, mich reinzulegen.«

»Ach komm, Pip.« Ich verwendete absichtlich den Spitznamen seiner Kindheit, den er hasste. »Ob die eine Blondine oder die andere. Es genügt dir doch, wenn eine sich an deinen Arm hängt und so tut, als wärst du interessant.«

»Das habe ich verdient. Aber ich weiß, welche Blondine ich an meinem Arm haben möchte. Es war mein voller Ernst, als ich dich gefragt habe, ob du den Rest deines Lebens mit mir verbringen willst. Es ist mir egal, was mit deinem Vater war oder was früher einmal passiert ist. Wir könnten jetzt alles miteinander durchstehen.« Er kam mir so nah, dass ich den vertrauten Duft seines Aftershaves riechen konnte.

»Warum bist du hier? Wenn du glaubst, ich würde dir in die Arme fallen, rate ich dir zu verschwinden, bevor ich dir die Eier abschneide.«

»Du warst auch kein Unschuldslamm. Ich wusste von Jonathan, aber das spielt für mich keine Rolle.«

»Aber für mich spielt es eine Rolle!«, schrie ich. »Ich habe keine Lust auf einen Ehemann, der sich ständig nach etwas Besserem umschaut.«

»Etwas Besseres als dich gibt es nicht«, sagte er feierlich, und dann, bevor ich begriff, was eigentlich geschah, lag ich in seinen Armen, seine Lippen suchten meine, und er küsste mich. Für einen Sekundenbruchteil gab ich mich der vertrauten Umarmung hin. Doch sofort rebellierte mein Körper und widersetzte sich der Berührung. Ich begriff, dass ich nicht mehr zu ihm gehörte, und stieß ihn weg.

»Als ich sagte, dass es vorbei ist, habe ich das auch so gemeint. Eine zweite Chance gibt's bei mir nicht.« Ich wischte mir mit dem Handrücken über den Mund und verschmierte dabei meinen Lippenstift.

»So kann man nicht leben«, sagte er. »Früher oder später wirst du jemandem eine zweite Chance geben müssen.«

»Später vielleicht. Aber mit dir werde ich bestimmt keine zweite Chance vergeuden.« Ich spie die Worte aus. »Ich hätte mit dir mein Leben vergeudet. Eine lieblose Ehe im Tausch gegen Geld und mittelmäßige Orgasmen. Weißt du, was mir klar geworden ist, seit wir nicht mehr zusammen sind? Dass ich dich nie geliebt habe. Ich war in die Vorstellung verliebt, einen Ehemann zu haben. Aber diesen Fehler mache ich kein zweites Mal. Das Leben ist zu kurz, um es an Menschen zu verschwenden, die einen gar nicht kennen.«

»Ich kenne dich«, stieß er hervor. »Ich weiß, dass du deinen Tee mit Milch und zwei Stückchen Zucker trinkst. Ich weiß, dass du Louboutins trägst und dass du insgeheim am liebsten einen Abschluss in Mode gemacht hättest, dass es dir deine Mutter aber nicht erlaubt hat.«

»Das heißt noch nicht, dass du mich kennst. Wenn ich Albträume habe – wovon handeln sie? Welcher Song macht mich sofort glücklich? Wenn ich mit einer beliebigen Person zu Abend essen dürfte, wen würde ich wählen? Beantworte mir diese Fragen!« Ich forderte ihn heraus. Als er nicht antwortete, fuhr ich fort. »Du weißt es nicht, weil du mich überhaupt nicht kennst. Du wolltest etwas, das nie existiert hat. Dieses Mädchen – diese Fassade – ist Vergangenheit.«

»Für mich warst du nie nur eine Fassade.«

»Dass du es noch nicht mal gemerkt hast, beweist, dass ich recht habe.« Ich schulterte meine Handtasche und schüttelte den Kopf. »Ich wünsche dir noch ein schönes Leben, Philip.«

»Wen hättest du gewählt?«, fragte er, bevor ich gehen konnte. »Der Mensch, den du gewählt hättest. Weißt du es eigentlich selbst?«

Ich wusste genau, auf wen meine Wahl gefallen wäre, aber Philip hatte keine Antwort verdient. Er hatte das Recht auf irgendwelche Ansprüche an mich verwirkt. Ich ging und hinterließ ihm lediglich die Erinnerung an ein Mädchen, das er früher einmal gekannt hatte. Mehr nicht.

Meine Wohnung wirkte verwaist, als ich schließlich mit einem Stapel Kleider aus der Reinigung und meiner Post hereinkam.

Da ich lange nicht hier gewesen war, hätte es mich nicht gewundert, wenn Tante Jane inzwischen einen neuen Lover mit ins Haus gebracht hätte. Weil sie eine Schwäche für Künstler und Musiker hatte, geschah es häufiger, dass jemand bei uns auf der Couch übernachtete.

Jane kam mit einer in die Stirn geschobenen Schlafmaske in die Küche getaumelt. »Schau mal an, wer da ins Haus geschneit kommt.«

»Ich war bei Clara und dem Baby im Krankenhaus.«

»Wie geht es ihr?«, erkundigte sich Jane und legte besorgt die Stirn in Falten.

»Es geht ihr gut. Alexander ist völlig durch den Wind, auch wenn er versucht, den harten Kerl zu markieren. Heute Morgen haben sie sich auf den Heimweg gemacht, und deshalb bin ich wieder zur Arbeit gegangen.« Ich nahm Jane in den Arm, bevor ich auf mein Zimmer zusteuerte. Der heutige Abend war aus zweierlei Gründen bedeutsam. Zum einen musste ich ein angemessenes Kleid finden. Smith war möglicherweise drauf und dran, einen seiner wichtigsten Mandanten zu brüskieren, nur um mir zu beweisen, dass ich das Verhältnis zwischen ihm und Hammond falsch einschätzte.

»Und außerdem hast du dich flachlegen lassen«, erriet Jane und folgte mir ins Schlafzimmer.

»Auch das«, gab ich zu.

Jane ließ sich auf mein Bett plumpsen. »Und wie läuft es mit deiner Eroberung?«

Meine Tante hatte schon immer eine seltsame Art, sich auszudrücken. »Eroberung? Ich dachte, es wären die Frauen, die sich erobern lassen?«

»Aber nicht die Stuart-Frauen«, sagte sie und verzog den

Mund zu einem schelmischen Grinsen. »Frauen unseres Schlages warten nicht darauf, bis jemand sie einfängt. Wir übernehmen das. Wir bestimmen die Spielregeln.«

»Könnte sein.« Was Smith betraf, hatte ich einen anderen Eindruck. Mit Sicherheit war er es, der mich erobert hatte. »Ehrlich gesagt, weiß ich gar nicht mehr, wer heutzutage eigentlich wen erobert.«

»Wenn es um Liebe geht, ist das vielleicht die beste Art, die Sache anzugehen.« Jane zwinkerte mir zu.

Kleinlaut schnappte ich mir meine Reisetasche mit Leopardenmuster und warf ein paar Dinge hinein, auf die ich nicht verzichten konnte. Meine Lieblingsgesichtscreme, eine neue Zahnbürste und einen Rasierer. Ich zögerte, als ich meine Unterwäscheschublade öffnete. Falls Smith seine Worte ernst gemeint hatte, riskierte ich, dass er mir alle meine Rüschen- und Spitzentangas zerriss. Ich warf trotzdem die schönsten in die Tasche. Er konnte es sich leisten, mir neue zu kaufen.

»Machst du einen Wochenendtrip?«

»Nein, ich werde in London sein.« Ich zog den Reißverschluss der Tasche zu und richtete meine Aufmerksamkeit auf den Wandschrank und die Frage, was ich heute Abend anziehen würde. »Ich lasse mein Handy eingeschaltet.«

»Ich käme nie auf die Idee, dir dazwischenzufunken.« Sie legte eine Hand auf meine gepackte Tasche. »Ich weiß, dass du so tust, als wärst du sehr beschäftigt, Liebes. Was geht dir wirklich durch den Kopf?«

Ich zog ein Samtkleid aus dem Schrank. »Wir haben September. Ob ich schon Samt tragen könnte?«

Jane schüttelte den Kopf, und ich hängte das Kleid wieder zurück. Dann starrte ich noch weitere fünf Minuten auf das

Regal, bis ich begriff, dass ich nur deshalb nichts fand, weil ich gar nicht richtig suchte. Mir ging immer noch Janes Frage durch den Kopf. Ich drehte mich um und lehnte mich an den Türrahmen. »Philip ist heute zu mir gekommen.«

»Das hätte ich nicht erwartet«, gab Jane zu.

»Ich auch nicht. Ich habe mich nicht gefreut«, versicherte ich ihr.

»Gut. Sei bloß keins von den Mädchen, die sich wieder mit dem Kerl einlassen, der sie betrogen hat. Solche Typen ändern sich nie.«

»Glaubst du wirklich?« Meine Gedanken wanderten zu dem, was Philip mir über Smith gesagt hatte. Ich wusste, dass Smith Dinge vor mir verbarg, aber andererseits kannte er meine Lebensgeschichte auch nicht. Er hatte mir nicht auf die Frage geantwortet, auf welchem Rechtsgebiet er tätig war oder weshalb er mehr Geld besaß als neunundneunzig Prozent aller Londoner. Ich wollte nicht glauben, was Philip gesagt hatte, aber falls es doch der Wahrheit entsprach – würde ich damit leben können? Ganz besonders, wenn Jane recht hatte und sich Leute wirklich nicht änderten?

»Oh, Leute werden erwachsen«, fuhr sie nachdenklich fort. »Und wenn es echte Liebe ist, gibt es immer eine Entwicklung. Ein guter Mann wächst mit dir und ist an deiner Seite. Aber das heißt natürlich nicht, dass er ein Heiliger ist.«

Darüber musste ich lächeln. Heiligkeit gehörte nicht zu den Dingen, die ich von einem Liebhaber erwartete.

»Aber wenn es ein Mann darauf anlegt, möglichst viele Frauen auszuprobieren, wird es gar nicht erst so weit kommen.«

»Hast du schon einmal darüber nachgedacht, ein Buch

zu schreiben?«, fragte ich sie und machte mich seufzend von Neuem daran, meine Abendgarderobe auszuwählen.

»Ich weiß nicht, ob es die Leute wirklich interessiert, was eine alte Frau über die Liebe zu sagen hat«, tat sie meinen Vorschlag ab. »Insbesondere eine Frau, die in ihrem Leben eine ganze Reihe gebrochener Herzen hinterlassen hat.«

»Ich bin interessiert«, erklärte ich ihr. »Ohne dich wäre ich aufgeschmissen.«

»Wenn das so ist, spuck es aus. Du verschweigst mir doch etwas.«

»Ich bin einfach … Er ist so …«

»Verstehe.« Jane klopfte mir auf die Schulter und huschte zur Tür. »Hab keine Angst davor, jemandem eine Chance zu geben, nur weil dir vorher jemand anders wehgetan hat. Sei schlau genug, dich von dem fernzuhalten, der dir das angetan hat.«

17

Ich hatte erwartet, beim Abendessen das dritte Rad am Wagen zu sein, doch stattdessen war ich das vierte. Hammond lächelte kühl, als wir den privaten Speisesaal des La Rue betraten. Er stand auf, knöpfte seinen Blazer zu und wartete, während Smith einen Stuhl für mich herauszog. Ich nahm Platz, faltete meine Serviette auseinander und setzte ein Lächeln auf. Das war schwerer als erwartet, denn mir gegenüber saß Georgia Kincaid. Sie machte sich gar nicht erst die Mühe, so zu tun, als freute sie sich, mich zu sehen. Das schwarze Haar war auf eine Seite frisiert und fiel ihr in Wellen über die Schulter, ihr verführerisches rotes Kleid war gewagter als meins. Das graue, das ich gewählt hatte, war zwar eng geschnitten, entblößte jedoch lediglich meine nackten Schultern. Ganz offensichtlich setzte Georgia ihren Sexappeal ein, um Macht auszuüben. Auch ich bediente mich solcher Methoden, doch ich ging davon aus, dass heute allein meine Anwesenheit hinreichend verdeutlichte, welche Bedeutung mir in dieser Situation zukam. Georgia funkelte Smith an. Ihre Blicke trafen sich, und sie verständigten sich wortlos über etwas. Ich war mir über den Charakter ihrer Beziehung noch nicht im Klaren, aber ich wusste schon jetzt, dass sie mir nicht behagte.

»Wie schön, Sie bei uns zu haben, Miss Stuart«, bemerkte Hammond, als er sich wieder setzte.

Da ich am Nachmittag bei seinem Telefonat mit Smith zugegen gewesen war, wusste ich, dass er es nicht so meinte.

»Vielen Dank für die Einladung.«

Zusammen mit einer Auswahl von Weiß- und Rotweinen wurden die Horsd'œuvres serviert. Ich wischte einen Fussel vom Leinentischtuch. Würden wir uns wohl den ganzen Abend höflich etwas vorlügen, oder würde sich das Gespräch irgendwann dem Geschäft zuwenden, das Hammond eigentlich mit Smith besprechen wollte?

Eine warme Hand senkte sich auf mein bloßes Knie. Instinktiv legte ich meine darauf. Kurz überlegte ich, ob das nicht schon zu viel war, schließlich war unsere Beziehung noch sehr frisch. Doch Smith verschränkte seine Finger unter dem Tisch mit meinen. Es fühlte sich seltsam, aber herrlich an – und gar zu vielversprechend.

»Ich gehe davon aus, dass du Gelegenheit hattest, die Verträge durchzusehen«, sagte Hammond und spießte eine Schnecke auf seine Gabel. Er führte den buttrigen Bissen vor seinen Mund und ließ ihn dort verharren.

Smith nickte. »Das hatte ich. Es scheint alles in Ordnung zu sein. Gibt es Punkte, die dir Sorgen machen?«

»Die gibt es. Aber ich denke mal, das kann warten. Kein Grund, Geschäft und Vergnügen zu vermischen.« Seine Zähne klickten gegen die Zinken der Gabel, als er die Schnecke davon heruntersaugte.

»Ich war davon ausgegangen, dass es sich hier um ein Geschäftsessen handelt«, sagte ich mit leiser, aber fester Stimme. Heute Abend hatte ich kein Interesse an Zweideutigkeiten. Er hatte Smith nicht grundlos sehen wollen.

»Ich käme nicht im Traum auf die Idee, etwas so Langweiliges in Gegenwart einer Dame zu besprechen«, erwiderte Hammond.

Mein Blick zuckte zu Georgia, die sich jedoch gänzlich unbeeindruckt davon zeigte, dass er den Singular verwendete. Bei den wenigen Gelegenheiten, bei denen ich ihr bisher begegnet war, hätte ich sie allerdings auch nicht als Dame bezeichnet. So blieb Hammonds Bemerkung nur eine weitere Erinnerung daran, dass meine Gegenwart unerwünscht war.

»Machen Sie sich keine Sorgen.« Ich zuckte mit den Schultern und tippte mit den Fingern gegen den Stiel meines Weinglases. »Ich bin mir sicher, dass ich sowieso nichts verstehen würde. Schließlich bin ich ja kein Anwalt.«

Sondern nur eine Frau, vollendete ich den Satz im Stillen.

Hammond neigte den Kopf, als wollte er mir zu meiner Vorstellung gratulieren. Dann richtete er seine Aufmerksamkeit wieder auf Smith. »Ich möchte bestimmte Dinge in den Verträgen ausschließen, bevor ich sie unterzeichne. Meine Kontrolle über die Anteile muss wasserdicht sein.«

»Ich verstehe«, antwortete Smith.

Sollte es das gewesen sein, was er mit Smith unter vier Augen besprechen wollte? Nach der Art, wie Hammond am Telefon geredet hatte, hatte ich etwas deutlich Schlimmeres erwartet. Nachdem er nicht wollte, dass ich heute Abend mitkam, hatte ich mir vorgestellt, dass Smith ihm helfen sollte, einen Mord zu vertuschen.

»Außerdem ist da noch die Sache mit der Verschwiegenheitserklärung«, fügte Georgia hinzu.

Offenbar hatte sie mehr zu bieten als nur ein hübsches Gesicht. Doch das wunderte mich nicht im Geringsten. Alles an ihr ging mir gegen den Strich. Man durfte sie nicht unterschätzen.

»Wird erledigt«, sagte Smith knapp. »Die finalen Dokumente sollten Montag fertig sein.«

Hammond schüttelte langsam den Kopf. »Ich will sie morgen haben.«

»Das ist nicht möglich.« Smith lehnte sich auf seinem Stuhl zurück und entzog mir seine Hand, um die Arme hinter dem Kopf zu verschränken. »An diesem Wochenende stehe ich nicht zur Verfügung.«

»Ich bezahle dich dafür, jederzeit verfügbar zu sein.« Hammond beugte sich vor und stützte sich mit den Händen auf der Tischplatte ab.

»In Notfällen stehe ich selbstverständlich zur Verfügung. Aber ich bezweifle, dass ein einfaches Immobiliengeschäft als Notfall zu werten ist.«

Die Atmosphäre im Raum knisterte vor Testosteron, als die beiden Männer einander mit Blicken maßen. Keiner von ihnen schien zum Nachgeben bereit.

»Jungs, bitte nicht streiten«, bat Georgia in zuckersüßem Ton, der Übelkeit in mir erzeugte.

Doch sie brachte mich auf eine Idee. »Ich bitte Doris, die Änderungen einzuarbeiten und Ihnen die Verträge zur Abnahme zu faxen. Wenn es sich lediglich um einfache Verträge handelt, haben Sie doch sicher kein Problem damit, sie mir per E-Mail zu schicken.«

Alle Gesichter am Tisch drehten sich zu mir. Georgias Gesichtsausdruck hatte sich verändert, sie zeigte kein demonstratives Desinteresse mehr, sondern wirkte ganz offensichtlich fasziniert, wohingegen Hammond eher verstockt reagierte. Ich traute mich nicht, Smith anzuschauen. Ich hatte eindeutig eine Grenze überschritten.

»Es ist meine Aufgabe, Smith das Leben zu erleichtern. Ich bin überzeugt, dass wir eine Lösung finden, die sein Privatleben nicht beeinträchtigt.« Ich zog mein Handy aus der Tasche und wartete, ob Hammond auf meinen Bluff anspringen würde.

»Ein Anwalt hat kein Privatleben, Miss Stuart.« Hammond lachte, aber ich wusste, dass er nicht scherzte. Seine dunklen Augen sprühten vor Boshaftigkeit. Es war eine Warnung.

»Ich kann Richard anrufen. Er sollte imstande sein, übers Wochenende vergleichsweise einfache Änderungen zu prüfen«, schlug Smith vor. »Falls du nichts dagegen hast, dass jemand anders den Vertrag fertigstellt.«

Hammonds Kiefermuskeln traten hervor, und es dauerte einen Moment, ehe er das Wort ergriff. »Ich glaube, Montag reicht auch.«

»Hervorragend.« Smith richtete sich auf und nahm seine Gabel. »Hast du die Ente bestellt?«

Eigentlich war nichts besprochen worden. Es waren keine wichtigen oder vertraulichen Informationen ausgetauscht worden, aber trotzdem hatte sich mein Herzschlag enorm beschleunigt. Ich schob meinen Stuhl zurück und entschuldigte mich. Smith schaute zu mir hoch, rührte sich aber nicht.

»Ich begleite dich.« Georgia stand auf, um sich mir anzuschließen. »Wir Mädchen müssen zusammenhalten.«

Irgendwie hatte ich nicht das Gefühl, in ihr eine Verbündete gefunden zu haben. Ich lächelte gnädig und wartete, bis sie zu mir aufschloss. Auf dem Weg zur Toilette redeten wir kein Wort miteinander, und ich hielt mich an meiner Handtasche fest. Im Bad angekommen, huschte ich gleich in eine der Kabinen und setzte mich auf die Brille. Ich musste eigentlich gar nicht, ich wollte mich nur sammeln und verarbeiten, was gerade geschehen war.

»Wie lange arbeitest du schon für Smith?«, rief Georgia hinter der Tür.

»Nicht lange.« Mit kurzen Antworten glaubte ich am besten zu fahren. Ich verabschiedete mich von der Hoffnung auf eine ruhige Minute, stand auf und betätigte die Spülung, dann gesellte ich mich am Schminkspiegel zu ihr.

»Du scheinst ihn ganz gut im Griff zu haben«, stellte sie fest, während sie mit langsamen, präzisen Strichen ihren Lippenstift auffrischte.

»Nicht im Mindesten.« Vielleicht konnte ein zwangloses Gespräch unter Mädchen für ein etwas versöhnlicheres Klima zwischen uns sorgen. Ich strich eine lose Haarsträhne hinter mein Ohr und überprüfte mein Make-up. »Er ist nicht leicht zu durchschauen.«

»Das stimmt«, räumte Georgia ein. Dann wandte sie sich mir zu, stützte sich auf die Marmorkonsole und starrte mich an. »Und seit wann vögelst du schon mit ihm?«

Ich erstarrte und erwiderte ihren Blick im Spiegel. »Wie bitte?«

»Smith bringt keine Angestellte zu einem privaten Treffen mit.« Georgia hob herausfordernd eine Braue.

»Er will, dass ich ihn bei allen Abendessen begleite«, informierte ich sie. Das hatte Smith deutlich zum Ausdruck gebracht, als ich den Job antrat. Allerdings beschlich mich zunehmend der Verdacht, dass sein Berufsleben nicht annähernd das offene Buch war, als das er es darstellte. »Ich mache einfach nur meinen Job.«

»Das ist interessant«, schnurrte Georgia. Sie rückte näher an mich heran, senkte die Stimme und schnaubte: »Ich wusste nicht, dass Smith Huren beschäftigt. Früher hatte er das nicht nötig.«

»Ich bin mir sicher, dass deine Muschi jederzeit gratis zu haben war«, zischte ich und verlor ganz offensichtlich die Contenance.

»Pass auf, Prinzessin, oder ich werde zukünftig nicht mehr so nett zu dir sein.«

Ich lachte und holte den Puder aus meiner Tasche. Georgia wollte mich provozieren, aber das würde ich nicht zulassen. Ich presste das Schwämmchen an meine Nase und ignorierte sie.

»Ich weiß alles über dich«, fuhr sie fort. »Hammond ist sehr eigen, was die Angestellten seiner Partner betrifft. Ich weiß nur noch nicht, wie sehr du hinter einer guten Partie her bist. Was deine Freundin da hingekriegt hat, ist allerdings schwer zu toppen. Doch da du schon mit Smith schläfst, kann ich mir vorstellen, dass du dich ganz schön ins Zeug legst, um ihr Konkurrenz zu machen.«

»Darf ich darauf hoffen, dass du meine Brautjungfer wirst?«

»Smith ist nicht der Typ für die Ehe. Falls du davon träumst, dass er auf einem weißen Pferd heranreitet und dich entführt, rate ich dir dringend aufzuwachen.« Sie stemmte die Hände in die Hüften und wartete, ob ihre letzte Attacke bei mir Wirkung zeigte.

»Dass du dich derart ins Zeug legst, mich aus dem Konzept zu bringen, ist geradezu jämmerlich.« Ich wandte mich um und schaute ihr direkt in die Augen.

»Du denkst wohl, du bist eine ganz Harte? Bewundernswert. Du kannst mich anrufen, wenn du herausgefunden hast, wer er wirklich ist.«

»Er muss wahnsinnig gut im Bett sein«, sagte ich und tat, als wüsste ich es nicht selbst. »Denn ganz offensichtlich bist du noch nicht über ihn hinweg.«

»Ich war nie mit Smith zusammen. Wir sind zusammen aufgewachsen. Für mich ist er wie ein Bruder, und jedes Weibsbild, das glaubt, sie könnte uns auseinanderbringen, reitet sich damit nur ganz tief in die Scheiße.« Georgia ließ den Deckel ihres Lippenstifts mit lautem Klicken einrasten und warf den Stift in ihre Tasche. »Du weißt nichts über ihn.«

»Das kommt noch«, versprach ich ihr.

»Das eine kann ich dir schon mal verraten…« Sie drängte sich an mir vorbei und rammte mir auf dem Weg zur Tür absichtlich ihre Hüfte in den Leib. »Er ist verdammt eifersüchtig.«

Das wusste ich bereits. Ich ließ mir keine Regung anmerken. Wenn sie es darauf anlegte, mich in Rage zu bringen, musste sie mir schon etwas Interessanteres liefern.

»Er wäre bestimmt nicht allzu erbaut, wenn er erführe, dass sein Spielzeug der Woche mit ihrem Exfreund herumhurt.«

Aus dem Augenwinkel sah ich mich selbst im Spiegel. Das Gesicht war kreidebleich, die Mundwinkel hingen herab. So viel zum Thema »Nichts an mich heranlassen«.

»Ich komme oft am Büro vorbei. Vielleicht solltest du deine kleinen Techtelmechtel woanders abziehen. Außer, du legst es darauf an, dass Smith ihn zusammenschlägt.«

»Mein Privatleben geht dich gar nichts an«, erwiderte ich durch zusammengebissene Zähne.

»Da irrst du dich. Hammond mag etwas dagegen haben, Geschäft und Vergnügen zu verquicken, aber genau das ist meine Hauptbeschäftigung. Ich sammle Fehltritte.«

»Das klingt nach reiner Zeitverschwendung.«

»Ich finde es überaus lukrativ.« Sie zog die Tür auf und legte eine Pause ein. »Deine Fehltritte habe ich bereits zu den Akten genommen. Vergiss das nicht.«

Sie ging, und ich suchte Halt an der Konsole. Mit Fehltritten anderer hatte ich schon meine Erfahrungen gemacht. Doch jetzt sah es so aus, als hätte es mich selbst erwischt.

Als ich an den Tisch zurückkehrte, stand Smith auf und nahm mich am Arm. »Wir sind fertig mit unserer geschäftlichen Besprechung.«

Offenbar beinhaltete das private Abendessen keinen Hauptgang. Nach allem, was im Waschraum geschehen war, enttäuschte mich das jähe Ende des Abends. Von den Katz-und-Maus-Spielchen und Drohungen hing mir der Magen in den Kniekehlen. Hammond begleitete uns zum Ausgang. Er nahm meine Hand und presste seine Lippen darauf.

»Es war mir wie immer ein Vergnügen. Bis zum nächsten Mal.«

Ich persönlich hätte nichts dagegen, wenn bis zum nächsten Mal ein paar Jahre vergingen. Mit einem gezwungenen Lächeln entzog ich ihm meine Hand. Am liebsten hätte ich mir die Hände gewaschen. Aber zurück in den Waschraum zu gehen, kam wohl nicht infrage

Smith nickte ihm knapp zu und führte mich durch die Drehtür. Als wir draußen waren, nahm er meine Hand und zog mich hinter sich her Richtung Parkwächter. Zusammen mit einer weiteren Hundertpfundnote schob er dem Mann sein Ticket in die Hand.

»Ich werde Ihnen wohl nicht sagen müssen, welcher Wagen es ist.«

»Nein, Sir«, sagte der Parkwächter und machte sich auf den Weg zu den Stellplätzen.

Sobald er verschwunden war, zog Smith mich grob an sich. »Du hast ihn nicht in die Schranken gewiesen«, knurrte er.

Ich war perplex. Ihn? Hatte Georgia in den paar Minuten, die ich noch allein im Wachraum gewesen war, etwas ausgeplaudert? Ich wusste nicht, wie ich es ihm erklären sollte. Eigentlich musste ich das auch gar nicht, aber seinem wütenden Mackergehabe nach zu urteilen, war er da anderer Meinung.

Kein anderer Mann wäre auf die Idee gekommen, ein Anrecht auf mich zu haben. Und jeden anderen Mann hätte ich vermutlich in die Wüste geschickt. Warum hatte Smith nur schon jetzt einen derart starken Einfluss auf mich? Genau das hatte ich immer vermeiden wollen. Aber jetzt sehnte ich mich geradezu danach. Die Grenzen zwischen uns waren verwischt. Ich wusste nicht, wann ich eine Grenze überschritt, und ich wusste nicht, was es für Konsequenzen hatte. Ich wusste nur, dass ich an die Grenzen gehen, sie bezwingen wollte. Genau wie ein Teil von mir durch ihn bezwungen werden wollte.

»Es tut mir leid«, sagte ich sanft. Das waren die einzigen Worte, die mir angemessen schienen. Ich schuldete ihm keine Erklärung und wollte dennoch bestraft werden, wollte, dass er mich in Besitz nahm.

»Du musst dich doch nicht dafür entschuldigen, dass er

mich Sir genannt hat«, sagte Smith und packte meine Hüften. »Diese Anrede gehört nur auf deine Lippen.«

Ich brauchte eine Weile, bis ich begriff, dass er über den Parkwächter und nicht von Philip redete. Erleichtert und enttäuscht zugleich, atmete ich aus.

Ich legte ihm einen Arm um den Hals und zog seinen Mund zu mir. »Und was gehört auf deine Lippen?«

»Das.« Er hauchte mir einen Kuss auf den Mund. Seine Hände glitten nach oben und streiften meine Brüste. Obwohl der Kontakt nur kurz war, richteten sich meine Nippel erwartungsvoll auf. Das kleine Flämmchen des Verlangens, das von meiner Furcht fast erstickt worden war, loderte plötzlich heiß wie das Höllenfeuer. »Und die hier. Und deine Muschi. Das gehört alles an meine Lippen, meine Schöne.«

All meine Ängste schmolzen in der Glut dahin, die seine Worte in mir entfachten. Bevor ich ihn getroffen hatte, waren Fantasie und Wirklichkeit verschiedene, weit auseinanderliegende Welten gewesen. Doch jetzt stand er im Mittelpunkt von beiden.

Er beugte sich vor und bewegte seinen Mund an mein Ohr, küsste mich jedoch nicht. »Was hat Georgia zu dir gesagt?«

»Nichts von Bedeutung.« Es bedeutete mir tatsächlich nichts mehr. Nicht jetzt, wo er mir so nah war.

»Halte dich von ihr fern«, riet er mir. »Sie ist unberechenbar.«

»So wie du?«, fragte ich und lenkte meine Aufmerksamkeit vom Vorspiel aufs Geschäftliche.

»Ja, so wie ich«, gab er zu. »Macht dir das Angst?«

»Ja«, flüsterte ich. Wenn ich von ihm Ehrlichkeit erwartete, musste ich selbst ehrlich sein.

»Gut. Du solltest Angst vor mir haben. Vergiss das nie, meine Schöne.« Um seinen Worten Nachdruck zu verleihen, biss er mir ins Ohrläppchen.

Ich atmete seinen Duft ein, dann drückte ich meinen Zeigefinger an sein Kinn und schüttelte den Kopf. »Sie meinte, du bist einer von der eifersüchtigen Sorte.«

»Für mich bist du unersetzlich. Deshalb wäre ich sehr eifersüchtig, wenn jemand versuchen würde, sich zwischen uns zu drängen. Bitte sag jetzt nicht, dass Georgia es versucht hat.«

Mir war klar, was er damit ausdrücken wollte. »Sie hat mich gewarnt«, gestand ich, als der Veyron vorfuhr.

Smith ging aber nicht zum Wagen, sondern richtete seinen Blick auf mich. Ich hätte mich in seinen grünen Augen verlieren können. Es war eine gefährliche Aussage. Schon einmal hatte mich ein Mann zu einem Fehltritt verleitet. Das durfte nicht noch einmal passieren. Ich hatte Philip zwar zurückgewiesen, einen kurzen Moment hatte ich seinen Avancen jedoch nachgegeben. Auch wenn es nur ein kurzer Augenblick gewesen war, so hatte ich doch zugelassen, dass er mich berührte. Dass ich zuvor geschworen hatte, mit diesem Mann nie wieder ein Wort zu wechseln, machte die Sache nur noch schlimmer.

»Sie hat gesehen, wie mich mein Ex vor deinem Büro geküsst hat.«

Jetzt kam Bewegung in Smith. Er ergriff meinen Oberarm und zog mich wortlos zum wartenden Auto. Sein ganzer Körper stand unter Spannung. Ich spürte seinen kaum unterdrückten Zorn, ohne ihn anzusehen, und ich war nicht die Einzige, der das auffiel. Die Leute, die an uns vorbeigingen, blieben stehen und flüsterten miteinander.

Ich wusste, dass ich mich losreißen sollte. Schreien, um

Hilfe rufen, die Situation sofort beenden, bevor sie aus dem Ruder lief. Aber ich widersetzte mich nicht, als er mir die Wagentür öffnete. Widerstandlos ließ ich mich auf den Beifahrersitz sinken. Es war nicht vernünftig. Es war nicht intelligent.

Aber das war mir egal.

18

Die ganze Fahrt über sprach Smith kein einziges Wort. Als er schließlich den Veyron in die Garage fuhr, bereute ich meine Entscheidung, ihn zu begleiten. Die Faszination, die ich vor dem Restaurant empfunden hatte, war verschwunden. Jetzt empfand ich nur noch Furcht. Er hatte zuvor schon von Bestrafung und Unterwerfung gesprochen, aber ich hatte mir nie Gedanken darüber gemacht, was genau er damit meinte.

Wortlos stieg er aus dem Wagen, ging zum Lift und überließ es mir, hinter ihm herzuhasten.

Du hast deine Chance gehabt. Er hatte mich nicht gebeten, mit ihm zu kommen. Er hatte nicht von mir verlangt, ihm zu folgen. Trotzdem hatte ich es getan. Ich blieb in einigem Abstand zu ihm stehen. Er kehrte mir den Rücken zu, und ich ging meine Optionen durch. Ich konnte einfach gehen. Oder abwarten, wohin das alles führte. Seine neckischen Klapse und das Popoklatschen hatten mir gefallen. Ich hatte mehr davon gewollt.

Aber wie viel?

Ich schloss den Abstand zwischen uns und folgte ihm in den Fahrstuhl. Smith drückte auf den zweiten Stock. Wir steuerten also direkt aufs Schlafzimmer zu. In meiner Mitte bildete sich erwartungsvolle Spannung und sickerte langsam durch meinen ganzen Körper, bis ich buchstäblich vor Verlangen zitterte. Als die Fahrstuhltür beiseiteglitt, legte Smith den Arm über die Lichtschranke und wartete, bis ich ausgestiegen war. Ich trat in den Flur hinaus.

»Schlafzimmer.«

Nur ein Wort. Es durchströmte mich. Ich straffte die Schultern, trat in sein Zimmer und blieb kurz hinter der Schwelle stehen.

»Ausziehen.«

Ich sah ihm in die Augen, doch er wandte sofort den Blick ab. Was ich in diesen smaragdgrünen Tiefen gesehen hatte, ließ mich frösteln. Ohne ihn aus den Augen zu lassen, langte ich unter meinen Arm und öffnete den Reißverschluss meines Kleids. Ich hoffte noch, dass er sich wieder zu mir umdrehen würde. Doch das tat er nicht. Mein Kleid sank zu Boden, und ich trat aus ihm heraus. Nun trug ich nur noch ein hautfarbenes Seidenbustier und Strümpfe. Meinen Slip hatte ich wie verlangt zu Hause gelassen, aber dafür erntete ich jetzt kein Lob von ihm.

»Alles.«

Ich brauchte eine Weile, um all die winzigen Häkchen zu öffnen. Smith schaute mich jetzt wieder an. Zumindest meinen Körper. Sein Gesicht zeigte keine Regung. Es wirkte völlig ausdruckslos und leer. Es war unmöglich, seine Mimik zu deuten. Ich zog mir den zweiten Strumpf aus. Dann stand ich nackt vor ihm.

Smith umkreiste mich und mied sorgfältig jeglichen Blickkontakt, während er mich inspizierte. Abschließend stieß er nur ein einziges Wort aus: »Makellos.«

Ich errötete unter seinem prüfenden Blick. Einerseits fühlte ich mich geschmeichelt, andererseits war ich nervös, weil ich nicht wusste, was mir bevorstand.

Er schnipste mit den Fingern. »Knie dich hin.«

Ich kniete vor ihm nieder.

»Temperamentvolle Frauen ziehen mich an. Manche Männer mögen das nicht. Ihnen ist es lieber, wenn ihre Frauen still sind. Und fügsam. Aber eine Frau mit scharfer Zunge und Widerspruchsgeist – da werde ich aufmerksam. Dir gehörte meine Aufmerksamkeit vom ersten Moment an, seit wir uns begegnet sind, Belle.« Er hielt inne und strich mit einem einzelnen Finger an den Konturen meiner Schultern entlang. Dann stellte er sich vor mich, sodass ich die unübersehbare Beule in seiner Hose direkt vor Augen hatte.

Ich konnte kaum der Versuchung widerstehen, ihm einfach den Reißverschluss herunterzureißen und ihn in den Mund zu nehmen. Er wollte ja eine aufsässige Frau, und die konnte ich sein, aber irgendetwas hielt mich in seinem Bann. Neugier, vermutete ich. Ich war neugierig, was er mit mir anstellen wollte. Und noch neugieriger war ich darauf, ob ich es ihm gestatten würde.

»Vielleicht kannst du nichts für das, was heute geschehen ist, aber das wirst du mir beweisen müssen. Ich bin ein Mann, der sich lieber auf Beweise als auf Worte verlässt. Nenne es meinetwegen eine Berufskrankheit.« Er schälte sich aus seiner Anzugjacke und lockerte die Krawatte. Als er den obersten Hemdknopf öffnete, entfuhr mir ein leises Stöhnen. Smith klopfte mit dem Handrücken an meine Wange und erinnerte mich daran, ruhig zu sein. »Dein Körper reagiert sogar dann auf meine Befehle, wenn du selbst es nicht tust. Ich habe gelernt, seine Signale zu lesen, weil ich dich seit dem ersten Tag beobachtet habe. Er verrät mir, was ich wissen muss. Verstehst du?«

Ich nickte, und mein Blick zuckte zu ihm nach oben. Ich wollte die Hände nach ihm ausstrecken. Ich wollte ihn fast ebenso sehr berühren, wie ich mich danach sehnte, von ihm berührt zu werden.

»Aber wichtiger noch: Bist du einverstanden?«, fuhr er mit leiser Stimme fort. »Es steht dir frei, jederzeit zu gehen. Es steht dir frei, mir zu sagen, dass ich aufhören soll. Wenn du gehen willst, werde ich dich nicht aufhalten. Bleibst du, wirst du genießen, was ich heute mit dir tun werde. So wie ich es genießen werde, deine Widerspenstigkeit zu zähmen und mich zu vergewissern, wem deine Loyalität gehört. Hast du noch Fragen?«

»Woher willst du wissen, dass ich nicht nur so tue als ob?«

»Du lässt dich nicht unterkriegen, meine Schöne.« In seiner Stimme klang eine Spur Bewunderung mit, aber der Tonfall wechselte gleich wieder zur Dominanz. »So gut kann sich niemand verstellen. Ich werde dich derart zum Stöhnen bringen, dass du deinen Verstand ausschaltest und nur noch meinen Befehlen gehorchst.«

Mein Körper glühte, meine Knie schmerzten auf dem Marmorboden, und der Rest von mir verging vor Verlangen. »Ich bin einverstanden.«

»Sehr gut. Bleib so.«

Ich rührte mich nicht, aber ich spürte, dass er sich von mir entfernte. Wenn er nicht mehr da war, schien der Raum dunkler zu werden, und ich unterdrückte das Bedürfnis, mich umzudrehen und nach ihm zu schauen. Ich begriff, was er von mir erwartete, aber es war nicht leicht, dem gerecht zu werden. Als ich seine Schritte hörte, entspannte sich mein Körper sofort, spannte sich allerdings gleich darauf von Neuem, als ich leise eine Kette klirren hörte.

Aus dem Augenwinkel beobachtete ich, wie er sich am Fenster auf einen Stuhl fallen ließ.

»Komm her zu mir, meine Schöne.«

Seine Bitte ging mir durch und durch. Ich fühlte mich begehrt und lebendig. Ich drückte die Hände auf den Boden und wollte mich aufrichten.

»Kriechen.« Er ließ sich das Wort auf der Zunge zergehen.

Sofort beugte ich mich vor und setzte die andere Hand auf dem Boden ab. Irgendwie bekam ich noch mit, dass es anstrengend war, aber meine Gedanken galten nur ihm. Jeder Schub mit dem Knie, jedes Tapsen meiner Handfläche auf dem kalten Marmor brachte mich ihm näher. Smith saß zurückgelehnt in seinem Stuhl und stützte das Kinn in die Hand. Während er mein Näherkommen beobachtete, presste er nachdenklich zwei Finger auf seine Lippen. Als ich an seinen Füßen angelangt war, richtete ich mich wieder auf, bis ich auf meinen Fersen saß, und legte eine Hand auf das Stuhlkissen, wobei ich es sorgfältig vermied, seinen Schenkel zu berühren.

»Du darfst näher kommen«, sagte er mit zärtlicher Stimme.

Ich presste meine Wange an sein Knie und atmete ein. Die Holznoten seines Aftershaves stiegen mir in die Nase. Die Wärme an der kleinen Stelle, wo wir uns berührten, schien dem Feuer, das in mir brannte, zugleich Nahrung zu geben und es in Schach zu halten. Ich schloss die Augen und sah ganz deutlich: Es gab nur noch ihn.

Seine warmen Fingerspitzen strichen über mein Schlüsselbein. Anschließend berührte mich kühles, weiches Leder. Es schlang sich um meinen Hals – so eng, dass ich hörbar einatmete. Seine Finger griffen unter das Halsband und gaben mir die Gewissheit, dass ich atmen konnte.

»Dreh dich um und halte dein Haar hoch.«

In diesem Augenblick sah ich zu ihm auf. Smith hielt inne und legte die Hand auf meine Wange. »Du machst das alles so gut, meine Schöne. Jetzt dreh dich um.«

Ich tat, wie mir geheißen. Ich widerstand dem Impuls, das Leder an meinem Hals zu berühren, drehte ihm den Rücken zu, hob mein Haar hoch und legte so meinen Nacken für ihn frei. Das laute, unverwechselbare Klicken von Metall jagte mir eine Gänsehaut über den Körper.

»Auf Hände und Knie«, befahl Smith.

Eine kalte Metallkette schlängelte sich an meinem Rücken entlang, als ich mich auf alle viere hinunterließ. Eine zarte Stimme in mir erhob Protest, aber alles andere an mir – meine Muskeln, meine Sinne, meine Gedanken, ja meine ganze Seele – wollte nicht protestieren. Die Erregung überwältigte mich mit solcher Macht, dass ich spürte, wie der Saft meiner Lust aus mir troff und unter mir auf den Boden tropfte. Mein Körper erbebte, es war ein zitternder Vorbote dessen, was noch kommen sollte.

»Das hat dich nass gemacht«, flüsterte Smith und tauchte einen Finger in meine überfließende Muschi. Er streichelte sie leicht, worauf noch mehr Saft hervorquoll. »Ich habe dich angekettet, und du bist fast gekommen. Ich habe dich zu meinem Besitz gemacht, habe dir deine Selbstbestimmung und deine

Freiheit genommen. Und zum Dank dafür schwimmt deine Muschi vor Geilheit, meine Schöne. Weißt du, warum?«

Ich versuchte, ein Nein hervorzubringen, aber das Einzige, was ich über die Lippen brachte, war ein Wimmern.

»Jetzt hat es dir sogar die Sprache verschlagen. Du bist mit Haut und Haar nur noch auf mich fixiert und auf das, was ich dir gebe. Meinen Finger.« Er schob ihn in meine triefende Scham, krümmte ihn und massierte meinen G-Punkt.

»Meinen Mund.« Warme, weiche Lippen strichen über mein geschwollenes Geschlecht.

»Die Hand, die deine Leine hält.« Er zog daran und zwang mich, den Kopf nach hinten zu legen. »Ich habe dir alles genommen, und wie fühlst du dich?«

Befreit. Es war nicht so sehr das Wort, sondern viel mehr ein Gefühl. Ich fühlte mich so leicht, als wäre mir eine Last abgenommen worden, die ich mein Leben lang mit mir herumgeschleppt hatte. Fast kam es mir vor, als könnte ich davonschweben. Aber die Kette, die mir die Freiheit gegeben hatte, band mich an Smith.

»Du hast mir etwas Kostbares gegeben.« Smith stand auf und stellte sich vor mich. Dann beugte er sich herunter und nahm mein Gesicht, sodass mir zum ersten Mal ein Blick auf die goldene Führungskette gewährt wurde, die an meinem Halsband befestigt war. Er zog mich am Kinn hoch, und ich wechselte wieder zurück in eine kniende Position. Anerkennung erhellte sein schönes Gesicht, in seinen Augen glitzerte das Licht. »Vertrauen.«

Diese Erkenntnis traf mich zutiefst. Ich vertraute ihm. Ich gab ihm das Einzige, von dem ich mir geschworen hatte, es niemals wieder einem Mann zu schenken, und ich wusste nicht einmal, warum. Wir kannten einander doch erst so kurze Zeit. Ich hatte nie zu jenen gehört, die an Seelenverwandtschaft oder an Liebe auf den ersten Blick glaubten. Aber hier und jetzt gab ich ihm die Kontrolle über mich. Er konnte mit mir tun, was ihm beliebte, und ich wollte, dass er es tat.

»Doch jetzt muss ich wissen, ob ich dir vertrauen kann.«

Das angenehme Hochgefühl, das seine letzte Bemerkung in mir ausgelöst hatte, verschwand. Es war nicht gerade so, dass ich ihn fürchtete. Vielmehr hatte ich Angst vor dem, was ich ihm offenbaren würde – und vor mir selbst.

»Halte das.« Er drückte die Leine an meinen Mund, meine Lippen öffneten sich und nahmen sie instinktiv zwischen die Zähne. Smith rieb seine Hand über den mächtigen Umriss seines Schwanzes. »Du bist so hübsch mit der tropfenden Goldkette im Mund.«

Er streckte mir seinen Fuß entgegen, und ich zog ihm den Schuh aus, dann wiederholte er es mit dem anderen Fuß, bis er barfuß dastand.

Mit geschickten Fingern öffnete er seinen Gürtel und ließ ihn fallen. Die Gürtelschnalle schepperte neben mir auf den Boden. Bei dem Geräusch kam mir eine Idee. Ich streckte meine Arme vor und überkreuzte sie über den Handgelenken. Ich wollte ihm noch mehr geben, mehr von dem, was ihm gefiel. Noch mehr Vertrauen. Smith schaute mich an, als wollte er sich erst noch ein Urteil über mich bilden. Ich konnte ihm die Entscheidung leichter machen.

»Bitte, Sir.« Ich presste die Worte an der Kette in meinem Mund vorbei.

Er beugte sich vor und nahm den Gürtel wieder auf. »Hände auf den Rücken.«

Ich kreuzte die Arme hinter dem Rücken. Smith beugte sich über mich und drückte mir seinen Unterleib ins Gesicht, während er den Gürtel um meine Handgelenke schlang. Als er sich wieder aufrichtete, entledigte er sich seiner Hose und seiner Boxershorts, um mir sein aufgerichtetes Glied zu präsentieren. Feuchtigkeit glänzte an seiner Eichel und verlangte geradezu danach, dass ich über seine Spitze leckte.

Er tupfte mit seinem Phallus leicht gegen meine Wange, und ich spie die Kette aus. »Willst du ihn in den Mund nehmen?«

»Ja, Sir«, piepste ich und wagte es nicht, eigenmächtig zu handeln.

»Willst du ihn in deiner Muschi? Zwischen deinen Titten?«, fuhr er fort. »Wie wäre es tief in deinem Arsch?«

Ich leckte mir über die Lippen und nickte.

»Das ist jetzt wichtig, meine Schöne. Ich weiß, dass dich schon andere gefickt haben. Ich wünschte, es wäre anders. Ich wünschte, ich hätte dich früher gefunden, denn all deine Lust soll mir gehören. Weil das nicht geht, werde ich viel Zeit damit verbringen müssen, dir die Erinnerungen aus deinem hübschen kleinen Kopf herauszuvögeln. Wenn ich damit fertig bin, wird sich dein Körper nur noch an mich erinnern.« Er drückte mein Kinn mit dem Zeigefinger noch etwas höher. »An deiner Muschi waren schon andere Männer, und danach zu urteilen, wie du dir gerade über die Lippen geleckt hast, hatten sie auch deinen Mund. Ist dir schon einmal jemand auf die Titten gekommen?«

Ich schüttelte den Kopf. Die Jungs aus Oxford, mit denen ich zusammen gewesen war, standen eher auf herkömmlichen Sex – die Missionarsstellung zum Beispiel.

Smith beugte sich herunter und näherte sich meinem Gesicht, bis sich unsere Lippen fast berührten. »Ist schon einmal einer in deinem Hintern gewesen?«

»Nein«, keuchte ich. Unwillentlich wand ich mich ein wenig.

»Nicht heute Nacht, meine Schöne«, versprach er mir mit einem zärtlichen Kuss. »Diese Dinge können warten, bis du so weit bist. Schließlich hast du sie für mich aufgespart. Ich werde mir Zeit lassen. Jetzt lutsch meinen Schwanz.«

Smith nahm wieder die Leine und machte einen Schritt nach hinten, was mich zu merkwürdigen Bewegungen zwang, um aufrecht zu bleiben. Mit auf den Rücken gefesselten Händen war das schwieriger, als ich es mir vorgestellt hatte. Als ich mich ihm näherte, zog er fester an der Kette, bis ich mit seiner Erektion auf Augenhöhe war. Er ließ nur wenig Spiel in der Kette, und seine Botschaft war deutlich: Hier gehörte ich hin, hier stand meine tragende Säule. Smith. Sein Schwanz war einfach nur der Inbegriff seiner Männlichkeit: Machtvoll, stark und unnachgiebig.

Ich stülpte meine Lippen über seine Eichel, und er stöhnte. Irgendwie hätte ich gern meine Hände zu Hilfe genommen. Ich sehnte mich nach seinem Höhepunkt. Wollte ihn unbedingt schmecken und brannte darauf, ihn zu befriedigen. Smith fasste in mein Haar und drückte mich noch tiefer.

»Ich werde in deinem Mund kommen und Philips Anwesenheit herausspülen«, knurrte er und zog so fest an meinen Haaren, dass meine Kopfhaut schmerzhaft brannte. »Heute hast du vergessen, wem du gehörst. Diesen Fehler kann ich dir vergeben, weil du bewiesen hast, dass du ihn eingesehen hast. Aber heute Nacht will ich dich mit meinen Zähnen zeichnen und mit meiner Hand.«

In meiner Brust breitete sich Wärme aus, meine Wangen waren hohl, mit solcher Inbrunst saugte ich an ihm.

Smith spürte es und zog sich zurück. »Langsam. Wir haben die ganze Nacht, meine Schöne. Du solltest dich nicht so sehr verausgaben, denn du wirst nicht allzu viel Schlaf bekommen.«

Als er sich mir das nächste Mal überließ, glitt mein Mund langsam und genussvoll über seinen samtigen, harten Schaft, während ich ihn langsam mit der Zunge umkreiste.

»So ist es besser«, keuchte er. Seine Hüften kreisten vor meinem Mund und ließen ihn noch tiefer eindringen. Ich entspannte mich und ließ ihn tief in meine Kehle gleiten.

Es war eine neue Erfahrung. Smith war nicht auf Quickies oder schnelle Blowjobs aus. Er wollte Lust von jener Art, wie man sie nur bei einem ausgedehnten Spiel von Macht und Ohnmacht erfahren kann. Ich war auf den Knien, aber als sein Atem sich beschleunigte, wusste ich, dass ich jetzt die Kontrolle hatte. Als die ersten heißen Güsse meine Kehle hinunterschossen, begriff ich es endlich.

Wir nahmen einander gegenseitig in Besitz.

Smith stöhnte und drängte sich gegen meinen Mund, als er kam. Ich nahm alles und gab ihn erst frei, als er schließlich zärtlich meinen Kopf von sich fortschob. Er zog mich auf die Füße hoch. Mit ein paar raschen Bewegungen waren meine Hände wieder frei. Die Kette baumelte zwischen meinen Brüsten, und er betrachtete mich gedankenverloren aus seinen smaragdgrünen Augen. Dann hob er mich hoch und legte mich über seine Schulter. Ich begriff kaum, wie mir geschah, da warf er mich auch schon aufs Bett. Smith sank auf den Boden und legte einen Arm um meinen Oberschenkel, dann bugsierte er mich an die Bettkante, während er mit der anderen Hand nach meiner Leine angelte. Er brachte die Kette nach unten und fädelte sie zwischen meinen Schamlippen ein. Dann bewegte er sie vor und zurück und malträtierte meine zarte Lustknospe. Ich krallte die Hände in die Laken und versuchte, es auszuhalten, bis er mir endlich eine Ruhepause gewährte. Nach einigen Minuten zog er die Kette fort und tauchte seine Zunge in meine Muschi. Ich schrie auf und spürte, wie mich die ersten Vorboten höchster Lust durchzuckten. Doch Smith wusste, wie er den Genuss hinauszögern konnte. Er leckte und saugte an mir, bis ich kurz vorm Höhepunkt war, dann zog er sich zurück und widmete sich einer anderen Zone, bis ich erneut jeden Moment kommen konnte. Er setzte das Liebesspiel fort, indem er meine Lustknospe mit seiner Zunge verwöhnte, bis mein Körper sich anspannte. Erneut zog er sich zurück.

Ich hätte weinen und vor Lust schreien mögen, doch zu beidem fehlte mir die Kraft. Stattdessen wimmerte ich und hoffte, er würde Mitleid mit mir haben. In meinem Schoß glühte jeder einzelne Nerv, und schon ein Windstoß hätte mich entflammt. Doch das würde Smith vermutlich nicht zulassen.

»Ruhig, meine Schöne.«, befahl er und nahm mir das Halsband ab, während ich mich wand. »Ich werde dir geben, was du brauchst, und dann wirst du mich mit deiner schönen Muschi melken.«

Er drängte sich gegen meine Muschi, und ich öffnete mich für ihn. Mit einem einzigen, mächtigen Stoß drang Smith in mich ein und kappte die Fesseln, die mich zurückgehalten hatten. Ich bäumte mich in einem überwältigenden Höhepunkt unter ihm auf, und er umfing mich mit seinen Armen und hielt mich hoch, während er weiter in mich hineinstieß.

»Du bist so eng«, flüsterte er, während er seinem eigenen

Orgasmus entgegenjagte. »Meine Schöne, deine Muschi wird mich völlig trockenlegen.«

Ich war Wachs in seinen Armen, schlaff und übernächtigt, und ich klammerte mich an ihn, küsste seinen Hals und ließ meine Lippen über seine Bartstoppeln gleiten. Meine Zärtlichkeiten führten seinen Mund näher an meinen. Wir stießen ineinander, pressten uns immer fester zusammen. Unsere Zungen umspielten einander, und ich saugte seine Zunge in meinen Mund. Ich wollte ihm nicht nur gehören, ich wollte, dass er mich ganz ausfüllte und uns nichts mehr trennte.

Smith ließ meinen Körper auf das Bett zurücksinken, ohne unsere Verbindung zu unterbrechen. Als er mich mit tiefen, präzisen Stößen nahm, wurde meine Hoffnung auf Erlösung Gewissheit. Ich schrie an seinem Mund, als mich die ersten Spasmen erfassten. Smith öffnete den Mund noch ein bisschen weiter und trank gierig die Laute meiner Lust.

Als wir schließlich auf dem Bett zusammensanken, schloss er mich in seine Arme und barg mich an seinem Körper. So lagen wir eine ganze Zeitlang. Meine Fingerspitzen liebkosten schüchtern die seinen. Die Welt wirkte so frisch wie die knospende Beziehung, die uns an diesen Punkt gebracht hatte. Smith nahm meine Hand und führte sie zu seinem Mund, bevor er sich aus mir zurückzog. Ich unterdrückte ein Seufzen, aber meine Enttäuschung war nur von kurzer Dauer, als er tiefer rutschte und seinen Kopf auf meine Hüften legte. Er strich mit den Fingern über mein Geschlecht, bevor er seine Hand darauf legte.

»Das hier soll mir gehören. Was muss ich dir dafür geben? Ich kaufe dir alles. Deinen eigenen Bugatti? Diamanten? Nenn mir deinen Preis.«

»Dich will ich haben. Smith Price ist mein Preis. Du bist alles, was du mir geben musst, damit ich dir gehöre.«

»Ein faszinierender Vorschlag«, erwiderte er und verzog den Mund zu einem provozierenden Grinsen. »Darf ich dir ein Gegenangebot machen?«

»Nein.« Meine Absage war bestimmt und unwiderruflich. In dieser Beziehung ging es um alles oder nichts, das wussten wir beide.

»Ich wollte dir nur eine Probezeit vorschlagen«, flüsterte er, nun wieder völlig ernst. »Vielleicht denkst du jetzt, ich bin es wert, aber wir wissen beide, dass du mit diesem herrlichen Körper und deinem scharfen Verstand etwas Besonderes verdient hast.«

Ich strich ihm das Haar aus der Stirn und schüttelte den Kopf. »Du hast einen schönen Körper.«

»Das Hässliche sitzt in ihm«, sagte er mit leiser Stimme. »Wenn du es eines Tages siehst ...«

»Dann zeig es mir doch einfach nicht«, murmelte ich.

»Ich wünschte, das wäre so leicht.« Seine Arme glitten unter meinen Hals, als er mich umschlang.

»Doch, das ist es. Es wäre ein neuer Anfang.«

»Neuanfänge sind nicht meine Stärke«, sagte er mutlos.

»Meine auch nicht.« Das war etwas, was ich mir noch nie eingestanden hatte. »Wir passen aufeinander auf, damit wir es beide schaffen.«

»Belle, meine Vorlieben ...« Er verstummte. Nach einer Pause fuhr er mit erstickter Stimme fort. »Ich nehme eine Frau nicht einfach mit ins Bett. Ich nehme sie vollständig. Ich habe dir nur einen kleinen Ausschnitt von dem gezeigt, was ich mit dir tun werde. Wenn dich das erschreckt, dann geh jetzt.«

Wir wussten beide, dass das unmöglich war. »So etwas habe ich noch nie gemacht. Aber es hat mir gefallen. Ich… ich wollte mehr.«

Ich errötete von meinem Geständnis.

»Oh, meine Schöne. Ich werde dir so viel geben, wie du ertragen kannst.« Er biss mir spielerisch in die Hüfte und machte etwas tiefer damit weiter, schließlich ließ er seine Zunge an meiner Bikinilinie entlanggleiten. »Und dann gebe ich dir noch mehr.«

Ich wollte ihn bitten, es mir zu versprechen, aber die Erfahrung hatte mich gelehrt, dass Versprechen schnell gegeben und ebenso schnell gebrochen wurden. Ich hatte den Verdacht, dass er das auf schmerzhafte Weise ebenfalls gelernt hatte. Smith versuchte nicht, mich zu beschwichtigen. Am Ende stieg er erneut auf mich, und als sich unsere Körper wieder vereinigten, suchten wir Antworten auf die Fragen, die wir nicht zu stellen wagten – auf die einzige Art, die wir kannten.

19

Als ich mich herumrollte und mein Körper den ihren suchte, herrschte im Zimmer absolute Dunkelheit. Da ich sie nicht fand, streichelte ich einen Moment meinen frustrierten Schwanz. Ich konnte kaum glauben, dass sie bereits aufgestanden war, nachdem ich sie in der vergangenen Nacht praktisch bewusstlos gevögelt hatte. Ich fand sie an der Kücheninsel, wo sie etwas schrieb. Sie trug nichts als eines meiner Hemden, das ihre gebräunten Beine zur Geltung brachte. Ihr Haar war leicht zerwühlt, und sie strahlte immer noch von der letzten Nacht. Ich nahm mir einen Moment Zeit, um das Bild auf mich wirken zu lassen. Sie schaute von ihrem Papier auf und lächelte mich an. Sie hatte mich erwischt, wie ich sie anstarrte, aber das war mir völlig egal. Ihre kleine Bewegung hatte eine dunkelblaue Krawatte zum Vorschein gebracht, die sie lose um den hochgeschlagenen Kragen meines Hemds geknotet hatte. Sie nahm sie in die Hand und justierte sie spielerisch.

Heiliger Strohsack.

»Ich wusste nicht, ob wir den Tag gleich mit Arbeit beginnen«, schnurrte sie. »Darum dachte ich, ich ziehe mir lieber etwas Anständiges an.«

»Solange du das anhast, kommen wir nicht zum Arbeiten«, teilte ich ihr mit. Ich rieb mir den Schlaf aus den Augen, öffnete den Kühlschrank und kramte ein paar leichte Sachen zum Frühstück heraus. Obwohl ich nur wenig geschlafen hatte, fühlte ich mich erfrischt. So fühlte man sich nur, wenn man eine hinreißende Frau stundenlang befriedigt hatte. Ich holte eine Schachtel Erdbeeren heraus und betrachtete Belle, die immer noch in ihr Notizbuch kritzelte. »Schreibst du alle Details auf, meine Schöne? Ich bezweifle, dass du irgendetwas davon vergessen könntest.«

»Dann legte er seinen Finger …«, murmelte sie, verstummte und schüttelte den Kopf.

»Wie lange hast du mich schlafen lassen?«, fragte ich, als mir aufging, dass es fast schon Mittag sein musste.

»Ein paar Stunden.« Während sie sprach, glitt der Stift weiter über das Papier.

Ich konnte nicht sehen, was sie schrieb. »Ein bisschen größer, meine Schöne.«

»Ehrlich gesagt, beschäftige ich mich gerade mit etwas, das nichts mit deinem Schwanz zu tun hat.«

»Was für eine Verschwendung.«

»Du Narzisst.« Sie grinste schief.

»Du willst wohl, dass ich dich zum Frühstück vernasche?«, warnte ich sie und zog ein Messer aus dem Messerblock.

Belle seufzte, setzte aber den Stift nicht ab. »Auf nüchternen Magen verträgt mein Körper keinen weiteren Orgasmus. Es könnte mich umbringen. Du hast mir letzte Nacht den letzten Rest Energie ausgesaugt.«

»Verstanden.« Ich fing an, die Erdbeeren zu putzen.

Sie fuhr fort mit ihren Notizen, was mich noch neugieriger machte. Wenn sie so ausgehungert war, wie sie behauptete, warum hatte sie dann nichts gegessen, als sie herunterkam? Insbesondere, da sie sich schon seit Stunden in der Küche aufhielt? Ich schob das Schneidebrett dichter an sie heran und spähte über den Küchentresen. Auf der Seite stand nur ein einziges Wort, allerdings wieder und wieder auf die Seite gestrichelt. Mal mit Ranken, mal schmal und modern und noch in einem weiteren halben Dutzend Variationen.

Bless.

Sie verdeckte das Blatt mit ihrer Hand, und als ich hochschaute, sah sie mich verlegen an.

»Das ist nichts«, meinte sie und schlug rasch das Notizbuch zu.

»Das sieht wie ein Logo aus«, riet ich. Entweder das, oder sie hatte meinetwegen eine ernsthafte Zwangsstörung entwickelt.

Sie ließ die Hand auf dem Buch und bestätigte meine Vermutung weder, noch stritt sie es ab. Wenn sie mir nicht mehr sagen wollte, ließ ich es eben auf sich beruhen.

»Ich will eine eigene Website aufmachen«, platzte sie da heraus. »Eine Firmenwebsite.«

»Das hast du noch nie erwähnt.« Vermutlich war es ganz natürlich, dass sie es bisher noch nicht getan hatte, aber irgendwie wünschte ich, ich hätte es bereits gewusst.

Sie zog sich ein Haarband vom Handgelenk und verdrehte ihr blondes Haar zu einem lockeren Knoten. »Du bist ja nicht gerade erpicht darauf, Geschäftliches zu besprechen.«

Ach. Das wieder. »Theoretisch arbeitest du gerade für mich, hat dann nicht alles einen geschäftlichen Bezug?«

Sie hob eine Braue.

Ich legte den Kopf schief und gab mich lachend geschlagen. »Ich schätze, wir haben die Grenzen zwischen Beruflichem und Privatem überschritten.«

»Mir scheint, wir haben sie geradezu gesprengt.«

»Da wir gerade beim Thema sind.« Ich rückte näher zu ihr und drückte meine Lippen auf die Stelle unter ihrem Ohr. Sie ließ sich gegen mich sinken, dann wich sie in gespieltem Entsetzen zurück. »Vielleicht sollten wir die Sprengungen fortsetzen?«, fragte ich trotzdem.

»Ich brauche Essen.« Sie betonte lachend jede Silbe.

»In Ordnung. Ich bereite dir ein Essen zu, das fast so köstlich ist wie du – aber nur unter einer Bedingung.«

»Und die wäre?«

Ich ließ die Frage einen Moment im Raum stehen, ich wusste, dass sie mit einer gemeinen Bedingung rechnete. Schließlich erwiderte ich: »Ich bereite das Essen vor, und du erzählst mir von deiner Firma.«

»Eigentlich habe ich keine Firma«, wich sie aus.

»Meine Schöne, ich finde toll, wenn du die Unnahbare spielst, aber es gefällt mir gar nicht, wenn du dich unterschätzt.« Ich hielt ihr eine Erdbeere hin und schaute genüsslich zu, wie sie mir die Frucht mit den Zähnen abnahm. »Das war nur ein Vorgeschmack auf das, was ich dir bieten kann. Jetzt erzähl mir von Bless.«

Sie leckte sich den Saft von den Lippen und brachte mich fast von meinen Vorsätzen ab.

»Komm schon, meine Schöne. Ich würde es so oder so aus dir herausquetschen.« Im Stillen hoffte ich, es werde so kommen. »Ich verspreche dir, sobald du meine Zunge an deiner Muschi spürst, erzählst du mir alles, was ich wissen will.«

»Sie sind so von sich überzeugt, Price.« Aber mein Nachname ging ihr nur schwer über die Lippen – vermutlich dachte sie dabei an die andere Bezeichnung, die sie noch für mich hatte.

»Ich weiß, dass du nichts dagegen hättest, wenn ich es aus dir herausvögele, aber du brauchst auch mal was anderes.« Ich reichte ihr noch eine Erdbeere.

Sie schnappte sie sich grinsend und öffnete das Notizbuch an einer anderen Stelle. Dort war eine Kurve gezeichnet. »Bless ist eine Kombination aus ›Black‹ und ›Dress‹. Schwarzes Kleid. Du kennst doch bestimmt den Ausdruck ›das kleine Schwarze‹, oder?«

»Ich glaube schon«, antwortete ich knapp.

Sie warf den Erdbeerstiel nach mir. »Es geht im Grunde um Couture zum Mieten. Die Kundin kann sich jeden Monat etwas aussuchen und in ihre Garderobe einfügen. Wir liefern es ihr dann nach Hause. Nach einem Monat schickt sie die Sachen wieder zurück. Voilà!«

»Es ist also ein Abo-Service?« Ich sammelte die Erdbeerstückchen zusammen und warf sie in eine Schüssel.

»Genau.«

»Aber gibt es so etwas nicht schon?«, fragte ich. Wenn ich ihr ein wenig dabei helfen wollte, ihre Idee umzusetzen, musste ich wie ein Investor jede Frage stellen, die mir in den Sinn kam. Ich hoffte, dass ihre Antworten bewiesen, dass sie sich hinreichend mit dem Thema befasst hatte.

»Ja«, antwortete sie sofort, »aber keine der Firmen hat sich auf Couture und Designergarderobe spezialisiert.«

»Gibt es einen Grund dafür?

»Es liegt daran, dass die Stücke furchtbar teuer sind. Das bedeutet, man braucht eine Menge Kapital und zahlt eine hohe Versicherungsprämie für den Warenbestand«, räumte sie ein. »Die meisten dieser Firmen bieten Abonnements an, deren Preis von der Anzahl der gleichzeitig ausgeliehenen Stücke abhängt.«

Ich ging zum Kühlschrank und holte eine Flasche Schlagsahne heraus. »Und was macht Bless anders?«

»Mein Gott, du bist wirklich Anwalt«, neckte sie mich, wurde jedoch gleich wieder ernst. »Abonnements, deren Kosten vom Preissegment abhängen. Designerkleidung lässt sich in unterschiedliche Preiskategorien aufteilen. Es ist ein Unterschied, ob man Michael Kors oder Versace kauft. Und das sollte sich auch auf den Preis auswirken, wenn man die Sachen mietet.«

»Das klingt, als hättest du schon ganz genaue Vorstellungen.« Es gab noch eine Million anderer Dinge zu berücksichtigen, aber nur mit Geduld und Fleiß konnte sie vom Konzept zur Firma kommen. Ich gab die Sahne über die Erdbeeren.

Belle blickte in die Schale und bekam strahlende Augen. Aber sie stibitzte sie mir nicht, sondern sprang auf und öffnete den Hängeschrank. Mein Hemd rutschte nach oben, als sie sich nach den Kaffeebohnen reckte, und legte ihr rundes Hinterteil frei. »Kaffee?«

Ich stellte mich hinter sie, fasste sie um die Hüfte und drückte meinen angesichts solcher Aussichten hart werdenden Schwanz an ihren Hintern. »Ich glaube, wenn du das anbehältst, müssen wir aufpassen, dass du dich nicht verbrennst. Falls ich noch mehr von deiner Muschi zu sehen bekomme, kann ich für nichts garantieren.«

»Du hast mir etwas zu essen versprochen«, erinnerte sie mich, drehte sich aber trotzdem um und schmiegte ihr Gesicht an meine Brust.

Unwillkürlich strich ich durch ihr Haar und zog sie an mich. Sie passte gut hierher – in meine Arme. Die Kurven ihres Körpers fügten sich lückenlos an meinen Körper, als hätte Gott sie nur für mich geschaffen. Aber das war ausgeschlossen. Gott schuldete mir keinen Gefallen, und er hatte mit Sicherheit auch keinen Anlass, mich zu belohnen. Vielleicht war ich ihre Strafe, aber sie konnte kein Verbrechen begangen haben, für das sie mich verdient hatte.

Vielleicht war sie aber auch meine Erlösung. Ich presste meine Lippen auf ihre Stirn.

»Was passiert hier, Belle Stuart? Du machst einen anderen Menschen aus mir«, flüsterte ich.

Belle streckte ihr Gesicht hoch. Ihre Augen waren voller Fragen, die mir zugleich Antworten lieferten.

»Ich muss dich füttern«, sagte ich mit leiser Stimme.

»Ich habe keinen Hunger mehr. Jedenfalls nicht darauf.«

Doch trotz ihres Angebotes wollte ich meine Pflichten nicht vernachlässigen. Als ich sie genommen hatte, hatte ich sie erwählt. Ich hatte es übernommen, für sie zu sorgen und sie zu beschützen. Aber zum ersten Mal begriff ich jetzt, was das bedeutete. Ich ließ meine Hände an ihr hinuntergleiten, bis sie an ihrem Hintern angekommen waren, dann hob ich sie hoch. Belle schlang ihre Beine fest um meine Oberschenkel, aber selbst die verführerische Hitze ihrer Muschi an meiner Hüfte konnte mich nicht von meinem Plan abbringen. Ich trug sie durch die Küche und setzte sie auf die Kücheninsel.

Sie schloss die Augen und öffnete erwartungsvoll den Mund,

aber anstatt sie zu küssen, schob ich ihr eine Erdbeere zwischen die Zähne. Sie stöhnte, als sie sie mir von den Fingern saugte und herunterschluckte.

»Du machst mich ganz eifersüchtig, meine Schöne.« Ich ignorierte, wie sich meine Hoden zusammenzogen, als sie sich mit der Zunge die Sahnereste von der Unterlippe leckte. Ihre Zähne knabberten noch einmal sanft an der Lippe, dann öffnete sie den Mund weiter.

Als ich diesmal eine Erdbeere zu ihrem Mund führte, behielt ich sie länger in der Hand und wartete, bis die Sahne, die an der Spitze haftete, auf ihren Hals und ihr Schlüsselbein tropfte. Ein Tropfen landete auf der Krawatte, die sie um den Hals trug.

»Nimm die lieber ab«, schlug ich vor und fütterte sie mit dem nächsten Bissen, während ich mit der freien Hand die Seidenkrawatte entknotete.

Belle spähte zu dem Fleck auf meiner Dreihundert-Pfund-Krawatte hinunter. »Ich hoffe, die ist nicht ruiniert.«

»Vergiss das Ding«, knurrte ich und zog es ihr ab. Ich brachte ihr eine Handvoll Erdbeeren dar, zerdrückte sie an ihren Lippen und genoss den Anblick der Sahne, die über ihr Kinn floss. Wie gut würde sie erst aussehen, wenn ihr etwas anderes aus dem Mund tropfte. Belle griff sich meinen Finger und leckte die Reste ihres Frühstücks davon ab.

»Hast du denn gar keinen Hunger?«, fragte sie.

»So eine unschuldige Frage aus so einem sündigen Mund.« Eigentlich war ich wirklich ausgehungert. Das Hemd, das sie sich ausgesucht hatte, war nicht mehr zu retten, deshalb hielt ich mich nicht lange damit auf, es aufzuknöpfen, sondern griff nach der Knopfleiste und riss es auseinander. Die Knöpfe prasselten auf den Granit, als das Hemd über ihre Schultern glitt und ihre Brüste entblößte.

»Die Putzfrau wird sich fragen, was du hier… oh!« Belle verlor den Faden, als meine Zunge über ihren Hals leckte und sich Einlass in ihren Mund verschaffte. Sie erwiderte meinen Kuss mit aller Leidenschaft, grub ihre Finger in mein Haar und zog mich an sich.

Als ich von ihr abließ, waren wir beide außer Atem. »Ich bin noch nicht mit Essen fertig.«

Ich nahm die Schüssel und schüttete ihr den Rest über die Brüste. Ohne zu zögern, beugte ich mich herunter, um es abzulecken. Ich hielt meine Hände an ihrem Rücken, während ich mit der Zunge die Sahne von ihren steifen Nippeln schleckte. Noch nie hatte mir etwas so gut geschmeckt. Sahne sammelte sich in ihrem Bauchnabel, und ich ließ die Pfütze tiefer fließen, bis sie ihren Venushügel erreichte. Ich ließ zwei Finger in ihre feuchte Spalte gleiten, öffnete sie und ließ die Sahne über ihr Geschlecht fließen. Auf ihrem Weg nach unten überzog sie ihre köstliche rosa Knospe.

Ich wollte sie ablecken. Ich wollte mit den Zähnen an ihrer Knospe ziehen, bis sie um die Erlösung flehte, die nur ich ihr gewähren konnte. Doch sie sollte mich darum bitten. Die Aussicht, dass ihr meine Geduld den Atem rauben und sie anschmiegsam machen würde, stärkte meine Selbstkontrolle. Wenn die Verbindlichkeit, die ich ihr gegenüber empfand, erforderte, dass ich mein ganzes Leben für sie umstellte, dann wollte ich ihr auch in Erinnerung rufen, dass künftig ihre ganze Existenz auf mich ausgerichtet sein würde.

Mit federleichtem Druck meiner Zungenspitze umkreiste ich ihre Knospe. Belle ließ den Kopf zurücksinken, und ich schloss sie noch fester in die Arme, als ein gequälter Schrei aus ihr hervorbrach. Bei dem Geräusch zuckten meine Lippen.

»So ist es gut, meine Schöne«, stöhnte ich in ihr geschwollenes Geschlecht. Sie presste sich gegen die Bewegungen meiner Lippen, doch ich wich ein Stück zurück – gerade weit genug, um sie daran zu hindern, sich auf eine bestimmte Körperregion zu fixieren. Ich tauchte meine Zunge in ihre Muschi und leckte sie. Schon spürte ich die ersten schwachen Kontraktionen. Sie war kurz vor dem Höhepunkt, aber ich war noch nicht annähernd fertig mit ihr.

Ich wandte mich von ihrer Muschi ab und kehrte zu ihren Brüsten zurück, schloss die Lippen um ihren Nippel und saugte die weiche Haut in meinen Mund. Sofort riss Belle die Knie hoch und platzierte die Füße am Rand der Arbeitsfläche, sie drängte danach, zwischen ihren Beinen erlöst zu werden.

»Geh wieder nach unten«, keuchte sie und schaffte es kaum, die Worte herauszubringen.

Das durfte ich ihr nicht durchgehen lassen. Ich tätschelte warnend ihr Kinn, und sie riss die geschlossenen Augen auf. »Ich lasse mir nichts befehlen.«

»Es tut mir leid«, keuchte sie. »Bitte, Sir, machen Sie unten weiter.«

»Nicht einmal, wenn du es mir auf die nette Art befiehlst«, sagte ich und drückte ihre Oberschenkel höher, bis ihre Knie an ihren Brüsten waren. Ich rammte meinen Körper gegen ihren. »Wenn du das noch einmal machst, kannst du dich hinknien, mir einen blasen und den Rest des Tages mit einer gierigen Muschi klarkommen. Weißt du, wie es dann weitergeht? Keine Sessel, kein Hinsetzen, keine Reibung. Dann kannst du nur noch warten, bis ich dir wieder erlaube, Lust zu empfinden. Also – worum wolltest du mich bitten, meine Schöne?«

»Bitte, darf ich kommen, Sir?«, quietschte sie, als ich meine Hüften an ihrem geschundenen Geschlecht kreisen ließ. Ihr Wimmern erfasste ihren ganzen Körper, den ich in meinen Armen hielt.

»Das ist eine angemessene Frage«, erwiderte ich und wusste, dass ein Lob sie beschwichtigen würde.

Ihr wilder Blick traf meinen, und noch einmal kam ihr eine inständige Bitte von den Lippen. »Bitte küss mich, oh Gott, küss mich, Smith.«

Mein Mund drängte in ihren. Sie hatte nicht gefragt, sie hatte nicht gebettelt. Doch verzweifelte Leidenschaft ihres Begehrens brachte eine Saite in mir zum Klingen, die ich schon längst verstummt wähnte. Es ging mir durch und durch. Sie grub die Fersen in meine Lenden, schob die Boxershorts hinunter und befreite meinen Schwanz. Mit einem geschmeidigen Schwung hob ich ihren Hintern an und glitt in sie hinein.

Ein erstickter Schrei – halb Lust, halb Qual – brach aus ihr heraus. Ich linderte ihre Pein mit einem Kuss. Ihre Hand glitt aus meinem Haar zu meinen Nacken. Sie klammerte sich an mich. Ich richtete mich auf, löste mich jedoch nicht aus unserem Kuss, und sie schloss die Beine um meine Hüfte. Ich stützte ihren Rücken, während sie den Hintern hob und ihn dann wieder sinken ließ.

Ich wollte ihr schmutzige Dinge ins Ohr flüstern und beobachten, wie ihr Körper reagierte, aber noch lieber wollte ich meine Lippen auf ihren Lippen spüren. Meine Zunge suchte ihren Weg und schob sich noch tiefer in ihren offenen Mund.

Jede Faser meines Wesens wollte in sie eindringen und sie ausfüllen. Mein Schwanz, mein Mund. Das reichte noch nicht. Ich wollte mehr als nur ihren Körper. Ich begehrte ihre Seele.

Als ich spürte, wie sich ihre Muskeln anspannten, stieß ich fester zu und vögelte sie. Sie ließ sich in meine Arme sinken, ein Bündel aus Schreien und Stöhnen, die meinen eigenen Orgasmus heraufbeschworen. Ich zerbarst in ihr, bis von uns nichts mehr übrig blieb als verknotete, schwitzende Glieder. So hielt ich sie und wollte mich nicht mehr von ihr lösen.

Denn ich wusste nicht mehr, wo ich aufhörte und wo sie begann.

20

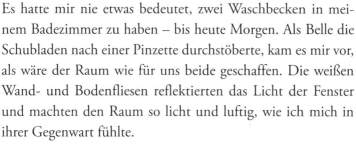

Es hatte mir nie etwas bedeutet, zwei Waschbecken in meinem Badezimmer zu haben – bis heute Morgen. Als Belle die Schubladen nach einer Pinzette durchstöberte, kam es mir vor, als wäre der Raum wie für uns beide geschaffen. Die weißen Wand- und Bodenfliesen reflektierten das Licht der Fenster und machten den Raum so licht und luftig, wie ich mich in ihrer Gegenwart fühlte.

Ich nahm meinen Rasierpinsel und verteilte Schaum in meinem Gesicht, dann klappte ich mein Rasiermesser auf. Die Methode erforderte Präzision, das gefiel mir. Nur eine falsche Bewegung, und ich würde mir böse Schnitte zufügen. Belle hielt inne und beobachtete mich genau.

»Das sieht gefährlich aus«, sagte sie, als ich die Klinge abspülte, um weiterzumachen.

»Ich bin gern glattrasiert«, erklärte ich, klappte das Messer zu und reichte es ihr.

Sie nahm es vorsichtig entgegen und lächelte zaghaft. »Ich mag es lieber, wenn du ein bisschen stoppelig bist.«

»Warum das?« Ich rückte näher, bis sich unsere Körper leicht berührten.

»Wie hast du das genannt? Reibung?« Ihre Worte hatten einen neckischen Unterton. Die Erinnerung an unsere Begegnung in der Küche wirkte noch in ihr nach. Wenn es nach mir ginge, sollte jedes Zimmer im Haus eine erregende Erinnerung in ihr auslösen.

»Er wächst schnell, meine Schöne«, versprach ich ihr. »Morgen früh kann ich dir zeigen, wie schnell er nachwächst. Aber bring erst mal das hier für mich zu Ende.«

»Ich?« Sie versuchte, mir das Rasiermesser in die Hand zu drücken. »Ich habe nicht die leiseste Ahnung, wie man das macht. Was ist, wenn ich dir die Kehle durchschneide?«

»Dann sterbe ich als glücklicher Mann.« Ich nahm ihren Arm und zog sie zur Toilette. Dort setzte ich mich auf den Deckel und hielt den Kopf so, dass sie an die Stellen herankam, die noch eingeseift waren. »Es geht ganz einfach.«

Ich klappte das Messer auf und brachte ihre Finger in die richtige Position. Dabei bemerkte ich, wie ihre Hand zitterte. »Hab keine Angst, ich hab auch keine.«

»Du fuchtelst ja auch nicht mit einer Waffe aus dem achtzehnten Jahrhundert herum.« Sie ächzte und kam mit der Klinge näher an mein Gesicht.

Ich drehte ihr Handgelenk, bis es im richtigen Winkel stand, dann führte ich ihre Hand nach unten und spürte, wie die Klinge leicht über meine Haut schabte.

»Und jetzt du«, forderte ich sie auf.

Sie setzte die Klinge von Neuem an, zögerte einen Moment und drückte sie sanft an mein Gesicht, wobei sie die Bewegung nachvollzog, die ich ihr gezeigt hatte.

»Und ich lebe noch«, scherzte ich.

»Obacht, Price«, warnte sie mich. »Noch bin ich es, die die Klinge in der Hand hält.«

Ich hob mein Kinn und legte die bedeutend empfindlichere Haut meines Halses frei. Ein falscher Winkel oder eine kopflose Reaktion hätte das Ende ihrer Barbierkarriere bedeutet. »Lass dich vom Messer leiten«, riet ich ihr.

Diesmal ging sie die Sache mit mehr Selbstvertrauen an und zog die Klinge zügig herunter, bis alles fertig war. Ich wollte gerade aufstehen, da drückte sie mich an der Schulter wieder hinunter. »Warte. Da habe ich noch eine Stelle vergessen.«

Ich drehte mein Gesicht, damit sie herankam. Die Klinge glitt glatt über meine Kinnkonturen, bis sie sich verfing und mich ein scharfer Schmerz durchzuckte. Belle wich erschrocken zurück und entschuldigte sich wortreich. »Es tut mir so leid. Oh mein Gott, du blutest.«

»Nicht schlimm. Ich habe mich auch schon geschnitten.« Der Schnitt tat bereits nicht mehr weh.

»Aber *ich* habe dich noch nicht geschnitten«, flüsterte sie. Sie beugte sich vor und hauchte einen Kuss auf die Wunde. Fasziniert beobachtete ich, wie sie sich einen kleinen Blutstropfen von der Lippe leckte.

Ich nahm ihr das Rasiermesser ab, klappte es zusammen und warf es ins Waschbecken. Ich streckte die Hand nach ihr aus, aber sie sprang zurück und löste den magischen Zauber der Aktion.

»Nein, nein!« Sie wedelte mit dem Zeigefinger in meine Richtung. »Ich treffe mich zum Mittagessen mit deinem liebsten Freund.«

»Ach?«

»Mit Edward. Deshalb sollte ich vorher noch unter die Dusche.« In ihrem Tonfall hörte ich eine Mischung aus Entschlossenheit und Provokation.

»Er ist dir wichtig«, folgerte ich und nahm mir vor, meine Eifersucht in den Griff zu bekommen. »Wir sollten ihn zum Abendessen einladen.«

»Damit du ihn verprügeln kannst?«, gab sie trocken zurück.

Ich zuckte unentschieden mit den Schultern und grinste. »Nur, wenn er es verdient hat.«

»Wir könnten seinen Verlobten dazuholen, dann fühlst du dich nicht so bedroht.« Belles Augen strahlten amüsiert. »Aber bevor es so weit kommt, muss ich duschen.«

Ich sprang auf die Füße und drängte mich an sie. Als sie mit dem Rücken an der Wand lehnte, küsste ich mich an ihrem Kiefer entlang. »Lass uns zusammen duschen«, schlug ich vor. »Ich werde dich waschen.«

»Man duscht aber, um hinterher sauberer zu sein.« Trotzdem kicherte sie, und ich wusste, dass es beschlossen war.

Ich wich einen Schritt zurück und hob die Arme, als gäbe ich auf. »Ab in die Dusche. Ich lege Musik auf.«

»Musik, ja?« Sie huschte hinein und drehte das Wasser auf.

»Musik zähmt das Tier in mir. So hast du die besten Aussichten, verschont zu werden, wenn du dich nackt und feucht im Umkreis von zehn Kilometern von mir aufhältst.« Ich schaltete mein Handy ein, startete die App für den Zugriff auf das Soundsystem, das im Haus installiert war, und suchte mir eine Playlist aus. Ein paar Sekunden später erfüllten bluesartige Rhythmen den Raum, als Mick Jagger zu einem Schmachtsong ansetzte.

»Die Stones?«, fragte sie. »Ich hätte dich eher als Klassikhörer eingeschätzt.«

»Meine Schöne, das ist ein Klassiker. Ich bin mit den Stones groß geworden.«

»Herrje, für eine Sekunde dachte ich, du würdest mir erzählen, dass du ihr Anwalt bist.«

»Bin ich zwar nicht«, zwinkerte ich ihr zu, »aber ich kenne ihre Anwälte.«

»Na klar.« Sie strich mit den Lippen über meine Schulter. Es war ein recht züchtiger Kuss, aber meinem Schwanz war das egal.

Ich gab ihr einen Klaps auf den Hintern und schob sie unters Wasser. »Rein mit dir, bevor ich es mir anders überlege.«

Ich ging wieder zum Waschbecken und spritzte mir kaltes Wasser ins Gesicht, um den letzten Rasierschaum abzuspülen. Ich war fest entschlossen, mich zusammenzureißen, aber was ich von Belle im Spiegel sah, brachte mich auf andere Gedanken. Sie räkelte sich unter dem Duschstrahl und legte den Kopf in den Nacken, damit das Wasser an ihrem Haar hinunterlief. Der Raum war bereits vom Wasserdampf vernebelt, als ich die Glastür beiseiteschob und mich zu ihr gesellte.

»Ich dachte, ich hätte die Dusche für mich allein«, rief sie und blinzelte sich das Wasser aus den Augen.

»Das ist eine Doppeldusche. Du bist nicht die Einzige, die sich mal waschen muss.« Ich grinste und stellte das Wasser für die Duschköpfe auf der gegenüberliegenden Seite an. Ich lehnte mich in den warmen Wasserstrahl, dann nahm ich meinen Schwanz und fing an, ihn mit der Hand aufzupumpen. Lüstern ließ ich die Lider sinken, als sie ihre Brüste mit Seifenschaum einrieb.

»Amüsierst du dich gut?«, rief sie und seifte ihren flachen

Bauch ein. Ihre Finger verschwanden zwischen ihren Beinen und wuschen ihre Muschi eine Spur zu gründlich.

»Und du?«, fragte ich, ohne aufzuhören, mich zu befriedigen.

Sie zuckte mit den Schultern, wendete mir den Rücken zu und fing an, ihren runden Hintern einzuseifen. Die Show gefiel mir durchaus, aber ich hatte den Eindruck, es sei in Ordnung, wenn das Publikum ein wenig mitmischte. Ich legte meinen rechten Arm um ihre Hüfte, zog sie an mich und lenkte meinen Schwanz zu ihrem schlüpfrigen Eingang. Ich drückte die Spitze ein kleines Stück in sie hinein und legte dann eine Pause ein.

»Ist es nicht besser, sich schmutzig zu machen, wenn man sich so leicht wieder sauber kriegt?«, knurrte ich und schob mich tiefer in sie hinein.

Sie lehnte sich gegen mich und ließ mich meinen Arm zwischen ihre Brüste legen. Nun schob ich meinen Schwanz in voller Länge in sie hinein, sodass ihre Füße vom Boden abhoben. Sie schrie auf.

»Ich gebe zu, es ist wirklich etwas schlüpfrig«, flüsterte ich in ihr Ohr.

Als ich sie auf die Fußballen zurücksinken ließ, übernahm sie die Initiative; sie beugte sich vor und legte die Hände auf die Fliesen.

»Ich kann mich nicht entscheiden, was ich lieber sehe«, sagte ich mit heiserer Stimme, »deine herrliche Muschi, die sich über meinen Schwanz stülpt, oder deinen Gesichtsausdruck, wenn du kommst.« Ich drang in sie ein und genoss es, wie sich ihre samtweiche Muschi um meinen Schaft schloss. Es war gut, aber ich wollte mehr. Ich entzog mich ihr, drehte sie um und drückte sie gegen die Wand. Mit einer schnellen Bewegung hob ich sie an die Fliesen und drang von Neuem in sie ein. Im Hintergrund begann ein neuer Song, und ich passte mich seinem Rhythmus an, während das Wasser an uns herunterströmte.

»Sag mir, was du willst«, knurrte ich, während ich kräftig zustieß.

Sie legte eine Hand auf meine Wange. »Dich. Ich will dich.«

»Verdammt, Belle, meine Schöne. Ich gehöre dir.« Wir drängten uns ineinander, unsere Körper verschmolzen in ekstatischer Einheit, als wir dem gemeinsamen Orgasmus entgegenstrebten. Als sie mich plötzlich ganz fest umklammerte, eroberte ich ihren Mund und saugte die Laute ihres Höhepunktes aus ihr heraus. Ich spürte ihre Lust durch meine Adern pulsieren, als ich selbst so weit war und mich in ihre Enge ergoss.

Zärtlich half ich ihr auf die Füße und stützte sie, damit sie nicht ausrutschte. Sie blinzelte mich an und schwebte noch irgendwo auf Wolke sieben. Ich entdeckte die Seife, ließ sie über ihre Muschi gleiten und wusch sie. Ich ließ sie nicht los, als wir gemeinsam aus der Dusche stiegen, wickelte sie in ein großes Handtuch und rubbelte sie so lange trocken, bis ihre Haut rosig schimmerte.

Ich nahm ihre Hand, um sie zurück ins Schlafzimmer zu führen, aber sie schüttelte den Kopf. »Ich kann alleine gehen.«

»Ich werde mich erst zufriedengeben, wenn du es nicht mehr kannst.«

Sie verschwand durch die Tür, aber nicht, ohne aufreizend mit dem Hintern zu wackeln.

»Bist du sicher, dass du dich mit Edward treffen musst?«, rief ich ihr hinterher. »Wenn du bleibst, sorge ich dafür, dass du es nicht bereust.«

Dass wir in der vergangenen Woche getrennt waren, hatte ich ertragen, weil ich spürte, dass sie ihren Freiraum brauchte. Aber jetzt fiel es mir nicht leicht, sie ziehen zu lassen.

Ich blieb im Türrahmen stehen und beobachtete, wie sie ihr Kleid vom letzten Abend ausbreitete und musterte.

»Ich habe nicht vor, mich zum Gespött zu machen«, sagte sie grinsend. »Und dann auch noch ohne Slip.«

»Mir wäre es lieber, du würdest einen Slip tragen, wenn du mit einem anderen Mann zum Mittagessen gehst, selbst wenn er schwul ist.« Ich ging zu meinem Einbauschrank und schaltete die Beleuchtung ein. »Komm her, meine Schöne.«

»Ich glaube nicht, dass mir deine Shorts passen«, sagte sie trocken, aber aller Sarkasmus schwand aus ihrer Stimme, als sie das Kleid in meiner Hand entdeckte.

»Ich habe ein paar Sachen liefern lassen«, erklärte ich und trat zur Seite, damit sie einen Blick auf das Regal mit der Kleidung werfen konnte, die ihre Stylistin bei Harrods für sie ausgesucht hatte. »Die Schuhe sind hier drüben.«

An ihre Füße gehörten Louboutins, und ich hatte dafür gesorgt, dass es ihr daran nicht mangelte. Ein Dutzend Paare, von schwindelerregend hoch bis züchtig, waren nebeneinander im Regal aufgereiht. Sie tänzelte hinüber und ließ die Finger über das Leder gleiten.

»Ich habe dir erst gestern Nachmittag vergeben«, wandte sie sich zu mir um. »Wann hast das alles bestellt?«

»Dienstag.«

»Du bist ganz schön von dir überzeugt.« Ihre Augen verengten sich, und ich spürte, dass sie zwischen Empörung und Entzücken schwankte.

»Ich habe gehofft, dass du zurückkommst.« Ich ging zu

ihr und strich mit dem Handrücken über ihre Wange. »Und wenn du nicht freiwillig gekommen wärst, hätte ich dich hergeschleift.«

»Hat dir schon mal jemand gesagt, dass du ein bisschen was von einem Höhlenmenschen hast?«, sagte sie, während ihre Lippen zuckten, weil sie ein Lachen unterdrücken musste.

»Meine Schöne, ich wäre ein glücklicher Mann, wenn ich nur noch zu vögeln und zu essen brauchte«, gab ich zu und senkte den Kopf, um sie in die Schulter zu beißen.

»Ich fürchte, du müsstest auch noch jagen und dich um eine Unterkunft kümmern«, sagte sie, stieß mich weg und nahm sich ein Paar Pumps aus dem Schrank.

»Ich habe doch schon die größte Höhle und ...«, ich griff mir an den Schwanz, »... die beste Keule.«

»Du kannst mir später zeigen, was man damit macht, aber jetzt muss ich mich anziehen!« Sie schnappte sich die erstbeste Unterwäsche und huschte hinaus.

Nachdem ich mir schließlich eine Freizeithose und ein maßgeschneidertes Oberhemd ausgesucht hatte, ging ich hinterher. Sie schlüpfte gerade in einen der Pumps und bückte sich dabei in einer anmutigen Haltung, die pure Weiblichkeit verkörperte. Dann richtete sie sich auf und bedachte mich mit einem warnenden Blick.

»Ich werde mir jetzt die Haare föhnen«, erklärte sie.

Als sie an mir vorbeiwollte, ergriff ich ihre Hand und küsste sie.

»Komm heute Nacht wieder zu mir ins Bett.«

»Davon bringt mich nichts und niemand ab«, flüsterte sie. Ich ließ sie los und musste grinsen. Sie würde kommen, ich war ein glücklicher Mann.

In diesem Moment summte mein Handy auf dem Nachttisch. Ich ahnte sofort, dass etwas nicht stimmte.

»Hier ist Price«, meldete ich mich betont gelassen. Aber meine heitere Stimmung war dahin.

Als Belle wieder ins Zimmer zurückkam, war ich bereits vollständig angezogen. »Ich muss ins Büro. Ich kann dich unterwegs absetzen.«

»Ist etwas nicht in Ordnung?«, fragte sie und nahm ihre Handtasche.

Nichts war in Ordnung.

Ich küsste sie auf die Stirn. »Nein, alles ist perfekt.«

21

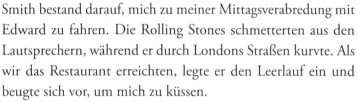

Smith bestand darauf, mich zu meiner Mittagsverabredung mit Edward zu fahren. Die Rolling Stones schmetterten aus den Lautsprechern, während er durch Londons Straßen kurvte. Als wir das Restaurant erreichten, legte er den Leerlauf ein und beugte sich vor, um mich zu küssen.

»Benimm dich«, ermahnte er mich.

»Ich dachte, es ist dir lieber, wenn ich ungezogen bin.« Mit diesem Gedanken ließ ich ihn zurück, als mir der Parkplatzwächter die Tür öffnete. Beim Aussteigen schwenkte ich herausfordernd meinen Hintern, weil ich wusste, dass er darauf achtete. Im Schlafzimmer hatte er alle Macht. Aber außerhalb sah die Sache ganz anders aus. Ein Umstand, den ich ihm bei jeder passenden Gelegenheit zeigen wollte. Der uniformierte Mann nahm jedoch keine Notiz von mir, sondern wirkte lediglich enttäuscht, dass er den Sportwagen nicht einparken durfte.

Eingedenk der Tatsache, dass Smith mich auch nicht ans Steuer ließ, konnte ich seinen Kummer gut nachvollziehen.

Das Restaurant war voller Nachmittagsbesucher, die für

einen frühen Tee oder ein spätes Mittagessen hergekommen waren, doch ich entdeckte Edwards freundliches Gesicht am anderen Ende des Raums.

Edward legte die Speisekarte beiseite und stand auf, um mich zu begrüßen. Er fasste meine Hände und musterte mich einen Augenblick. »Du glühst ja«, stellte er vorwurfsvoll fest. »Bitte sag mir, dass es eine neue Hautpflege ist.«

»Nein.« Beim Hinsetzen boxte ich ihn leicht gegen die Schulter. »Ich habe die Nacht mit Smith verbracht.«

Ich griff nach meinem Wasserglas und zuckte beiläufig mit den Schultern, als ob das nichts Besonderes wäre. Edward schob die Brille nach vorn auf seine Nasenspitze und schüttelte den Kopf wie eine von ihrer Schülerin maßlos enttäuschte Lehrerin.

»Ich kann nichts dafür, dass ich Bedürfnisse habe.«

»Bedürfnisse, die du monatelang verleugnet hast«, erinnerte mich Edward und wandte sich wieder der Speisekarte zu. »Und dann schnappst du dir den schlimmsten Stecher, der herumläuft.«

»Seit gestern glaube ich ja eher, mein Ex ist der schlimmste Stecher, der herumläuft.«

Edward öffnete gerade den Mund, um nachzufragen, als die Kellnerin erschien. Ich ließ mir mit der Bestellung Zeit, schließlich hatte ich gerade am eigenen Leib erfahren, wie es sich anfühlte, wenn man die Befriedigung hinauszögerte. Als sie endlich mit ihrem Notizblock davoneilte, trommelte Edward mit allen zehn Fingern auf den Tisch.

»Erzähl. Auf der Stelle«, verlangte er.

»Es gibt nicht viel zu erzählen.« Ich drückte meinen Zeigefinger schmerzhaft auf die Zinken meiner Gabel.

»Zier dich nicht so«, drängte er. »Ich kenne Leute, die es herausfinden können.«

Bei der Vorstellung, dass der süße Prinz Edward so eine hinterhältige Nummer abziehen könnte, schnaubte ich. Das passte überhaupt nicht zu ihm. Sein Bruder hätte mich jedoch schon längst beschatten lassen. »Aber dann würden dir all die guten Details entgehen: wie ich mich gefühlt habe zum Beispiel und was mir durch den Kopf gegangen ist.«

»Wie bitte?«, hakte er nach. »Warum sind dir Sachen durch den Kopf gegangen? War es so schlecht?« Er schob die Brille wieder nach oben und beugte sich, begierig auf die gute Geschichte, die er zweifellos gleich hören würde, vor.

Ihn hinzuhalten, war ziemlich spaßig, aber weil ich immer noch versuchte, mir über meine Gefühle der letzten vierundzwanzig Stunden klar zu werden, musste ich mich wohl einfach aussprechen. Vor allem, wenn ich seinen Rat wollte. Oder wenigstens ein geneigtes Ohr.

»Philip ist gestern vor Smiths Büro aufgetaucht.«

Edward lehnte sich stöhnend in seinem Stuhl zurück und ließ den Blick durch den Raum schweifen, als erwartete er, dass jeder Gast in sein Stöhnen miteinstimmte. »Na, das war sicher toll.«

»Smith hat ihn nicht gesehen«, stellte ich klar. »Obwohl das nichts gemacht hätte.«

»Echt?«, quietschte er.

»Wart's ab. Die Kurzversion lautet, dass er einen Fehler begangen hat und ihn am liebsten ungeschehen machen würde. Pepper hat ihn belogen.«

»Wie schockierend«, sagte Edward trocken. »Die beiden haben sich wirklich gegenseitig verdient.«

»Da bin ich absolut deiner Meinung. Dann hat er mich geküsst, und ich habe absolut nichts empfunden.«

»Er hat dich geküsst?!«, wiederholte Edward.

»Offenbar bin ich plötzlich sehr begehrenswert.« Ich wollte ihm mehr erzählen. Über den Kuss. Über Georgias Drohung und Smiths Reaktion. Aber etwas hielt mich zurück.

»Du warst immer begehrenswert.« Seine Reaktion erinnerte mich an Smith.

»Smith ist auch so«, sagte ich, ohne nachzudenken. »Er verteidigt mich immer vor mir selbst, wenn ich zu streng mit mir bin.«

»Wenn ich das höre, wird er mir gleich ein bisschen sympathischer«, sagte Edward leicht mürrisch.

»Mir auch. Es kommt mir so vor, als könnte mir die Sache über den Kopf wachsen«, gab ich zu. »Unsere Beziehung entwickelt sich in einem derartigen Tempo, dass ich das Bedürfnis habe, mich irgendwo festzuhalten.«

»Das klingt, als wärst du dabei, dich zu verlieben.«

Grinsend schüttelte ich den Kopf. Doch als ich darüber nachdachte, schnürte sich meine Brust zusammen. »Das wäre schrecklich, zumal mein bester Freund ihn hasst.«

»Vielleicht kann er ja Clara für sich einnehmen«, stichelte Edward. »Aber ganz im Ernst: Wenn er dir etwas bedeutet, dann muss er über ein paar angenehme Eigenschaften verfügen.«

»Er möchte, dass du und David mit uns zu Abend esst«, sagte ich und wartete gespannt auf seine Reaktion.

»Das klingt, als ob er auch dabei ist, sich zu verlieben. Oder zumindest, dass er eine wichtige Rolle in deinem Leben spielen will.«

»Ich habe schon einmal den Fehler gemacht zu glauben, dass ein Mann das wollte.«

»Philip war ein Trottel. Er hatte dich nicht verdient.«

Ich hob mein Wasserglas, um darauf anzustoßen. »So viel steht fest.«

Kurz darauf wurde unser Essen gebracht, und die Unterhaltung kreiste jetzt um seine Heiratspläne.

»Wann werdet ihr den Termin verkünden?« Damit zog ich ihn schon seit Monaten auf, denn ich war der Ansicht, wenn sich Kohle unter Druck in einen Diamanten verwandeln konnte, dann konnte ich mit Druck Edward dazu bringen, endlich vor den Traualtar zu treten.

»Wenn doch das britische Recht nur jedermann gleich behandelte.«

Ich spießte mit der Gabel einen Rosenkohl auf und schwenkte ihn herum.

»Korrigiere mich, wenn ich etwas Falsches sage, aber ist es in diesem Fall nicht Alexander, der die Einwilligung geben muss?«

»Ja«, sagte Edward nach einigem Zögern.

»Dann sehe ich kein Problem. Er wird Ja sagen.« Ich hatte nicht den geringsten Zweifel daran. Alexander und Clara schienen, genau wie ich, darauf zu brennen, die beiden glücklich verheiratet zu sehen.

»Es hat mehr mit der öffentlichen Meinung zu tun …« Er hob die Hand, um mich daran zu hindern, ihn zu unterbrechen. »Ich weiß, wir leben in aufgeklärten Zeiten, und wir hatten nur wenig Gegenwind. Aber wenn mein Vater zu entscheiden hätte, dann wäre es selbstverständlich ausgeschlossen.«

»Er hat aber nicht zu entscheiden. Worauf wartest du also noch?« Ich hörte auf zu essen und schaute ihm in die Augen.

»David war zuerst mein Geheimnis, dann ist er so schnell zur öffentlichen Person geworden, dass ich mir nicht sicher bin, ob er weiß, worauf er sich einlässt. Du hast ja gesehen, wie es Clara im letzten Jahr ergangen ist«, erinnerte mich Edward. »Ich will nicht, dass er meinetwegen so etwas durchmachen muss.«

»Das hättest du dir überlegen müssen, bevor du ihn gefragt hast, denn der Mann ist schon dabei, Babynamen auszusuchen.« Ich hatte gesehen, wie Davids Augen gestrahlt hatten, als er im Krankenhaus die kleine Elisabeth in seinen Armen hielt. Er wollte eine eigene Familie gründen. »Und Clara wurde das Opfer einer Geisteskranken und hatte außerdem auch noch Pech.«

»Alexander glaubt, dass noch mehr dahintersteckt.« Edward senkte die Stimme. »Er ermittelt wegen der Vorfälle bei der Hochzeit.«

Mir stockte das Blut in den Adern. »Ich dachte, er hätte das aufgegeben.«

»Wir reden hier von Alexander. Clara bedeutet ihm alles. Komm schon, Belle, es ist völlig ausgeschlossen, dass Daniel ganz allein gehandelt hat. Und bis wir die Antwort kennen, müssen wir alle vorsichtig sein.«

»Weiß Clara darüber Bescheid?« Mein Hirn, das den Großteil des Vormittags vernebelt gewesen war, erwachte zu voller Konzentration. Meine beste Freundin war mit ihrem neugeborenen Baby zu Hause, und die Leute, die versucht hatten, sie zu verletzen, liefen immer noch frei herum. »Ist es nicht möglich, dass Alexander diesbezüglich etwas paranoid ist?«

»Diesmal nicht«, erwiderte Edward düster. »Ohne zu wissen, wer dahintersteckt, kann ich keine weitere königliche Hochzeit riskieren.«

»Dann heirate heimlich«, riet ich ihm. »Gönne David seine Hochzeit, und bleib unter dem Radar der Leute, die dafür verantwortlich waren.«

»Ich glaube, diese Idee würde David noch weniger gefallen als ein Aufschub. Du hast doch seine Heiratsvorbereitungen mitbekommen.«

Ich hatte in der Tat einiges zu dem dicken Ringordner voller Hochzeitsideen beigetragen, die David sammelte, seit Edward um seine Hand angehalten hatte.

»Lass es dir von jemandem sagen, der euch beide kennt. David will dich heiraten. Es ist ihm egal, wie – und falls es bedeutet, auf seine Traumhochzeit zu verzichten, dann würde er nicht einmal mit der Wimper zucken«, sagte ich. Und dann gab ich etwas zu, dass ich mir erst vor Kurzem selbst eingestanden hatte: »Ich wollte den Traum. Das Kleid. Die Party. Die exotische Hochzeitsreise. Ich war so geblendet von der perfekten Hochzeit und dem, was ich für ein perfektes Leben gehalten habe, dass ich überhaupt nicht gemerkt habe, dass ich mir den falschen Mann dafür ausgesucht hatte.«

»Apropos falscher Mann …«, flüsterte Edward und schaute an mir vorbei. Ich folgte seinem Blick gerade noch rechtzeitig, um zu sehen, wie Philip und Pepper ein paar Tische weiter Platz nahmen.

Es war, als blickte ich in einen Zerrspiegel. Noch vor einem Jahr hätte vielleicht ich mit Philip hier gesessen. Jetzt sah die langbeinige Blondine an seiner Seite aus wie eine aufgesexte Version von mir. Pepper trug eine cremefarbene Bluse zu einem schwarzen Tüllrock, der geschmacklos kurz war. Ich hatte mein Haar abschneiden lassen, aber sie trug ihres noch immer lang. Sie hatte es sich zu großen Wellen frisiert, und ich wusste, dass es Philip so gefiel. Philip nickte unverbindlich, während sie ihm irgendetwas erzählte und beim Reden wild herumgestikulierte. In dem Diamanten an ihrem linken Ringfinger brach sich das Licht, und er funkelte. Zugegeben, ein wenig genoss ich es, dass Philip nach einem Weg suchte, sich aus dem Staub zu machen.

»Sind das nicht deine Klamotten?«, fragte Edward und klang so wenig beeindruckt, wie ich es war.

»Nicht die Klamotten. Der Mann«, erwiderte ich trocken. Obwohl ich fairerweise zugeben musste, dass mir weder das eine noch das andere jemals gehört hatte.

»Die Verlobung ist jetzt wohl offiziell«, erwähnte Edward beiläufig, offenbar wollte er nicht noch mehr Salz in die Wunde streuen.

»Das hat er mir gestern auch gestanden. Ich habe ihm geantwortet, dass er bekommt, was er verdient.« Ich lehnte mich auf meinem Stuhl zurück und legte eine Hand auf meinen flauen Magen.

Edward zog die Brauen zusammen. »Alles klar mit dir?«

»Ja. Ich habe nur gerade das Gefühl, dass ich noch etwas zu erledigen habe.« Ich wusste, dass es so war. Das ganze letzte halbe Jahr hatte ich Philip die Tür aufgehalten, falls er doch noch zu mir zurückkehren wollte. Gestern hatte ich sie zugeworfen, aber jetzt musste ich sie endgültig verriegeln.

Edward wechselte zu leichteren Themen, doch obwohl ich versuchte, mich zu entspannen, spürte ich die beiden in meinem Rücken. Als ich aus dem Augenwinkel mitbekam, dass Pepper auf die Toilette zusteuerte, stand ich auf.

»Entschuldige mich für einen Moment.« Ich wartete nicht erst auf Edwards Einspruch. Er musste gesehen haben, wie sie aufstand, schließlich hatte er ihren Tisch im Blick. Falls er vorhatte, mich aufzuhalten, wollte ich ihm keine Gelegenheit dazu geben.

Am Eingang zum Waschraum schickte ich ein Stoßgebet gen Himmel, dass sich niemand sonst darin aufhielt, dann stieß ich die Tür auf. Ich ging zu den Waschbecken, wühlte den Lippenstift aus meiner Handtasche. Während ich ihn auftrug, suchte ich im Spiegel, bis ich ihre Pumps in einer der Kabinen entdeckte. Ich holte tief Luft und wartete. Als ich die Toilettenspülung hörte, drehte sich mir fast der Magen um.

Jetzt wäre ein guter Zeitpunkt zur Flucht. Doch ich ignorierte die leise, warnende Stimme, die mich dazu bringen wollte zu gehen. Ich lief vor nichts mehr davon. Jedenfalls nicht vor dieser Situation.

Pepper kam aus der Kabine, strich sich den aufgeplusterten Rock glatt und erstarrte, als sie mich erkannte. Ich grinste boshaft in den Spiegel und drehte mich um, sodass wir einander Auge in Auge gegenüberstanden.

»Wer hätte gedacht, dass wir uns hier treffen.« Ich ließ den Lippenstift zurück in meine Tasche fallen und starrte sie wütend an.

Sie ging zum letzten Waschbecken und drehte den Wasserhahn auf. »Ich warne dich. Falls du vorhast, mir wieder die Nase zu brechen, hält Philip mich diesmal nicht davon ab, dich vor Gericht zu bringen.«

»Das habe ich nicht vor. Aber da ich jetzt einen eigenen Anwalt habe, könnte es ein interessanter Fall werden.« Wenn überhaupt, legte ich es nicht darauf an, ihr die Nase zu brechen, sondern den Hals. Nicht, weil sie mir die Verlobung ruiniert hatte, sondern für das Chaos, in das sie Leute gestürzt hatte, die mir am Herzen lagen. Ich wollte ihr eine Lektion erteilen. Das Problem war nur, dass manche Frauen einfach schwer von Begriff sind.

»Schöner Ring.« Mit entging nicht, dass er viel kleiner war als der Ring, den Philip mir geschenkt hatte. Wenn man gezockt und verloren hat, verringert man beim nächsten Mal vermutlich den Einsatz.

»Wir wollen diesen Winter heiraten«, setzte sie mich ins Bild.

»Das verstehe ich. Herzlose Menschen bevorzugen die kalte Jahreszeit. Dann müssen sie sich nicht so verstellen.«

Die Sache entwickelte sich genau, wie ich es erwartet, aber leider nicht, wie ich es mir erhofft hatte. Doch nachdem ich das Heft in der Hand hatte, war es an der Zeit zu sagen, wofür ich gekommen war.

»Eigentlich bin ich dir aus einem bestimmten Grund hierher gefolgt«, fing ich an.

Sie nahm sich ein Papierhandtuch aus dem Körbchen und trocknete sich die Hände ab. »Na, das war ja klar, du bist mir gefolgt. Ich weiß nicht, wie ich es dir begreiflich machen soll, aber Philip gehört jetzt zu mir. Bitte belästige mich in Zukunft nicht mehr.«

»So wie König Albert zu dir gehört hat? Oder Alexander? Da kommen mit Sicherheit so einige Männer zusammen. Und der hier tut wenigstens so, als hättest du eine Zukunft mit ihm.« Verdammt noch mal, ich war ihr gleich wieder in die Falle gegangen. Ich straffte mich und besann mich auf den Grund, aus dem ich hier war. »Ich wollte mich bei dir bedanken. Hätte ich dich nicht mit Philip erwischt, wäre ich jetzt wahrscheinlich mit dem Arsch verheiratet – und ich schätze, du weißt, wie langweilig das wäre.«

»Er hätte dich niemals geheiratet«, sagte sie und ignorierte meinen Seitenhieb gegen ihren Verlobten.

»In dem Fall hätte ich dir trotzdem zu danken«, sagte ich ruhig. »Ich weiß nämlich erst seit Kurzem, wie klein Philip eigentlich ist. In jeder Hinsicht. Erst seit ich einen richtigen Mann kennengelernt habe, weiß ich, wie wenig Philip mich befriedigt hat.«

»Vielleicht lag der Fehler bei dir. Ich habe das Problem nicht.« Sie warf sich das Haar über die Schulter und machte einen vorsichtigen Schritt in Richtung Tür.

Sie mochte noch nicht gelernt haben, dass sie mich besser nicht provozierte – aber offensichtlich hatte sie Angst, in meiner Nähe zu sein. Ich verbuchte das als einen Sieg.

»Da ist noch etwas.« Jetzt war der Moment gekommen, die Bombe platzen zu lassen. »Weil du mir genau genommen einen Gefallen getan hast, als du mich von diesem Langweiler Philip befreit hast, möchte ich dir auch einen Gefallen tun. Weißt du, wo er gestern Morgen war?« Pepper biss die Zähne zusammen, zuckte aber nur mit den Schultern. »Ich muss ihn nicht ständig im Auge behalten. Er verhält sich mir gegenüber absolut loyal.«

»Dann wird es dich wohl überraschen, dass er mich gestern bei der Arbeit besucht hat. Er hat mir von eurer Verlobung erzählt und dass du ihm vorgemacht hast, du wärst schwanger.«

»Ich habe nicht gelogen«, schnappte sie und blinzelte die Tränen weg, die ihr plötzlich in die Augen schossen. »Ich habe das Baby verloren.«

Sosehr ich Pepper Lockwood auch hasste, jetzt fing sie doch an, mir leidzutun. Vielleicht hätte ein Kind sie dazu gezwungen, erwachsen zu werden und im Leben nicht immer nur an sich zu denken. »Das tut mir leid. Aber du solltest wissen, dass er mich gefragt hat, ob ich nicht zu ihm zurückkehren will.«

»Lügnerin«, kreischte sie.

Ich hatte gerade Zeit, mich zu ducken, bevor das Körbchen mit den Papierhandtüchern über meinen Kopf hinwegsauste. »Und dann hat er mich geküsst.«

Ich war dankbar, dass sich keine anderen Gegenstände in ihrer Nähe befanden, mit denen sie werfen konnte. Sobald sie meine Worte verdaut hatte, streckte sie den Rücken durch und warf mir einen bösen Blick zu.

»Du kannst lügen, so viel du willst, Belle. Ich werde Philip heiraten, und du hältst mich nicht davon ab.«

»Meinen Segen hast du«, erklärte ich. »Ich habe schon lange das Gefühl, dass ihr zwei füreinander geschaffen seid. Ich hoffe nur, dass ihr nicht jeden zerstört, der euch über den Weg läuft.«

»Dann würde ich dir raten, dich von mir fernzuhalten.« Sie rannte an mir vorbei und verschwand durch die Tür. Die Wahrheit blieb hinter ihr im Raum stehen.

Als ich etwas später zu Edward an den Tisch zurückkehrte, musterte er mich neugierig.

»Was du zu ihr gesagt hast, hat funktioniert. Sie sind eilig aufgebrochen«, berichtete er.

»Ich habe nur gesagt, was gesagt werden musste.« Ich ließ es dabei bewenden.

»Nun, das halbe Restaurant hat gehört, was du ihr gesagt hast, weil sie es ihm lautstark um die Ohren gehauen hat. Es war ein tolles Schauspiel. Fast hätte ich applaudiert.« Er verzog den Mund zu einem schiefen Grinsen. Diesmal war er es, der das Glas erhob.

Genüsslich stieß ich mit ihm auf den Sieg an. Dann stellte ich mein Glas auf den Tisch zurück und grinste.

»Willst du noch einen Nachtisch, oder war das süß genug für dich?«, fragte er.

»Süß ist gar kein Ausdruck«, bestätigte ich. »Aber lass uns trotzdem noch ein Dessert nehmen.«

Als wir aus dem Restaurant kamen, küsste Edward mich auf die Wange und blickte sich dann hastig um. »Zum Glück ist Smith nicht hier.«

»Ich habe ihm erzählt, dass es nichts gibt, worüber er sich Sorgen machen muss«, sagte ich und schulterte meine Handtasche. Da spürte ich das Vibrieren einer eingehenden SMS. Nachdem Edward in die Gegenrichtung aufgebrochen war, holte ich mein Handy heraus.

> Brown Sugar, den ganzen Nachmittag habe ich an dich gedacht.

Ich musste wegen seiner lüsternen Anspielung auf unser unorthodoxes Frühstück und unser musikalisches Duschen grinsen und tippte sofort eine Antwort.

> Don't start me up, sonst schaffst du deine Arbeit heute Nachmittag nicht.

Ich behielt das Telefon in der Hand, während ich zur U-Bahn lief. Auch wenn es Smith nicht gefiel, dass ich öffentliche Ver-

kehrsmittel benutzte, wäre es verrückt gewesen, ein Taxi heranzuwinken, um die ganze Strecke bis zu mir nach Hause zu
fahren. Noch bevor ich in den Tunnel hinunterfuhr, traf eine
weitere Nachricht ein.

Hab ein bisschen Sympathy for the devil, und komm
bitte in mein Büro.

Ich schüttelte den Kopf. Dieser Mann war unersättlich. Ein
Charakterzug, den ich allmählich wirklich zu schätzen lernte.
Ich tippte noch eine letzte SMS ins Handy und schickte sie ab,
bevor ich zum Bahnsteig hinunterfuhr.

Satisfaction verspreche ich dir für später.

Als ich meine Magnetkarte für die Bahn zückte, stellte ich fest,
dass ich hier unten kein Netz hatte und stopfte das Handy in
meine Tasche zurück. Mit der U-Bahn zu fahren, hatte etwas
Beruhigendes. Ich machte es mir auf meinem Sitz bequem
und betrachtete die Gesichter der anderen Passagiere. Mamas,
die versuchten, ihre Kleinkinder vorm Hinfallen zu bewahren, wenn die Bahn scharf bremste. Touristen, die versuchten,
den U-Bahn-Plan zu entziffern, bevor sie ihre Station verpass-
ten. Teenager, die ihrer Musik lauschten und nichts mehr von
der Welt ringsum mitbekamen. Und ein Pärchen, das in einer
Ecke schamlos herummachte.

Das konnte ich mir mit Smith absolut nicht vorstellen.
Trotz allem, zu dem er mich bisher gebracht hatte. Ich hätte
nicht gedacht, dass es Grenzen gab. Und doch reichte schon
der Anblick des Pärchens, um mich zum Lächeln zu bringen.

Blödsinn. Edward hatte recht. Ich war dabei, mich in Smith zu verlieben. Entweder das, oder ich hatte eine Menge Schmetterlinge verschluckt. Es war, als hätte ich mich über Nacht in eines dieser Mädchen verwandelt, die tagträumend und mit einem blöden Dauergrinsen im Gesicht durch die Gegend laufen – und es war mir völlig egal. Als wir durch den Tunnel schossen, flackerten die Deckenleuchten und warfen einen Schatten über mein Glück.

Es gab Dinge, die ich über Smith nicht wusste. Wir hatten nicht viel über unsere Vergangenheit gesprochen, aber ich nahm an, dass er einiges über mich wusste, so sorgfältig, wie er meine Bewerbung geprüft hatte. Ich sollte mich von ihm nicht so schnell vereinnahmen lassen. Jedenfalls nicht, bevor er selbst begann, sich mir zu öffnen. Aber war das überhaupt wichtig, angesichts der Gefühle, die er in mir auslöste?

Zwei Stationen später grübelte ich noch immer über diese Frage nach, als über Lautsprecher meine Haltestelle angekündigt wurde. Ich war kaum wieder draußen, da checkte ich schon mein Telefon.

Let's spend the night together.

Die Stones hatten offensichtlich für jede Gelegenheit einen passenden Song. Alle meine Zweifel verflogen beim Gedanken an seine Hände auf meinem Körper. Ich hatte Millionen von Fragen an ihn, aber ich konnte wohl nicht erwarten, dass er sie alle auf einmal beantworten würde. Vielleicht war dicsc neue Verspieltheit ein erster Schritt auf seinem Weg, sich mir weiter zu öffnen.

Aber ich konnte es mir nicht verkneifen, ihn ein bisschen zappeln zu lassen. Ich schrieb:

You can't always get what you want.

Das würde ihn auf die Palme bringen. Eigentlich hatte ich noch nie einen Mann kennengelernt, der so leicht bekam, was er wollte. Insbesondere von mir.

Dann erschien eine andere SMS auf meinem Handy. Sie stammte nicht von Smith. Es war eine Adresse. Offenbar ein Irrläufer. Ich drückte die Nachricht weg, als eine neue SMS von Smith ankam. Fast konnte ich seine Stimme hören, als ich sie las.

Gimme shelter.

Sofort begann der Song mit seiner brutalen, ungebändigten Kraft in mir zu erklingen. Dass er gerade diesen Song ausgewählt hatte, raubte mir den Atem. Das war der Kern des Problems. Noch immer stand eine Wand zwischen uns, und ich wünschte mir nichts sehnlicher, als sie Stein für Stein abzutragen. In diesem Augenblick wusste ich, dass ich ihm Zuflucht gewähren wollte. Ich wollte ihm alles geben, was er von mir verlangte. Ich wollte nur wissen, wovor ein Mann wie er bei mir Zuflucht suchte.

Ich konnte das Spiel nicht fortsetzen. Keine Antwort fühlte sich passend an. Das Einzige, was ich ihm anbieten konnte, war ich selbst. Und ich musste hoffen, dass das genügte.

Es war ein gutes Gefühl, zu Hause zu sein. Meine Wohnung war in den letzten Monaten zu meiner Schutzzone geworden, die mich von den Gefahren der Außenwelt abschirmte. Jane hatte ihre Tür für mich geöffnet, als ich es am nötigsten gebraucht hatte. Und auch jetzt, nachdem mein Leben allmählich wieder Fahrt aufnahm, bot mir dieser Ort die Geborgenheit, die ich brauchte, um mit den Veränderungen fertigzuwerden.

Ich warf die Schlüssel neben einen Stapel Post von gestern und rief nach meiner Tante. Die Stimme, die mir antwortete, ließ mich schaudern.

»Wir sind hier drüben.«

Es war meine Mutter.

Ich wappnete mich, setzte ein Lächeln auf und ging ins Wohnzimmer. Manche Kinder sehen ihrer Mutter ähnlich, aber ich war wieder einmal fassungslos darüber, wie verschieden wir waren. Ich sah meinem Vater viel ähnlicher, was vielleicht auch der Grund dafür war, dass meine Mutter die Lippen zusammenkniff, als sie mich erblickte. Ich war eine unliebsame Erinnerung an das Leben, das sie verloren hatte.

Ihre Augen waren so schwarz wie das rabenschwarze Haar, das sie sich elegant hochgesteckt hatte. Seit ich sie das letzte Mal gesehen hatte, waren ihre Schläfen etwas grauer geworden, aber das behielt ich für mich. Ihre Garderobe war wie immer makellos und bestand aus einem rosa Kostüm und einer Perlenkette. Wir mochten beide teure Kleidung, aber damit erschöpften sich auch schon unsere Gemeinsamkeiten.

Meine Mutter musterte mich, und ihr Gesichtsausdruck verhehlte nicht, was sie von meinem Kleid mit dem freizügigen Dekolleté hielt. Doch sie sagte nichts.

Unser Verhältnis lebte von dem, was wir einander nicht sagten.

»Ich wusste nicht, dass du in die Stadt kommen wolltest«, begrüßte ich sie und beugte mich für den obligatorischen Wangenkuss nach vorn. Sie ließ ihn zu, ohne ihn zu erwidern.

»Du wolltest ja keine Verabredung ausmachen«, erinnerte sie mich, »oder irgendetwas über diese neue Arbeitsstelle erzählen. Deine Tante war leider auch nicht sehr auskunftsfreudig.«

Jane bedachte sie mit einem freundlichen Lächeln, goss heißes Wasser in eine angeschlagene Teetasse und reichte sie ihr.

Mom nahm sie, verzog das Gesicht, als sie den kleinen Makel bemerkte, und drehte die unvollkommene Seite von sich weg. Ich hasste sie dafür.

»Ich war sehr beschäftigt.« Ich ließ mich in einen Polstersessel fallen und schlug die Beine übereinander, weil ich wusste, dass sie das wahnsinnig machte.

Damen kreuzen ihre Füße. Ich konnte innerlich ihre Stimme hören, mit der sie mich zurechtwies. Die meisten meiner Kindheitserinnerungen bestanden aus solchen nützlichen Ratschlägen. Wenn sie auch nur die leiseste Ahnung hätte, wie wenig damenhaft ich inzwischen geworden war, wäre sie vermutlich ohnmächtig geworden.

»Was hast du da am Hals?«, fragte sie mich und beugte sich vor, um genauer in Augenschein zu nehmen, was sie entdeckt hatte.

Meine Hand zuckte zu meinem Hals, aber es war zu spät. Ich hatte mich nicht auf irgendwelche Spuren untersucht und jetzt keine Ahnung, was sie meinte. Bissspuren? Blaue Flecke? Ein Knutschfleck? Alles davon wäre absolut möglich gewesen.

Jane eilte mir zur Hilfe. »Es sieht aus, als hätte sie sich am Sicherheitsgurt gescheuert.«

»Am Sicherheitsgurt?« Die Stimme meiner Mutter klang überaus skeptisch. »Ich wusste nicht, dass man in der U-Bahn Sicherheitsgurte verwendet.«

»Belle hat jetzt ihren eigenen Wagen«, sagte Jane.

Ich warf ihr einen erschrockenen Blick zu. Mit dieser Bemerkung hatte sie mir einen Bärendienst erwiesen. Jane zuckte mit den Schultern, so als wollte sie sagen: »Lass uns doch die Karten offen auf den Tisch legen.«

»Deinen eigenen Wagen?«, wiederholte meine Mutter mit erstickter Stimme.

Es spielte keine Rolle, dass die Garage des Familiensitzes ein Dutzend Luxusautos beherbergte, die wir uns nicht leisten konnten. Sie verstand nur, dass ich ihr etwas vorenthalten hatte.

»Er gehört mir nicht«, erklärte ich. »Er ist für die Arbeit. Ich benutze ihn nur, um Besorgungen zu erledigen.«

Ich hatte bereits beschlossen, den Wagen zurückzugeben, falls ich den Job jemals aufgab. So wurde er eine einfache Zusatzleistung zum Gehalt. Ich ließ aus, dass es sich um einen Mercedes handelte.

»Was ist das überhaupt für ein Job?«, hakte sie nach. »Und bevor du mir jetzt wieder dumme Antworten gibst, will ich dir sagen, dass mir deine kessen Sprüche überhaupt nicht gefallen haben.«

»Ich bin keine Stripperin«, beruhigte ich sie. Jedenfalls nicht wirklich. Ich wusste nicht, ob es eine Bezeichnung für eine Frau gab, die mit ihrem Chef in die Kiste springt. »Ich arbeite für einen Anwalt als seine persönliche Assistentin.«

»Wenigstens ist es nichts von Bedeutung.« Sie beugte sich vor und stellte die Teetasse vor sich auf den Tisch. Im Grunde hätte sie auch gleich damit auf mich werfen können.

Ich fand es erstaunlich, dass es ihr nach all der Zeit immer noch gelang, mich mit ihren Worten zu verletzen. Klar, ich hatte mir nie ein dickes Fell zugelegt, sondern eben nur ein freches Mundwerk. Mein Sarkasmus machte ihr ohnehin mehr zu schaffen.

»Belle ist sehr zufrieden mit ihrer neuen Stellung«, sagte Jane zu meiner Verteidigung und warf ihr finstere Blicke zu.

»Hauptsache, sie kann die Miete davon bezahlen. Alles andere ist unwichtig«, erklärte Mom. Sie schaute mich an, als hätte ich mich freiwillig bereiterklärt, ihr einen Scheck auszustellen.

Mit meinem Gehalt könnte ich einen Großteil der Ausgaben für den Landsitz übernehmen, aber dann bliebe nur sehr wenig für meine Firmengründung übrig. Seit ich ausgezogen war, hatten sich die Bande gelockert, die mich mit meiner Kindheit verknüpften. Im letzten Jahr waren sie dann endgültig gerissen. Dennoch nagte das Schuldgefühl an mir.

»Es reicht gerade für die Miete«, log ich.

Jane grinste mich an, was meiner Mutter nicht verborgen blieb, die sich gleich an sie wandte: »Es ist eine Schande, dass du deiner eigenen Nichte Geld abknöpfst.«

»London ist sehr teuer«, zwinkerte Jane, als ob es keiner weiteren Erklärung bedurfte. Keine von uns beiden wollte preisgeben, dass ich keinen Scheck für Jane ausgestellt hatte, seit ich in ihr freies Zimmer gezogen war.

»Ich habe gute Nachrichten mitgebracht.« Trotz dieser Ankündigung klang meine Mutter alles andere als glücklich. Sie verdrehte die Perlenkette um ihren Hals, als wollte sie sich strangulieren.

»Erzähl schon«, drängte Jane, als klar war, dass meine Mutter ein gewisses Maß an Interesse von uns erwartete.

»Jemand will das Anwesen für die BBC anmieten. Es soll ein Historiendrama gedreht werden, so ein Kostümschinken, wie die Amerikaner sie gern sehen.«

»Auf Wexford Hall?«, fragte ich und verzog das Gesicht.

»Ja. Mit den Abernathys konnten sie sich auf einen Handel einigen. Anscheinend war Philip bei den Verhandlungen ziemlich fordernd. Schließlich hat er ihnen vorgeschlagen, sich an mich zu wenden, um die Dreharbeiten künftig bei uns durchzuführen.« Moms stechender Blick war vernichtend.

»Das hat er nicht aus reiner Freundlichkeit getan.«

»Stell dich nicht an, Belle.« Sie wischte meinen Einwand mit einer Handbewegung vom Tisch. »Es war ganz klar ein Friedensangebot. Philip möchte bei dir etwas gutmachen.«

»Philip hat sich mit der Frau verlobt, mit der er mich betrogen hat.« Nur meine Mutter konnte auf die Idee kommen, mir vorzuschlagen, diesen Mistkerl zurückzunehmen.

»Er ist sehr unglücklich. Er hat das Gefühl, einen Fehler begangen zu haben.«

Mir gefror für einen Moment das Blut in den Adern, und ich versuchte zu begreifen, was sie da gerade gesagt hatte. Ich krallte mich an die Sessellehnen, um nicht in die Luft zu gehen, dann sah ich ihr in die Augen. »Bitte sag mir, dass du Hellseherin geworden bist.«

»Er hat mich Anfang der Woche besucht. Ich habe ihn ermuntert, sich bei dir zu melden.« Ihr Ton machte deutlich, dass sie überhaupt kein Problem darin sah.

»Er ist verlobt!« Vielleicht kam es bei ihr an, wenn ich es lauter sagte.

»Männer machen Fehler. Gott weiß, wie viele dein Vater gemacht hat.«

»Papa hat aber nicht mit anderen Frauen geschlafen. Er war treu.« Die Wut, die in mir simmerte, kochte allmählich über.

»Ja, aber er hat Fehler begangen. Auf jeden Fall hatte das Anwesen bei ihm immer höchste Priorität. Was würde er wohl davon halten, wenn er wüsste, dass du eine Chance ausschlägst, um es vor dem Ruin zu bewahren?«

Das war typisch für meine Mutter. Wieder einmal blieb alles an mir hängen. So war es schon immer gewesen. Die Autos konnte man nicht verkaufen. Das Personal konnte nicht abgebaut werden. Dass sie über das Angebot der BBC nachdachte, war das erste Mal, dass sie sich überhaupt bereit zeigte, Abstriche bezüglich ihres Lebensstils zu machen. »Seine Verbundenheit mit dem Anwesen – und mit dir – hat ihn umgebracht«, sagte ich.

»Nein, er hat sich selbst umgebracht«, erwiderte sie kühl.

Ich schlug die Hand vor den Mund, als mir eine ungewollte Erinnerung in den Kopf schoss.

Baumelnde, leblose Füße. Papa war schon wieder albern und hörte nicht auf damit. Ich stieg auf einen Stuhl und zupfte an seinem Bein, aber er kam einfach nicht runter.

Schreie. Aus ihrem Mund kamen Schreie.

Und dann schlug ich hart auf den Boden. Ich kugelte mich zusammen. Mami war es völlig egal, dass sie mich gerade umgeworfen hatte.

Sie schrie immer weiter.

Sie schrie und zog an ihm.

Tränen überschwemmten meine Augen, und ich hielt mir die Ohren zu.

Jane legte ihren Arm um meine Schultern, und ich versuchte, in die Realität zurückzufinden. Als ich meine Umgebung wieder wahrnahm, merkte ich, dass ich selbst weinte, nicht das fünfjährige Mädchen in meiner Erinnerung.

»Verschwinde«, sagte Jane und deutete auf die Tür.

»Wir müssen etwas Geschäftliches besprechen«, sagte Mutter und ignorierte sie. »Weil dein Vater in diesen Dingen wenig Scharfsinn bewiesen hat, müssen alle Entscheidungen, die die Finanzlage des Anwesens betreffen, von meiner Tochter abgesegnet werden.«

»Du hast gar keine Tochter«, krächzte ich, obwohl ich einen dicken Knoten im Hals hatte.

»Ich wünschte, es wäre so! Ein Sohn hätte sich nützlich machen können. Er hätte sich um seine Familie gekümmert. Stattdessen muss ich mich mit dir herumärgern«, zischte sie.

Diese Spitze verletzte mich nicht. Ich wusste schon mein ganzes Leben lang, dass sie so empfand.

»Du hast mich wohl nicht verstanden«, schimpfte Jane. »Verlass mein Haus, Ann.«

Mutter stand auf, zog sich ihre maßgeschneiderte Jacke glatt und warf mir einen hasserfüllten Blick zu. »Ich werde dir den BBC-Vertrag zur Prüfung schicken. Entweder du unterschreibst, oder du nimmst Philip zurück, aber abzuwarten und alles kaputtzumachen, was ich wieder aufgebaut habe, kommt nicht infrage.«

Ihre letzten Worte klangen mir noch in den Ohren, als sie die Tür hinter sich ins Schloss knallte. Das war ein schlechter Witz. In den letzten neunzehn Jahren hatte sie nichts wieder aufgebaut.

22

Ich hatte die Verträge in meinem E-Mail-Postfach vorgefunden, als ich vor drei Stunden ins Büro gekommen war. Noch immer starrte ich darauf. Ein einziger Federstrich konnte die Verbindung kappen, die mich schon viel zu lange an alte Fehler kettete – Fehler, für die ich nicht verantwortlich war. Aber das würde auch eine Untersuchung auslösen. Die Entscheidung, die Anteile am Nachtclub meines Vaters zu veräußern, sollte eigentlich keine skeptischen Blicke provozieren, und doch würde es geschehen. Ich hatte die Sache schon vor Monaten ins Rollen gebracht und gehofft, unbemerkt aussteigen zu können. Damals glaubte ich, kein Risiko einzugehen.

Das hatte sich inzwischen geändert.

Meine erweiterte Familie konnte Belle Schutz bieten. Daran bestand kein Zweifel. Die Frage war, was es mich kosten würde – und sie. Der Schutz war umfassend, jedoch nur so lange, wie meine Partner keinen von uns als Bedrohung empfanden. Von meiner Entscheidung, die Unterschrift zu leisten oder nicht, hing meine Zukunft ab. Einen kurzen Augenblick fragte ich mich, ob mein Vater wohl vor demselben Dilemma gestanden hatte.

Plötzlich öffnete sich meine Bürotür einen Spaltbreit, und Belle streckte den Kopf herein.

»Störe ich wichtige Anwaltsgeschäfte?«, fragte sie, doch ihr fröhliches Lächeln reichte nicht bis zu ihren Augen.

Ich schob den Stuhl zurück und klopfte auf mein Knie. »Du darfst mich immer stören, meine Schöne.«

Sie kam zu mir geeilt und setzte sich auf meinen Schoß. Sie sah noch genauso hinreißend aus wie heute Morgen, als ich sie abgesetzt hatte, nur dass sie inzwischen rot geränderte Augen hatte. Ich fasste ihr Kinn, drehte ihr Gesicht zu mir und betrachtete sie besorgt. »Was ist passiert?«

»Nichts. Ich bin nur müde.« Das war gelogen, aber mit guten Absichten. Es war nicht die Unehrlichkeit von jemandem, der sich einer Verfehlung schämte. Dies war die Notlüge eines Menschen, der sich schützen wollte. Jemand hatte sie verletzt. Plötzlich kam mir der Gedanke, dass ich vielleicht selbst der Täter war. Womöglich hatte ich es letzte Nacht zu weit getrieben.

»Vielleicht sollten wir es heute Abend einmal ganz ruhig angehen lassen«, schlug ich vor. »Etwas zu essen bestellen, es uns dem Sofa bequem machen und einen Film schauen.«

»Du hast ein Sofa und einen Fernseher?«, fragte sie mit gespielter Überraschung.

So gefiel sie mir schon viel besser, und ich zog sie an mich, um ihre Laune endgültig aufzuheitern. »Ehrlich gesagt, benutze ich beides nicht oft.«

»Zu sehr damit beschäftigt, Frauen flachzulegen?«, mutmaßte sie und strich mit der Nase über mein Kinn.

»Ist da etwa jemand eifersüchtig?« Das gefiel mir. »Normalerweise arbeite ich nachts. In letzter Zeit hatte ich allerdings einen Grund, nach Hause zu gehen.«

»Ein gemütlicher Abend klingt gut«, sagte sie schließlich. »Hauptsache, er endet mit einer guten Nummer.« Sie veränderte ihre Position und schob ihren Rock hoch.

Ich nahm sie an den Hüften und hielt sie fest. »Das kann ich dir versprechen, meine Schöne.«

»Ich habe mir den Slip ausgezogen, bevor ich hereingekommen bin, damit ich nackt und bereit für dich bin«, flüsterte sie und rieb ihre Muschi über meine Hose. Ihre sehr direkte Lüsternheit stand in einem seltsamen Kontrast zu ihrem süßen Augenaufschlag. Sie war voller Widersprüche, gerade noch charmant und im nächsten Moment schon geil. Sie nach und nach kennenzulernen, war die hinreißendste Achterbahnfahrt, die ich jemals erlebt hatte.

Als es an der Tür klopfte, schreckten wir auseinander. Belle richtete ihre Kleider und warf mir einen fragenden Blick zu, den ich ihr nicht übelnehmen konnte. Es war Samstagnachmittag. Wir sollten hier die Einzigen sein. Es gab nur vier Personen, die einen Schlüssel zur Eingangstür besaßen. Ich brauchte nicht lange zu raten, wer mich besuchte.

»Hammond«, erklärte ich. »Wir haben noch was Geschäftliches zu besprechen.«

Schon wieder eine Lüge, die so nah an der Wahrheit lag, dass die Übergänge verwischten. Er war bestimmt gekommen, um Klartext zu reden, aber ich hatte ihn nicht erwartet. Seine Anwesenheit verriet mir, dass sich die Neuigkeiten schneller herumsprachen als vorhergesehen. Ich hatte gehofft, die Sache in der kommenden Woche angehen zu können. Jetzt musste Belle die Konsequenzen meines Handelns miterleben.

266

»Herein«, rief ich und machte mich auf ein Unwetter gefasst.

»Ich gehe wohl besser«, flüsterte sie, und ich tat mein Bestes, um nicht erleichtert auszusehen. Mit der Zeit würde sie einiges über mich erfahren, aber noch war es zu früh, um die hässliche Kehrseite meines Lebens zu enthüllen. Nicht, solange sie noch fliehen konnte.

Belle setzte eine sachliche Miene auf, als Hammond durch die Tür schlenderte.

»Die reizende Miss Stuart.« Hammond breitete zur Begrüßung die Hände aus. »Trinken wir ein Glas zusammen? Smith hat die guten Tröpfchen für mich beiseitegestellt.«

Sie nahm ihre Handtasche und klimperte niedlich mit den Wimpern. »Ich wollte gerade gehen. Nächstes Mal gern.«

Nächstes Mal – schon beim Gedanken daran ballte ich die Fäuste. Jedes Mal, wenn sie mit ihm in einem Raum war, schwor ich mir, dass es kein nächstes Mal geben würde.

»Treffen wir uns bei dir?« Belle redete mit mir, ließ Hammond dabei aber nicht aus den Augen, so als wäre er eine Schlange, die jeden Moment angreifen konnte.

Ich hatte schon immer ein Faible für intelligente Frauen.

»Es könnte ein paar Stunden dauern«, sagte ich mit Blick auf Hammond, der das mit einem Zwinkern bestätigte. Ich wollte sie küssen, aber nicht direkt vor ihm. Das hätte ihm nur Munition geliefert, und ehrlich gesagt, wollte ich Belle nicht einmal für eine Sekunde mit ihm teilen. Gott weiß, selbst die unschuldigsten Handlungen konnten so verdreht werden, dass sie Hammonds perverse Gelüste befriedigten. Belle verabschiedete sich und verschwand aus der Bürotür. Trotz ihres würdigen Abgangs spürte ich, dass sie die Flucht antrat.

Hammond zündete sich eine Zigarre an, als die Bürotür ins Schloss fiel. Die dicken, würzigen Rauchwolken waberten durch den Raum, und plötzlich sah ich meinen Vater vor mir, wie er in diesem Büro gesessen hatte. Die Erinnerung war mir so unwillkommen wie der Besucher vor mir.

»Ich habe gehört, du ziehst dich aus dem Velvet zurück.« Er verschwendete keine Zeit. Nein, für einen Mann wie ihn bedeutete Zeit Geld, und davon verschwendete er keinen Bruchteil an andere.

Ich ließ mich aufs Sofa sinken, legte einen Arm über die niedrige Rückenlehne und stieß einen langen Seufzer aus, was jedoch nichts an meiner Erschöpfung änderte. »Wo hast du das gehört?«

»Spielt das eine Rolle?« Er setzte sich mir gegenüber in den Sessel und nahm dieselbe Haltung ein wie ich. Das Spielchen, den anderen zu imitieren, hatte ihm schon immer gefallen. Aber anscheinend vergaß er dabei, dass er es mir beigebracht hatte. Imitiere deinen Gegner. Wenn er sich lässig gibt, tu es auch. Wenn er lügt, lüge ebenfalls. Wenn er dir eine Frage stellt, antworte mit einer Gegenfrage.

»Ich glaube nicht. Es ist kein Geheimnis.« Ich schlug die Beine übereinander und schaute zu, wie er dasselbe tat.

»Warum bist du dann nicht zu mir gekommen?« Was er eigentlich wissen wollte, war, ob noch alles gut lief.

»Offen gestanden, wusste ich nicht, dass es dich interessiert. Es war das Hobby meines Vaters, aber nicht meins.« »Hobby« war eine freundliche Umschreibung. »Obsession« hätte es besser getroffen, aber »Irrweg« stimmte wohl am ehesten.

Hammond strich sich übers Kinn. Seine Blicke und Gedanken schweiften in die Ferne. Die Erwähnung meines Vaters hatte immer diese Wirkung auf ihn. Die Erinnerung an den Mann beförderte uns beide in die Vergangenheit zurück. »Du kannst das Vermächtnis deines Vaters nicht einfach aus deinem Leben herausschneiden, Smith.«

»Aber ich kann's versuchen«, sagte ich mit zusammengebissenen Zähnen.

»Dann könntest du dir ebenso gut die Kehle durchschneiden und sein Blut aus deinen Venen herauslaufen lassen. Das hätte genauso viel Sinn.« Hammonds Worte nahmen jenen strengen, väterlichen Ton an, den ich so verabscheute. Früher fand ich ihn beruhigend. Das war mein erster Fehler gewesen.

»Ich bin stiller Teilhaber. Georgia kommt auch ohne mich mit dem Velvet klar. Außerdem bin ich dort schon seit...«

»Darum geht es nicht. Das Velvet ist ein wichtiger Faden, der dich mit dieser Familie verbindet.«

Er nannte es Faden, aber es waren Ketten. Wir trugen alle daran, aber manche bereitwilliger als andere. Hammonds erweiterte Familie war durch seine zahlreichen unternehmerischen Tätigkeiten verbunden. Wenn man die wahre Natur seines Geschäfts erkannte, war man schon zu sehr involviert, um noch fliehen zu können.

»Es gibt mehr als genug Fäden, die mich mit der Familie verbinden. Muss ich dich daran erinnern, dass mein Name auf jedem Vertrag steht, den du unterzeichnest?« Dies war eine Karte, die ich nicht ausspielen wollte. Nicht bei Hammond, der sich meistens von Gefühlen und seinem Instinkt leiten ließ. Fakten interessierten ihn nicht. Es war wichtig, das im Kopf zu behalten.

»Und du hast den Schutz deines Berufes. Einen Schutz, den ich dir gegeben habe.«

»Das ist seltsam«, erwiderte ich bissig. »Ich meine mich zu erinnern, dass die Anwaltskammer mir nach Jahren an der Fakultät die Zulassung erteilt hat.«

»Mir ist nicht zum Scherzen zumute.« Hammond sprang auf, und ich erhob mich ebenfalls, um sein Imitationsspiel nun gegen ihn zu verwenden. »Du wirst deine Anteile am Velvet behalten, und falls ich weiterhin beunruhigende Gerüchte höre…«

»Von wem hörst du diese Gerüchte denn? Ich weiß ja, dass dich die üblichen Rechtswege noch nie besonders interessiert haben, aber ich bin sehr dafür, alle Beweismittel einsehen zu können.« Es musste einen Verräter in meinem innersten Zirkel geben. Die Neuigkeit schockierte mich nicht. Ich bezahlte meine Leute zwar ziemlich gut, aber ich rechnete nicht mit ihrer Loyalität. Ich hatte schon vor langer Zeit gelernt, dass Loyalität ein altmodischer Begriff war, der zusammen mit der Ritterlichkeit verschwunden war. Manchmal begegneten mir Anwandlungen von beidem, aber nie lange genug, um mich davon zu überzeugen, dass es sie wirklich gab. Trotzdem musste ich die undichte Stelle finden. Sie würde sonst Hammonds Paranoia weiter Futter liefern.

»Glaubst du etwa, deine Leute gehören mir nicht? Doris, Garrison, Mrs. Andrews. Jeder ist käuflich. Selbst ein Price kann sie nicht exklusiv kaufen. Für diese Erkenntnis musste dein Vater teuer bezahlen.« Hammond blies den Rauch in meine Richtung und schaute zur Tür hinüber, aus der Belle verschwunden war. »Eines Tages wird sie auch auf meiner Liste stehen. Früher oder später braucht jeder etwas von mir. Und das Beste ist, dass du es nicht einmal merken wirst. Sie kommt nach Hause, lutscht dir den Schwanz und spielt die brave Haus…«

Seine Tirade endete jäh, als ich aufsprang, ihn hochzerrte und meine Hände um seine Kehle schloss.

»Ich brauche nur zuzudrücken«, warnte ich ihn.

»Dann seid ihr beide tot. Aber diesmal wird es nicht kurz und schmerzlos sein«, keuchte er, während sein Gesicht rot anlief. Seine Zigarre fiel zu Boden. »Darum werden sich meine Nachfolger kümmern. Und du wirst dabei sein und es dir anschauen. Das ganze helle rote Blut auf ihrer hübschen blassen Haut. Sie wird noch leben und dich anflehen, aber du wirst absolut nichts tun können.«

»Woher soll ich wissen, dass du das nicht befiehlst, sobald du hier aus der Tür gehst?«, fragte ich und würgte seinen sehnigen Hals noch fester. Ich schob ihm meine Schulter gegen die Brust und presste ihn gegen die Wand.

»Das kannst du nicht wissen«, gab er schnaufend zu. »Vielleicht wirst du dich am Ende doch noch mal auf eine Wette einlassen müssen.«

Ich konnte es mir bildlich vorstellen: Ihm würden die Augen aus dem Kopf quellen, und die Färbung seines teigigen Gesichts wechselte von rot zu violett. Fast spürte ich schon das Freiheitsgefühl, das sein letzter Atemzug in mir auslösen würde – diese Erlösung, nach der ich mich mein Leben lang gesehnt hatte.

Aber die Freiheit wäre nicht von Dauer.

Ich ließ die Hände sinken. Hammond trat einen Schritt zur Seite und rieb sich den Hals.

»Ich bin froh, dass du zur Vernunft gekommen bist, mein Junge.«

»Ich bin nicht dein Junge«, zischte ich.

»Dein Vater wäre enttäuscht, wenn er wüsste, wie respektlos du mit Älteren umgehst.« Hammond zertrat den qualmenden Zigarrenstummel mit seinen Oxfordschuhen und hinterließ ein schwarzes Loch im Orientteppich.

»Ich glaube, er wäre stärker enttäuscht, dass er gestorben ist, bevor er auch noch die letzte Person zugrunde richten konnte, die er angeblich geliebt hat.« Ich kehrte Hammond den Rücken zu. Er durfte nicht noch mehr mitbekommen.

»Nach seinem Tod hat deine Mutter ein perfektes, wunderbares Leben geführt.« Hammond knöpfte seinen Blazer zu und schüttelte angewidert den Kopf.

Sie war seit jenem Tag nur noch ein Schatten ihrer selbst gewesen, und wir wussten beide, weshalb.

»Ja. Zum Glück hat sich jemand um sie gekümmert.« Ich zog den Pfropfen von dem Macallan-Single-Malt-Whisky, den ich für Klienten bereithielt, und goss mir einen Drink ein.

»So früh schon Alkohol?«

Am liebsten hätte ich ihm gesagt, dass er sich seinen väterlichen Ton in den Arsch schieben konnte. Ich kippte den Drink hinunter und goss mir gleich noch einen ein.

»Ich bin nur mit meinen eigenen Angelegenheiten befasst gewesen. Und heute mache ich früh Feierabend.«

»Da irrst du dich, mein Sohn«, sagte Hammond und legte mir seine schwere Hand auf die Schulter. »Du bist mit meinen Angelegenheiten befasst.«

Ich konnte mir gerade so das Lachen verkneifen. Wenn er die Wahrheit wüsste … Aber er würde sie sowieso nicht glauben.

Die Hand bereits am Türknauf, blieb Hammond noch einmal stehen. »Ich will vergessen, dass das hier jemals passiert ist. Um deines Vaters willen. Aber zieh so eine Nummer nie wieder ab.«

Ich nickte knapp, dann kippte ich meinen zweiten Scotch. Sobald er aus der Tür war, schnappte ich mir die Flasche.

Ich hatte einen Plan gehabt. Einen Plan, der Geduld erforderte. Und wichtiger noch: Ungebundenheit. Das war jetzt alles den Bach runtergegangen. Ihretwegen.

Es gab zwei Wege, um sie nicht in Hammonds Schussfeld geraten zu lassen. Sie nicht mehr aus den Augen zu verlieren oder die Sache mit ihr zu beenden. Die eine Methode war erfolgversprechender als die andere. Aber ich war mir nicht sicher, ob ich das ertragen konnte.

Ich musste einfach weitertrinken, bis ich die Kraft dazu fand. Wie ging noch mal dieser Spruch über den Weg zur Hölle? Aber das war auch egal, denn ich hatte ihn schon eingeschlagen.

Mein Vater war auf einem Friedhof neben Dichtern des achtzehnten Jahrhunderts beigesetzt worden. Hammond hatte seine Verbindungen spielen lassen und die Grabstelle für ihn erworben – eine kleine Referenz an die Liebe meines Vaters zu Büchern. Die wenigen Male, die ich hier gewesen war, war ich zwischen efeuberankten Grabsteinen umhergewandert und hatte mich gefragt, ob er damit seine Schuld gutmachen konnte. Heute Abend wusste ich, dass das nicht der Fall war.

Über sein Grab wachte mit verbundenen Augen und der Waage in der Hand eine Statue der Justitia. Als Literaturliebhaber hätte mein Vater die Ironie, die darin lag, bestimmt zu schätzen gewusst. Ich starrte zu ihren blinden Augen hoch. In den Räumen der juristischen Fakultät war sie ein beliebtes Motiv gewesen. Die meisten meiner Kommilitonen hatten geglaubt, dass sie wirklich existierte. Vielleicht hatte sogar ich selbst das geglaubt. Doch dass ich jemals so naiv gewesen war, konnte ich heute nicht mehr nachvollziehen.

Humphrey Price. Geliebter Vater und Ehegatte. Hüter der göttlichen Gerechtigkeit.

Ich lachte und füllte den stillen Friedhof mit dem hohlen Schall, der über die Grabsteine hallte. Ich zog die inzwischen fast leere Flasche Scotch aus der Manteltasche und setzte mich vor seinem Grabstein ins Gras. Ich erhob die Flasche.

»Ich glaube, wir sollten endlich miteinander reden. Wo fangen wir an?« Ich setzte eine Pause, als erwartete ich seine Antwort. »Keine Idee? Na ja – da wären Weibergeschichten. Ich weiß, davon hattest du reichlich. Aber nach deiner Ehe zu schließen, bist du vielleicht nicht qualifiziert, mir einen Rat zu geben. Wir könnten uns über die Rechtspflege unterhalten. Wenn man sich die pompöse Deko anschaut, die dir zu Ehren hier errichtet wurde, könnte man denken, dass du auf diesem Gebiet besser Bescheid weißt. Zumal wir uns um dieselbe Kundschaft kümmern.«

Ich nahm einen Zug aus der Flasche. »Ach, zum Teufel.«

Dann kippte ich den Rest hinunter und stellte die leere Flasche auf sein Grab.

»Der hätte dir geschmeckt. Aber du bist ja auf alles angesprungen, was mehr Spaß brachte als deine Rechtsfälle, oder? Eines muss ich dich fragen: Hat Hammond dir im Tausch für meine Seele Gold gesponnen? Ist es so abgelaufen?« Hass schoss durch meine Adern.

»Ich werde dir wohl bald Gesellschaft leisten. Aber fürs Erste möchte ich dir noch meine Anerkennung für alles aussprechen, was du in deinem Leben für mich getan hast.« Ich stieß mich vom Boden ab, stand auf und starrte auf sein Grab hinunter. Da unten lag er jetzt und verrottete als Würmerfutter. Er gehörte nicht hierher, nicht zu diesen Männern mit Talent und Charakter. Sein Platz war in der Hölle. Ich konnte nur hoffen, dass er jetzt dort schmorte. Ich zog meinen Reißverschluss herunter, packte meinen Schwanz aus und pisste auf seinen Namen. Mehr Zuspruch hatte er von mir nicht mehr zu erwarten.

23

Eigentlich hatte ich vorgehabt, direkt zu Smiths Haus zu fahren, aber Hammonds Auftauchen ließ mich einen anderen Weg einschlagen. Bevor ich richtig begriff, was ich tat, fand ich mich in Chelsea wieder. Die Adresse, die man mir aufs Handy geschickt hatte, war von der Straße aus nicht einsehbar. Bei einem anderen Ort hätte ich vielleicht noch einmal darüber nachgedacht, ob es richtig war, der Sache auf den Grund zu gehen, aber das hier war schließlich Chelsea. Dennoch zögerte ich, als ich die solide verschlossene Tür in einer ruhigen Seitenstraße entdeckte.

Ich hatte keine Ahnung, wer mir die SMS aufs Handy geschickt hatte. Oder warum. Nicht, dass ich nennenswerte Feinde hätte. Ich bezweifelte, dass Pepper Lockwood sich so viel Mühe geben würde, nur um sich für eine gebrochene Nase zu revanchieren. Aber wer hatte mich dann herbestellt? Mein Magen war flau. Nein, ich hatte den weiten Weg nicht gemacht, um jetzt wieder umzukehren. Ich versuchte, den Türgriff zu drehen, doch die Tür war verschlossen. Einen Türklopfer oder eine Klingel konnte ich nicht entdecken. Als ich gerade aufgeben wollte, ertönte der Summer.

Niemand kam mir am Eingang entgegen. Der Korridor war nur spärlich beleuchtet, aber die schimmernden Wände verführten mich dazu, sie mit den Händen zu berühren.

Samt.

In der Ferne stampfte leise ein Beat. Es war noch ein wenig zu früh für einen Nachtclub, selbst an einem Samstag, aber mein Instinkt sagte mir, dass dies kein gewöhnlicher Club war. Ich setzte meinen Weg fort und ließ meine Finger an der plüschigen Wandbespannung entlangstreichen. Das einfache Wickelkleid, das ich mir heute Morgen in aller Eile übergeworfen hatte, taugte nicht gerade zum Tanzen. Hoffentlich achteten die frühen Barbesucher nicht darauf. Als ich um die Ecke bog, wusste ich, dass sie es tun würden.

Ich zwang mich, den Mund zu schließen und schluckte den Aufschrei hinunter, der aus meiner Kehle drängte – gegen mein Erröten konnte ich allerdings nichts ausrichten.

Die rothaarige Barfrau auf der anderen Seite des Raumes musterte mich von Kopf bis Fuß. Währenddessen versuchte ich, nicht allzu gebannt auf ihre Gummikorsage oder ihre gepiercten Nippel zu schauen, die darüber hervorragend zur Geltung kamen. Ich warf ihr ein kurzes Lächeln zu und überlegte, ob ich mich umdrehen und Hals über Kopf die Flucht ergreifen oder ob ich es cool angehen sollte. Die SMS war eindeutig an die falsche Nummer geschickt worden. Ich umklammerte fest meine Handtasche und bereitete mich auf einen möglichst würdevollen Abgang vor, als ich aus dem Augenwinkel auf ein Pärchen aufmerksam wurde. Die Frau trug ein Halsband, an dem eine Leine befestigt war. Erinnerungen an die vergangene

Nacht stiegen in mir auf. Gestern war ich dieses Mädchen gewesen. Und morgen wollte ich es wieder sein.

Vielleicht war ich hier doch nicht so fehl am Platze, wie ich befürchtet hatte.

Ich nahm allen Mut zusammen, setzte mich über meine Nervosität hinweg und ging zur Bar hinüber. »Einen Gin Tonic bitte.«

Die Barfrau kniff die Augen zusammen, nahm aber eine Flasche Nolet's und schenkte ein. Offenbar war dieser Ort auf die Bedürfnisse von perversen Wohlbetuchten ausgerichtet. Ich nahm einen Schluck von meinem Drink, während mein Blick an dem Pärchen auf der Couch klebte. Die Frau kniete zu seinen Füßen, während der Mann sich mit einem anderen unterhielt, der ihnen gegenübersaß.

Beide Männer waren vollständig bekleidet, während sie nichts als das Halsband trug. Würde ich das auch tun, wenn Smith meine Leine in der Hand hielte? Die Frage erregte mich, und ich überlegte, ob ich ihm die Adresse per SMS weiterleiten sollte. Doch dann hätte ich ihm erklären müssen, wie ich hierhergeraten war. Und darauf wusste ich keine gute Antwort.

Während ich zuschaute, stand der andere Mann auf und näherte sich dem Pärchen. Der Kopf der Frau fiel vornüber, um ihre Tränen zu verbergen, und ihr Lover streichelte ihr mit der Hand über die Wange. Ich berührte meine eigene Wange und wusste genau, wie sich diese Liebkosung anfühlte. Dann reichte er dem anderen Mann die Leine. Mit gesenktem Kopf kroch sie auf allen vieren mit ihm fort. Die beiden zogen einen Korridor hinunter, und mir drehte sich der Magen um.

Er hatte sie jemand anderem übergeben, und sie war, trotz ihrer Traurigkeit, willig mit ihm gegangen.

Ich warf meine Kreditkarte auf den Tresen und verlangte die Rechnung.

»Der geht aufs Haus«, sagte die Barfrau und schob die Karte zurück.

»Ich zahle.« Ich spuckte die Worte geradezu aus. Diesem Laden wollte ich nichts schuldig bleiben. Nicht, nachdem klar war, was man hier von Frauen wie mir erwartete.

Frauen wie mir.

Oh mein Gott, worauf hatte ich mich bloß eingelassen?

Aber Smith würde nie …

Sie zuckte mit den Schultern und fing an, noch einen Drink einzugießen. »Das ist ein teures Zeug. Mir wäre es auch lieber, wenn du bezahlen würdest – erst recht, wenn du es verkommen lässt –, aber das ist nicht meine Entscheidung.«

»Wessen Entscheidung ist es denn?«, wollte ich wissen und schaute mich um. Ich war hierhergelotst worden, man hatte mich eingelassen, und jetzt bezahlte jemand meinen Drink. Das konnte kein Zufall mehr sein.

»Es ist meine Entscheidung«, teilte mir eine Frauenstimme hinter mir mit.

Ich fuhr auf meinem Barhocker herum und war geschockt, obwohl ich ihre Stimme bereits erkannt hatte.

Dort stand Georgia Kincaid und presste die Lippen zusammen. Sie schloss kurz die Augen, dann bedeutete sie mir, ihr zu folgen.

»Du solltest nicht hier sein«, zischte sie mich an, als wir den dunklen Flur in die Richtung hinuntereilten, in die der Mann die Frau geführt hatte.

Ich hielt auf der Stelle an und weigerte mich, ihr auch nur einen Schritt weiter zu folgen. »Willst du mir etwa erzählen, dass diese SMS nicht von dir stammt?« Ich wedelte mit meinem Handy.

»Genauso ist es«, erwiderte sie kühl. Sie packte mich mit ihren knochigen Fingern am Oberarm und stieß mich durch eine blaue Tür. »Was hast du hier zu suchen?«

»Ich habe eine SMS bekommen. Das sagte ich bereits.« Allmählich verlor ich die Geduld mit Georgia. Davon hatte ich ohnehin nicht viel. »Was ist das hier für ein Laden?«

»So blöd kannst nicht einmal du sein.« Georgia schloss die Tür und lehnte sich von innen dagegen. Weil das Licht hier heller war, konnte ich sie besser erkennen, und mir klappte der Kiefer herunter. Sie trug nicht viel mehr als ein schwarzes Spitzenbustier. Ihre schmale Taille war mit Lederbändchen geschnürt, die zu den Fesseln passten, die sie an den Handgelenken trug.

Ich wusste nicht, ob sie mich jetzt umbringen oder auspeitschen wollte.

»Ein Sexclub. Wie reizend. Ich wusste doch, dass ich overdressed bin.« Ich drehte mich im Raum um und hoffte, irgendwo ein Hinweisschild mit der Aufschrift »Ausgang« zu finden.

»Jetzt spiel hier nicht die Prüde. Allzu verklemmt kannst du nicht sein, wenn du mit Smith vögelst.« Georgia schlenderte an mir vorbei und ließ sich auf einen roten Samtdiwan sinken.

Ich ignorierte ihre Bemerkung und versuchte, mich auf das zu konzentrieren, worüber ich mir wirklich Sorgen machen musste: »Warum hat mich jemand hierhergeschickt?«

»Vielleicht wollte dir jemand deinen klapprigen Hintern versohlen«, bemerkte Georgia trocken. Sie lehnte sich zurück und legte den Arm unter ihren Kopf, wodurch ihre Brustwarzen über das trägerfreie Spitzenbustier lugten.

»Kannst du mal eine Minute aufhören herumzuzicken?«, zischte ich. Es kam nicht oft vor, dass ich mich nicht wohl in meiner Haut fühlte, doch dieser Laden, noch dazu mit einer Frau, die ich verachtete, war mir unheimlich. Ich wollte Antworten und mich danach sofort aus dem Staub machen.

»Ich muss nachdenken.« Sie betrachtete mich mit finsterem Blick, dann stand sie auf. »Zeig mir dein Handy.«

»Nur über meine Leiche.« Mit Sicherheit würde ich ihr keinen Zugriff auf die Geheimnummer gewähren, die mir Smith gegeben hatte.

»Reg dich ab, Prinzessin. Zeig mir die SMS.« Sie stellte sich neben mich und schaute über meine Schulter auf das Display. Als ihre Brust meinen Oberarm streifte, schreckte ich zurück.

»Bitte beruhige dich. Ich werde schon nicht versuchen, dich zu verführen.«

»Tut mir leid. Dieser Ort überfordert mich etwas.« Es war okay, mich zu entschuldigen, auch wenn ich sie verabscheute. Es gab keinen Grund zu der Annahme, dass sie mir nicht zu helfen versuchte, und es war ziemlich offensichtlich, dass nicht sie es gewesen war, die mich hierhergelockt hatte.

»Velvet«, sagte sie und tippte aufs Handy, um den detaillierten Sendebericht anzeigen zu lassen.

»Wie bitte?«, fragte ich verwirrt.

»Dieser Laden heißt Velvet«, erklärte sie sachlich und konzentrierte sich dann wieder auf ihr eigentliches Vorhaben. »Hier steht überhaupt nichts über die Person, die dir diese SMS geschickt hat. Gehst du immer blindlings da hin, wo anonyme Anrufer dich hinbeordern?«

Mir war klar, was sie darüber dachte. »Das Telefon hat eine Geheimnummer, die nur ein Mensch kennt.«

»Smith?«, erriet sie, und ich nickte. »Aber die Nachricht war nicht von ihm.«

»Das konnte ich doch nicht wissen. Eigentlich wollte ich ihn im Büro danach fragen, aber dann ist Hammond unerwartet aufgetaucht. Danach habe ich es vergessen.«

»Smith hätte dich niemals hierhergeschickt.« Georgia machte eine Pause, um ihre Worte wirken zu lassen. Dann stemmte sie die Hände in ihre Hüften. »Du musst ihm sagen, dass du hier warst.«

»Warum hätte er mich nie hierhergeschickt?«, fragte ich mit schwacher Stimme, ohne auch nur mit einem einzigen Wort auf ihren Ratschlag einzugehen. Bis zu diesem Augenblick hatte ich vorgehabt, einfach von hier zu verschwinden und nie wieder ein Wort darüber zu verlieren. Doch nun erklärte sie mir, dass das nicht möglich war.

»Das soll er dir selbst erzählen…«, erwiderte sie und fuhr fort, »…wenn er so weit ist. Aber sag ihm, dass du hier gewesen bist.«

»Und wenn nicht?«

»Er wird es herausfinden«, warnte sie mich. »Es liegt an dir, von wem er es erfährt. Ich schlage vor, dass er es aus deinem Mund hört.«

Ich bekam weiche Knie und kämpfte darum, nicht den Boden unter den Füßen zu verlieren. Ich musste den Blick von ihr abwenden und richtete ihn auf ein nichtssagendes abstraktes Bild an der Wand hinter ihr. Ich konzentrierte mich auf die schwarzen und die weißen Striche, bis ich mich wieder gefangen hatte.

»Gut, ich werde es ihm sagen«, erklärte ich schließlich. »Aber beantworte mir noch eine Frage.«

Georgia verschränkte die Arme. »Das kann ich dir nicht versprechen.«

»War er schon mal hier?« Ich brachte die Frage kaum über die Lippen.

»Ja.« Sie hielt die Hand hoch, als ich den Mund erneut öffnete. »Das ist alles, was ich dir sagen werde, und ich sage es nur, weil du es schon wusstest. Was er dir sonst noch mitteilen will, wird er selbst entscheiden. Aber denk daran, du hast keine Ahnung, welche Geheimnisse er verbirgt. Und jetzt bringe ich dich hier raus.«

Ich legte es nicht auf einen Streit an und ließ mich von ihr zu einem Seitenausgang führen. Trotz ihres gewagten Outfits trat Georgia mit mir auf die Straße.

»Sieh zu, dass du das Telefon loswirst«, sagte sie. »Erzähl es Smith, und verhalte dich in Zukunft nicht mehr so dämlich.«

»Ich bin nur in einen Club gegangen«, erwiderte ich. Außerhalb der Mauern des Velvet fühlte ich mich gleich wieder mutiger.

Ein finsteres Lächeln huschte über ihre Lippen. »Bist du nicht. Du bist geradewegs in die Höhle des Löwen marschiert.«

24

Die Türen von Clarence House standen mir immer offen. Außer heute, wo sie mir offenbar verschlossen waren. Es nieselte vom herbstlichen Himmel herab, während ich dem Wachmann zum zehnten Mal erklärte, wer ich war. Anscheinend war er neu.

»Sie finden mich im Computer«, erklärte ich.

»Miss, da mögen Sie recht haben, aber die königliche Familie hat klar zum Ausdruck gebracht, dass sie nicht gestört werden will.«

Der sollte mich noch kennenlernen. Ich war drauf und dran, über das Tor zu klettern. Bis er kapiert hatte, wie man die Telefonanlage bediente, um Verstärkung anzufordern, wäre ich schon längst auf und davon. Natürlich würde man mich am nächsten Tag vermutlich verhaften. Edward wäre entzückt, wenn ich ihn anrufen und bitten würde, die Kaution für mich zu hinterlegen.

Edward.

»Edward darf doch bestimmt rein, oder?«, fragte ich ihn.

Verwirrt legte er unter seinem Barett die Stirn in Falten. »Prinz Edward?«

»Nein. Der Vampir aus dem Kino«, gab ich zurück. »Natürlich Prinz Edward.«

»Nun ja-a-a«, stammelte er. Auf seiner Stirn bildete sich eine Schweißperle, aber ich wusste, dass er sie in meiner Gegenwart nicht abwischen durfte.

»Könnten Sie ihn anrufen?«, fragte ich überfreundlich und versuchte, meine Zickigkeit ein wenig zu drosseln.

»Ich könnte, aber ...«

»Rufen Sie entweder ihn an oder Norris, aber zwingen Sie mich nicht, Clara auf dem Handy anzurufen und das Baby aufzuwecken!« Anscheinend war der Versuch, ruhig zu bleiben ein aussichtsloses Unterfangen.

»Jawohl, Miss, ich meine, Ma'am. Ich wollte sagen, Sir.«

Ich schüttelte den Kopf. »Vergaloppieren Sie sich nicht, Soldat.«

»Ich bin kein Soldat. Ich bin ...«

Ich hob abwehrend die Hand, weil ich nicht den Nerv hatte, ihm noch länger zuzuhören. »Rufen Sie ihn einfach an.«

Ich sah ihm durchs Fenster des Wachhäuschens zu, wie er am Telefon herumfummelte und schließlich jemanden erreichte. Eine Minute später kam er zurück und gab mir meinen Ausweis. »Tut mir leid wegen der Verwirrung, Miss Stuart. Aber die Sicherheitsmaßnahmen wurden verstärkt.«

»Und Sie sind neu hier?«, riet ich.

Er hatte schon wieder den verwirrten Gesichtsausdruck, den ich inzwischen kannte. Aber helfen konnte ich ihm auch nicht. Der Knabe war ein hoffnungsloser Fall. Ich marschierte durch den Haupteingang und bewunderte die Großzügigkeit von Alexanders und Claras temporärem Zuhause. Schon bald würden sie in etwas noch Größeres umziehen müssen, aber aus Gründen, die nur ihnen selbst und wenigen anderen bekannt waren, beharrten sie zum gegenwärtigen Zeitpunkt immer noch hartnäckig darauf hierzubleiben.

Der Wachmann an der Tür öffnete mir, und ich trat ein. Trotz seiner Weitläufigkeit und trotz der unbezahlbaren Antiquitäten und Kunstwerke, mit denen jeder Raum gefüllt war, wirkte das Haus gemütlich und zwanglos. Zumindest verglichen mit anderen Palästen. Dies war der Grund, warum sie dem Baby hier ein Zuhause geben wollten. Hier konnten sie sich darauf konzentrieren, ihre Familie zu gründen, anstatt eine Monarchie zu regieren.

Alexander erwartete mich oben am Treppenabsatz. »Edward hat mir eine SMS geschickt. Bitte verzeih das Durcheinander.«

Wahrscheinlich wartete die halbe Welt darauf, einen Blick auf Elisabeth zu werfen oder zu hören, was die frischgebackenen Eltern zu sagen hatten.

»Ist doch selbstverständlich. Aber jetzt muss ich meine beste Freundin sehen, und es ist mir egal, ob sie sich gerade ausruht. Das ist ein Notfall.«

»Und wenn ich etwas dagegen habe?«, neckte er mich.

»Dann erinnere ich dich daran, dass ich sie nicht nur als Erste gekannt habe, sondern dass ich sie auch davon überzeugt habe, mit dir zu schlafen.«

»Man lernt ja jeden Tag etwas dazu«, erwiderte er belustigt. »Dann bin ich dir wohl was schuldig.«

»Du schuldest mir sogar eine ganze Menge«, belehrte ich ihn, als er mich durch den Flur begleitete. »Ist sie okay? Welchen Eindruck macht sie auf dich?«

»Atemberaubend!« Seine Stimme war von jener Bewunderung erfüllt, die er immer an den Tag legte, wenn er von seiner Frau sprach. »Sie hat noch nie hinreißender ausgesehen.«

Als ich ins Babyzimmer kam, schaute Clara auf und schenkte mir ein Lächeln. Sie hielt die friedlich schlafende Elisabeth in ihren Armen. Claras dunkles Haar floss wellig über ihre Schultern, und ihre Haut strahlte. Die ganze Szene erinnerte mich an Gemälde der Madonna mit Kind.

»Ich kann warten«, flüsterte ich, weil ich merkte, wie unbedeutend meine eigenen Nöte gerade waren.

»Nein, du störst nicht«, sagte sie leise. »Ich sollte sie hinlegen, aber ich kann nicht anders – ich will sie einfach halten. Komm her. Sie sieht aus wie ein Engel.«

Auf Zehenspitzen ging ich zu ihr, um die Kleine nicht zu wecken, und linste über Claras Schulter. Das Baby hatte rosige Wangen, und als ich es ansah, seufzte es leise und lächelte im Schlaf.

»Sie ist perfekt«, flüsterte ich.

»Da muss ich dir recht geben«, sagte Alexander von der Schwelle aus. Er füllte mit seiner stattlichen Erscheinung den Türrahmen, als wollte er seine Frau und seine Tochter beschützen. Er kam zu uns her und beugte sich hinab, um Clara das schlafende Bündel aus den Armen zu nehmen. »Ich habe sie. Ihr beide könnte jetzt reden.«

Ich nickte. Clara versuchte, auf die Beine zu kommen, und ich reichte ihr helfend die Hand.

»Es wird noch dauern, bis ich wiederhergestellt bin«, sagte sie seufzend, als wir den Flur hinunter in ihr Zimmer gingen. Man hatte ein Feuer im Kamin entfacht, und wir setzten uns in zwei gemütliche Sessel, die davor platziert waren.

Ich zog meine Knie bis zur Brust hoch und überlegte, wo ich anfangen sollte.

»Männerprobleme?«, riet Clara und knipste neben sich eine Lampe an.

»Ist das nicht offensichtlich?« Als der Tag begann, war ich noch davon überzeugt gewesen, dass sich meine Beziehung mit Smith zum Positiven veränderte. Jetzt nicht mehr.

»Ich kenne das Gesicht, das du dann ziehst. So ein Gesicht habe ich im vergangenen Jahr auch ein paarmal aufgesetzt.« Sie zog eine mürrische Grimasse.

»Ich hoffe, ich sehe nicht wirklich so aus«, sagte ich erschöpft. Aber lachen musste ich doch.

»Du bist viel hübscher, wenn du schmollst«, versicherte sie mir. »Ich bin vom freudigen Ereignis letzter Woche immer noch ganz verschwollen.«

»Ich finde, die Mutterschaft steht dir. Alexander meinte, du hättest noch nie hübscher ausgesehen. Und er hat recht.«

Claras Gesichtsausdruck wandelte sich. Schon bei der bloßen Erwähnung ihres Ehemanns erhellte ein Lächeln ihr Gesicht.

»Zu erleben, wie du dich in Alexander verliebt hast, hat mir gezeigt, wie kompliziert die Liebe sein kann, aber auch, dass es sich lohnt, darum zu kämpfen«, sagte ich. Mit Smith und mir war es von Anfang an kompliziert gewesen. Und nach dem heutigen Tag konnte es nur noch komplizierter werden. »Ich verstehe aber immer noch nicht, warum du dich überhaupt entschieden hast zu kämpfen.«

Clara atmete tief aus, und ich merkte, dass sie sich ihre Worte sorgfältig zurechtlegte. »Das ist jetzt vielleicht nicht sehr hilfreich: Ich glaube nicht, dass ich jemals eine Wahl hatte. Mit ihm zusammen zu sein, war unausweichlich. Ich habe wirklich versucht, mich nicht in ihn zu verlieben, aber das habe ich nicht geschafft. Dagegen anzukämpfen war unglaublich anstrengend. Als ich dann beschloss, dass ich mit ihm zusammen sein wollte, war es genauso kompliziert. Doch es war einfacher, für uns zu kämpfen als gegen uns.«

»Ich glaube, ich weiß, was du meinst.« Seit ich Smith begegnet war, versuchte ich, ihn auf Abstand zu halten. Selbst nachdem ich mich ihm hingegeben hatte, wies ich ihn noch ab. Und trotzdem kamen wir immer wieder zueinander zurück. »Ist das nicht ein bisschen wie eine Sucht?«

»Es ist eine ernste Sache«, sagte Clara und beugte sich vor. Sie stöhnte auf und fasste sich an den Bauch.

Ich kniete mich vor sie auf den Boden. »Bist du okay?«

»Ja, klar.« Sie lehnte sich zurück. »Ich bin noch in der Rekonvaleszenz, schon vergessen? Und jetzt versuch nicht, das Thema zu wechseln.«

Ich streckte ihr die Zunge heraus und machte es mir wieder in meinem Sessel gemütlich. »Du kannst mir glauben, dass ich wirklich darüber reden will. Allein komme ich nicht damit klar. Ich kann keinen klaren Gedanken mehr fassen.«

»Du bist dabei, dich zu verlieben«, stellte sie mit sanfter Stimme fest. »Und das macht dir Angst, besonders nach der Sache mit Philip.«

»Ich habe Philip nie geliebt«, gestand ich ihr.

»Das habe ich schon vermutet. Aber das bedeutet nicht, dass deine Beziehung mit ihm dein Leben nicht beeinflusst hat. Vielleicht hast du ihn nicht geliebt, aber du hast ihm vertraut und warst loyal.«

»Bis er mich royal verarscht hat«, sagte ich bissig und

schickte kleinlaut hinterher: »Ohne Euch zu nahe treten zu wollen, Majestät.«

»Ich werde Ihnen nicht gestatten, mich so zu nennen«, verkündete sie und setzte ein ironisches Grinsen auf. »Wie viel sich für uns verändert hat, seit wir Oxford verlassen haben. Ich bin verheiratet, und du vögelst mit deinem Chef.«

»Außerdem wirst du die Königin von England«, fügte ich nüchtern hinzu. All das hatte keine von uns vorausgesehen, und es machte es nicht gerade leichter, in diesen felsigen Gestaden nicht Schiffbruch zu erleiden, zumal wir dabei mehr und mehr auf uns allein gestellt waren. Beziehungsweise jemand anderen an unserer Seite hatten. Es tat gut, hier mit ihr zusammen zu sein. Mehr Normalität konnten wir beide nicht verlangen. »Du weißt doch, dass ich immer für dich da bin?«

»Ich verlasse mich darauf«, sagte sie. »Aber jetzt zurück zu dieser Hilfe-ich-verliebe-mich-Geschichte.«

Ich stöhnte. »Ich weiß nicht, ob ich mich in ihn verliebt habe.«

»So ist das, wenn man sich fallen lässt. Man merkt es erst, wenn man unten aufschlägt.«

»Und bis dahin?«, fragte ich. Seit ich zugegeben hatte, Philip nicht geliebt zu haben, begriff ich, dass ich noch nie richtig verliebt gewesen war. All das war neu für mich, und es war mir im Lichte meiner heutigen Entdeckungen nicht mehr ganz so willkommen.

»Man fühlt sich beschwingt. So als könnte man fliegen. Klar, manchmal überkommt einen Panik, aber dann lässt man sich wieder fallen.«

»Und wenn man auf dem Boden der Tatsachen landet?«

»Dann kannst du nur hoffen, dass er dort schon darauf wartet, dich aufzufangen.« Ihre Worte klangen bittersüß, fast wehmütig.

»So wie Alexander dich aufgefangen hat?«

Sie schüttelte den Kopf und verzog die Lippen. »Ich bin mir ziemlich sicher, dass ich ihn aufgefangen habe.«

»Nur du hattest die Kraft dazu«, sagte ich, dann stand ich auf, trat zu ihr, setzte mich auf ihre Sessellehne und kuschelte mich an sie.

»Es lohnt sich«, fuhr sie fort.

»Was lohnt sich?«, flüsterte ich.

»Der Sprung. Die harte Landung. Wenn du weißt, dass es der Richtige ist.«

Es gab eine Zeit, da hätte ich sie gefragt, woran ich das merken würde. Doch das musste ich heute Abend nicht.

25

Die Nacht war hereingebrochen, ohne dass ich mich vom Fleck gerührt hatte. Hier gehörte ich hin – ins Moos und zu den Geistern –, der Schatten eines Mannes im Reich zwischen Leben und Tod.

Ich hörte leise Schritte, die im Gras näher kamen, und schreckte aus meinem Jammertal hoch. Als ich mich beeilte, auf die Füße zu kommen und dem Eindringling entgegenzutreten, stieß ich die leere Flasche um. Zu dieser Nachtstunde musste es entweder ein sentimentaler Tourist sein, der mit den toten Künstlern rings um mich plaudern wollte, oder jemand, der wusste, wo er nach mir suchen musste. Nach Gesellschaft stand mir jedenfalls nicht der Sinn.

»Mein Gott, ich kann es bis hierher riechen.« Aus den Schatten schälten sich die Umrisse von Georgia, die sich mit der Hand vor der Nase herumfächelte. Sie trug eine Lederhose, die so eng war, dass man sie ihr vermutlich auf den Leib genäht hatte, sowie eine dazu passende Motorradlederjacke. Offenbar kam sie aus dem Club. »Wie viel hast du getrunken?«

»Nicht genug«, sagte ich und trat gegen die Flasche zu meinen Füßen. »Ich hätte dir ja was angeboten, aber Papa und ich haben alles ausgetrunken.«

»Wenn du glaubst, dass dein Vater hier ist, musst du wirklich sehr betrunken sein. Eilmeldung: Er ist Würmerfutter.« Sie ließ sich im Schneidersitz ins Gras sinken. Anscheinend meinte sie, sie wäre zu meiner Privatparty eingeladen.

»Du bist wie immer ein großer Trost.« Ich setzte mich neben sie ins Gras. Ich hätte sie bitten können zu gehen, aber wer von Georgia einen Gefallen erhoffte, der konnte auch gleich an das Leben nach dem Tod glauben. Völlig aussichtslos.

»Ich hatte keine Ahnung, dass du immer noch herkommst.« Sie schaute an mir vorbei zum Grabstein und stieß einen schweren Seufzer aus.

»Ich war schon seit Jahren nicht mehr hier.«

»Warum heute Nacht?«, fragte sie und fixierte mich dabei mit einem durchdringenden Blick, der weniger selbstbewusste Männer vermutlich ins Stottern gebracht hätte.

Auf mich hatte sie nie diese Wirkung. »Noch interessanter ist die Frage, warum du hier bist. Anders gefragt: Woher wusstest du, dass ich hier bin?«

Ich glaubte keine Sekunde, dass Georgia einfach so auf den Friedhof gestolpert und dort rein zufällig auf mich gestoßen war. Sie hatte mich gesucht, und das war kein gutes Zeichen, da wir beschlossen hatten, unseren Kontakt einzuschränken.

»Du bist nicht halb so geheimnisvoll, wie du denkst. Hammond hat erwähnt, dass er dich im Büro besucht hat.«

»Hat er auch erwähnt, dass ich ihn fast erwürgt habe?«, fragte ich und bedauerte, die Flasche Whisky so schnell geleert zu haben.

»Kann sein«, sagte sie mit schiefem Grinsen. »Und weil dich mein Vater an deinen erinnert, bin ich meiner Intuition gefolgt.«

»Das kannst du gut.« Eindeutig zu gut. Es war beunruhigend, wie leicht sie sich in die Köpfe anderer hineinversetzen konnte, umso mehr, wenn es sich dabei um meinen Kopf handelte. Das befähigte sie dazu, ihren Job gut zu machen. Und für ihr Hobby war es sogar noch nützlicher. Obwohl zwischen beidem eigentlich kein großer Unterschied bestand, es ging immer darum, jemanden aufs Kreuz zu legen und es ihm zu besorgen.

»Ich bin nicht hergekommen, um über den lieben alten Papa zu diskutieren.«

»Das habe ich auch nicht angenommen.« Zumindest hatte sie sich einen relativ sicheren Ort für ein Gespräch ausgesucht. Die einzigen Zeugen unseres Treffens waren schon lange nicht mehr imstande, uns zu verraten.

»Dein reizendes neues Spielzeug ist heute im Velvet aufgetaucht.«

Der Alkoholdunst, der mir die Sinne vernebelt hatte, verflüchtigte sich augenblicklich. Ich sprang auf die Füße und suchte nach etwas anderem als nach marmornen Grabtafeln, um dagegenzuschlagen. »Wie zum Teufel konnte das passieren?«

»Irgendjemand hat ihr die Adresse geschickt. An das Telefon mit Geheimnummer, das du ihr gegeben hast.«

Verdammter Mist. Hammond hatte nicht gelogen, als er zugab, einen Informanten unter meinen Angestellten zu schmieren. »Ich werde die Angestellten alle feuern müssen.«

»Einschließlich deiner Assistentin?«, hakte Georgia nach.

»Ich bezweifle, dass sie sich die SMS selbst geschickt hat«, entgegnete ich kühl, während ich im Kopf die Höhe der nötigen Abfindungszahlungen überschlug.

»Du weißt, dass es das Beste wäre. Du musst dich von ihr trennen, Smith.« Ihre Feststellung hatte nichts von jener Stutenbissigkeit, die sie Belle gegenüber an den Tag gelegt hatte. Georgias Urteil war rational und zweifellos klug. Ich konnte nicht abstreiten, dass Hammond Belle gefährlich werden konnte, wenn ich an ihr festhielte.

»Das ist nicht so leicht.«

»Erzähl mir doch nicht, dass du das nicht vorhergesehen hast. Oder hat dich deine Erektion so um den Verstand gebracht, dass du nicht mehr klar denken konntest?«

»Du kannst mich mal, Georgia«, knurrte ich.

»Wir haben geschworen, uns auf niemanden einzulassen. Nicht einmal aufeinander. Ich glaube, du hast damals wortwörtlich gesagt: ›Wir müssen einen kühlen Kopf behalten.‹« Ihr Ton forderte mich auf, ihr zu widersprechen, aber ich konnte nicht.

»Wir sind bindungsunfähig.« Genau deshalb hatte ich die Sache mit Belle nicht vorhergesehen.

»Sie wurde aus einem bestimmten Grund ausgesucht«, fuhr sie fort. »Und nun hast du es vermasselt. Aber uns stehen andere Wege offen, um unsere Ziele zu erreichen.«

»Die können wir auch verfolgen, ohne dass ich sie verlasse. Wenn überhaupt, könnte ihre Präsenz auch als Täuschungsmanöver dienen. Hammond ist nicht entgangen, über welche Verbindungen sie verfügt. Falls er fürchtet, dass …«

»Herrgott, hörst du dir eigentlich selbst zu?«, fiel sie mir ins Wort. Sie schüttelte den Kopf und ließ ihre dunklen Locken wehen. »Sie käme auf die Abschussliste. Ist es das, was du willst?«

»Es ist ein schlauer Plan«, wich ich aus.

»Du würdest ihr Leben aufs Spiel setzen? Dann ist sie also nur ein süßes Betthäschen? Das ist rücksichtslos, selbst für deine Verhältnisse.«

»Ich habe von den Besten gelernt.« Ich konnte ihr nicht in die Augen sehen. In Wahrheit hatte ich von jemand anderem gelernt, rücksichtslos zu sein. Georgia hatte meine Veranlagung dazu lediglich vervollkommnet.

»Dann richte sie zugrunde.« Georgia zuckte mit den Schultern und richtete sich auf. Sie klopfte sich die Hose ab und fuhr fort: »Mir ist das egal, aber wir wissen beide, dass du nicht damit klarkommst, noch mehr Schuld auf dich zu laden.«

»Ich dachte, ich bin rücksichtslos.«

»Das bist du, aber du bist kein Mörder. Das ist die einzige Sünde, die du noch nicht begangen hast.«

Das Gefühl hatte ich gar nicht. Ich hatte zwar noch niemandem den letzten Atemzug gestohlen oder ein Herz zum Verstummen gebracht, aber ich war dumm gewesen. Es waren Menschen gestorben. Obwohl Georgia praktisch gesehen recht hatte. Und dafür hasste ich sie noch mehr. »Im Gegensatz zu manchen anderen.«

»Ich bin wie geschaffen für die Sünde. Ich habe sie in den Genen«, spottete sie. »Hör auf meinen Rat, und lass sie gehen.«

»Warum sollte ich?«, fragte ich. Es war nicht Georgias Art, gefühlsduselig zu werden. Was ihr in die Quere kam, wurde normalerweise einfach plattgemacht.

»Weil dir etwas an ihr liegt«, erwiderte sie mit weicher

Stimme. »Und wenn du dazu noch imstande bist, besteht viel-leicht Grund zur Hoffnung.«

Für den Rest von uns. Sie ließ es ungesagt, aber es stand unausgesprochen zwischen uns.

»Hoffe nicht auf Absolution«, warnte ich sie. »Gott hat uns vor langer Zeit verlassen.«

26

Ich fuhr mit dem Lift ganz nach unten, zog mir schon im Flur das Kleid aus und schleuderte meine Pumps von den Füßen. Ich musste nachdenken und den Kopf freibekommen. Was sich mir heute offenbart hatte, lag mir auf der Seele. Ich stieß die Tür auf und ging zum Rand des Pools. Ohne nachzudenken, sprang ich kopfüber hinein und gab mich der Schwerelosigkeit hin. Ich zog mit langen Zügen über den Grund und tauchte nur zum Luftholen kurz auf, danach verschwand ich wieder unter der glänzenden Oberfläche.

Smiths Vergangenheit ging mich nichts an. Ich konnte ihm das Leben nicht vorwerfen, das er geführt hatte, bevor wir uns kennenlernten. Aber ich kapierte nicht, welche Rolle ich für ihn spielen sollte. Aus unserer Beziehung war schnell Besessenheit geworden. Das bewies schon der Umstand, dass ich jetzt hier war.

Mit jeder Faser sehnte ich mich nach mehr. Ich war ihm hoffnungslos verfallen – aber was bedeutete das für mich? Wenn ich mich jetzt von ihm trennte, ginge ich daran zugrunde. Doch wie viel schlimmer wäre es erst in einer Woche oder in einem Monat! Oder in einem Jahr! Ich konnte nur davon träumen, ihn so lange zu halten. Ich ließ mich an die Oberfläche treiben und blieb unter Wasser, bis mir vor Anstrengung die Lungen wehtaten. Ich suchte einen Beweis dafür, dass ich auch ohne ihn existierte. Ich ließ meine Arme seitlich treiben und alles von mir abfallen. Die Furcht. Den Zorn. Bis nur noch das Verlangen übrig blieb. Mehr brauchte ich nicht.

Irgendwie registrierte ich rechts von mir Wellen. Etwas klatschte ins Wasser. Ich hob den Kopf, spuckte Wasser und schnappte nach Luft, als mich im selben Moment zwei Arme umschlangen und aus dem Wasser heraushoben.

»Belle!«, schrie Smith und verpasste mir eine Ohrfeige. Das hatte überhaupt nichts Neckisches. Es war ein Schlag, von dem meine ganze Wange schmerzte.

Ich zappelte in seinen Armen, riss mich los und tauchte weg. Obwohl ich so schnell schwamm, wie ich konnte, holte er mich sofort ein. Als er mich diesmal einfing, drehte er mich um und presste mich an seine Brust. Ich blinzelte vom Chlor, das mir in den Augen brannte, und sammelte Kraft, um ihn erneut abzuwehren. Ich stieß mit der Hand an seine Brust und spürte nassen Stoff. Erschrocken schaute ich herunter und stellte fest, dass er vollständig angezogen war. Mein Blick flog zum Beckenrand, wo nur seine Schuhe standen.

»Was zum Teufel machst du da?«, schrie ich.

»Oh Gott!« Er griff mir in den Nacken und drückte mich an sich. Mein Körper regierte sofort und hörte auf, sich gegen ihn zu wehren. Ich verging in seinen Armen, meine Tränen mischten sich mit dem Wasser, bis ich nicht mehr wusste, ob ich weinte oder gerade unterging.

So fühlte ich mich immer in seiner Gegenwart.

»Ich habe dich im Wasser gesehen«, japste er. »Ich dachte …«

Da sah ich die Szene mit seinen Augen. Wie mein Körper auf der Oberfläche trieb. Schwerelos und still. Plötzlich musste ich an die Füße meines Vaters denken.

Und dann wusste ich es. Ganz gleich, was ich tat, ganz gleich, was ich noch daraus machte: Er hatte mich wieder zum Leben erweckt, meinem Leben neuen Sinn eingehaucht – mit seinem Kuss, mit seiner Berührung.

»Du hast mir etwas versprochen«, wimmerte ich leise. »Du hast versprochen, mich zu beschützen, aber du hast mir nie erzählt, wovor ich überhaupt beschützt werden muss.«

»Ich weiß.« Er strich mir das Wasser von den Wangen und beruhigte mich mit zärtlichen Lauten. »Ich habe gehört, was heute passiert ist – wohin du gegangen bist. Es tut mir leid, dass du das sehen musstest.«

»Weil es dein schmutziges kleines Geheimnis war, oder weil du das für mich geplant hast?«, platzte ich heraus und schlug ohnmächtig gegen seine Brust.

»Du gehörst dort nicht hin. Ich wollte nicht, dass du den Laden jemals siehst.«

Das reichte mir nicht. Ich wusste nicht, ob er noch irgendetwas sagen könnte, um das wiedergutzumachen. »Aber das sind doch die Sachen, die du von mir willst. Das hast du doch schon genauso getrieben! Worum geht es hier? Welcher Teil deines Lebens ist eine Lüge? Ich oder der Club?«

»Manche Entscheidungen trifft man nicht für sich allein. Der Laden, mein Leben, mein Beruf – das wurde mir alles schon am Tag meiner Geburt in die Wiege gelegt. Ich habe nie darum gebeten und wollte es auch nicht haben. Ich erwarte nicht, dass du das verstehst, und ich bitte dich auch nicht darum.«

Doch ich verstand sogar sehr gut. Mein ganzes Leben lang fühlte ich mich zwischen den Erwartungen hin- und hergerissen, die der Name meiner Familie weckte, und dem, was ich selbst wollte. Es war mir nie gelungen, das eine ohne das andere zu betrachten. Dieser Zwiespalt hatte mich angetrieben und mein Leben in die falschen Bahnen gelenkt. Erst viel später hatte ich begriffen, was diese Erbschaft bedeutete. Meine Mutter hatte mich gelehrt, Luxus und materielle Dinge zu schätzen, weil das ihre Art war, die eigene innere Leere zu füllen. Und genauso hatte ich es getan, bis Smith in mein Leben getreten war.

Ich wurde das Gefühl nicht los, die eine schlechte Angewohnheit gegen die nächste zu tauschen.

»Ich kenne das. Und ich verstehe es. Aber das ändert nichts an den Problemen«, flüsterte ich und hatte Angst vor dem, was ich wirklich damit sagte.

»Nein, das tut es nicht«, pflichtete er mir bei. »Ich kämpfe schon zu lange gegen meine Dämonen, als dass ich noch wissen könnte, ob es auch anders geht – ohne Kämpfen. Aber du bewirkst, dass ich es versuchen will, und als ich dich im Pool gesehen habe, sind mein Wille und meine Entschlossenheit in sich zusammengefallen. Ich will die Kraft haben weiterzumachen.« Er griff mir grob ans Kinn. »Ich will dich nicht verlieren.«

»Aber was ist, wenn du keine Wahl hast?« Die Frage zerriss mir das Herz.

»Als ich dich aus dem Wasser gezogen habe, wusste ich, dass ich eine Wahl habe. Dass wir immer die Wahl haben. Nichts gibt uns die Gewissheit, dass es leicht sein wird – aber eine

Wahl haben wir. All diese Leute, die mir einreden wollten, dass ich keine hätte, und die mir vorschreiben wollten, was ich zu tun habe – all diese Leute, die dasselbe bei dir versucht haben –, sie haben uns belogen, meine Schöne. Wir bestimmen, wohin die Reise geht. Wir müssen jetzt nur noch entscheiden, ob wir uns gemeinsam auf den Weg begeben wollen.«

Ich hätte ihm zu gern geglaubt, dass es so einfach war, aber ich wusste es besser. »Wie wäre es, wenn wir damit anfingen, ehrlich zueinander zu sein?«

»Das werden wir tun – wenn die Zeit dafür reif ist. Es gibt Dinge in meinem Leben, über die ich nicht mit dir reden kann. Hässliche Dinge. Du hast das Dunkle in mir gesehen. Du hast zugelassen, dass es dich berührt. Aber mehr will ich dir nicht zumuten. Ich will nicht, dass du für den Rest deines Lebens misstrauisch sein musst«, sagte er mit leiser Stimme. »Doch ich kann auch die Vorstellung nicht ertragen, dass du dich von mir abwendest.«

»Dann lass es«, flehte ich und vergrub mein Gesicht an seinem Hals. »Lass mich hier rein.«

Ich legte meine Hand auf seine Brust und spürte seinen festen, regelmäßigen Herzschlag.

»Aber dort bist du schon längst, meine Schöne. Reicht das denn nicht?«

Es war verlockend, das zu glauben. »Nein. Du beanspruchst mich für dich, Smith. Hast dich zu meinem Beschützer erklärt. Dasselbe will ich auch. Ich will, dass du mir gehörst, und ich muss dich beschützen.«

»Mich kann niemand beschützen.« Die Worte klangen niedergeschlagen und passten nicht zu dem Selbstbewusstsein, das er normalerweise ausstrahlte.

Aber obwohl er den Gedanken zurückwies, erkannte ich die Wahrheit. Er hatte sich mir geöffnet und offenbart. Er war verletzlich. Würde sich alles Übrige mit der Zeit auch noch einstellen?

»In Wahrheit brauchst du meinen Schutz nicht. Du bist stark. Du hast dem Sturm noch ins Auge gesehen, wo andere längst die Flucht ergriffen hätten.« Er küsste mir die Tränen von den Wangen und lächelte traurig.

»Du aber auch«, erwiderte ich und schluckte an dem dicken Kloß in meiner Kehle.

»Wir sind Seelenverwandte«, flüsterte er. »Bleib bei mir, Belle. Ich weiß, niemand kann dich zwingen, auf Antworten zu warten. Aber ich bitte dich, gib uns eine Chance. Flieg mit mir in den Sturm.«

Er legte meine Beine um seinen Körper und lehnte seine Stirn an meine, dabei sah er mir unverwandt in die Augen.

»Ich werde dich beschützen«, versprach er.

Meine Antwort stand schon fest. Ich sah sie in seinem aufgewühlten Blick. Dort konnte er keine Geheimnisse verbergen. Nicht vor mir. Ich kannte die Namen nicht, wusste nichts von den Verbrechen. Aber ich akzeptierte, dass ich sie erst nach und nach erfahren würde.

Deshalb korrigierte ich ihn. »Wir werden uns gegenseitig beschützen.«

27

Mein Beschützerinstinkt war hellwach, als ich Belle aus dem Pool in den Lift trug. Der Gedanke, sie verloren zu haben, hatte alles über den Haufen geworfen, was ich mir nach dem Verlassen des Friedhofs fest vorgenommen hatte. Im Bruchteil einer Sekunde war mir klar geworden, was ein Leben ohne sie bedeutete, und anstatt sie gehen zu lassen, sprang ich ihr hinterher.

»Verschwinde nicht wieder«, flüsterte sie und drehte mein Gesicht so, dass ich sie anschaute.

Wenn das doch nur so leicht wäre. Die schwierigste Entscheidung war getroffen, aber es gab auch noch anderes zu klären. Es gab jede Menge Dinge, vor denen ich sie bewahren musste.

Ich legte sie, nass wie sie war, quer übers Bett und holte ein Handtuch. Unterwegs entledigte ich mich meiner nassen Kleidung. Als ich zurückkehrte, hatte sie sich zusammengerollt und zitterte. Vorsichtig hob ich ihren Arm und trocknete ihn ab. Ihren ganzen schönen Leib rubbelte ich behutsam ab, bis sie trocken war. Dann warf ich das Handtuch auf den Boden und legte mich neben sie.

»Du bist immer noch nass«, bemerkte sie und kuschelte sich trotzdem an mich.

Ich strich mit den Fingern durch ihr Haar und sagte leise: »Aber ich bin warm, meine Schöne.«

»Mhmmm.« Sie strich über meine Brustmuskeln, dann rückte sie heran und drückte mir heiße Küsse auf die feuchte Haut.

Ich ließ meine Hand unter ihr Kinn gleiten, hob ihr Gesicht an und brachte ihre Lippen zu meinen. Wir küssten uns behutsam, tastend, forschend. Es war, als würden wir einander zum ersten Mal erkunden. Ich leckte über ihre glatten Zähne, dann suchte ich ihre Zunge. Wir ließen uns Zeit und rieben unsere Körper zärtlich aneinander.

Sie hatte sich entschieden, mir zu vertrauen und wieder in mein Bett zurückzukehren. Ich wollte alles dafür tun, dass sie das nie bereuen würde. Auch wenn ich ihr einiges zumuten musste, wusste ich, dass es am Ende der einzige Weg war.

In den Tagen zuvor hatte ich mir ihren Körper genommen, ihn kontrolliert und besessen. Jetzt wollte ich ihm huldigen.

Schon bald würde sie Anlass haben, an uns zu zweifeln. Die Erinnerung an die heutige Nacht sollte ihr die Kraft geben, diesen Anfechtungen zu trotzen.

Ich rollte sie auf den Rücken und bewegte mich über ihren Körper. Sie spreizte einladend die Beine, und ich ließ mich zwischen sie sinken. Meine Eichel glitt an ihrer warmen Muschi entlang. Belle stemmte sich mir entgegen und wollte, dass ich in sie eindrang, aber noch hielt ich mich zurück. Ich schob meine Arme hinter ihren Rücken, verschränkte die Hände und hob sie vom Bett hoch. Ich wollte sie an mir spüren. Ihre Haut war fiebrig. Die zwischen uns entbrannte Leidenschaft hatte sie erhitzt, und ihre Nippel wurden hart, als sie über meine Brust strichen. Ich beugte mich vor, um sie in den Mund zu nehmen, und ließ meine Zunge um die empfindlichen Spitzen kreisen, bis sie aufschrie. Belle warf den Kopf in den Nacken, als ich zwischen ihren Brüsten hin- und herwanderte, sie küsste und daran saugte, bis ihr Atem schneller ging. Ich wollte ihr so viel zeigen, ihr so viel Lust schenken.

»Bitte, Sir …«, hob sie an.

Ich legte meine Lippen an ihr Ohr. »Heute Nacht geht es nicht um Macht oder um Geilheit. Es geht um uns, Belle.«

Die Bande, die uns zusammenhielten, verstärkten sich durch meine Worte. Sie schnappte nach Luft, als könnte sie es auch spüren. Als sie mir diesmal ihre Hüften entgegenstemmte, lag keine verzweifelte Begierde in der Bewegung – sie zeigte nur, dass Belle dasselbe brauchte wie ich. Ich schob mich langsam in sie hinein, mein Schwanz suchte instinktiv den Schutz, den wir einander versprochen hatten. Keiner von uns rührte sich, als unsere Körper sich vereinigten. Stattdessen genossen wir das Gefühl, dass ich sie ausfüllte.

Sie nahm mein Gesicht zwischen ihre Hände, dann zog sie mich zu sich, bis sich unsere Münder von Neuem begegneten. Wir küssten uns, während wir uns bewegten, und die langsamen Stöße linderten den Schmerz, den ich empfand. Ich griff nach unten, zwängte eine Hand zwischen uns und liebkoste ihre Knospe. Ich würde ihr beweisen, dass ich mich um sie kümmerte. Ich bewegte sanft meine Hüften und zog mich jedes Mal gerade so weit zurück, dass beim erneuten langsamen Eindringen Reibung entstand.

Sie stöhnte, als sie um meinen Schaft zuckte. Jede Kontraktion erhöhte den Reiz unseres Liebesspiels. Wir erklommen den Gipfel gemeinsam, Hand in Hand. Keiner hastete voraus, wir genossen ganz einfach jede köstliche Woge der Lust, die uns dem Höhepunkt näher brachte.

Es war ein langsames Blues-Solo. Eines von der Sorte, die sich tief in die Seele graben, in die Adern sickern und schließlich viel mehr sind als nur Musik. Es war Kunst. Unsere Körper waren die Instrumente, und wir erforschten aufmerksam und hingebungsvoll ihre Möglichkeiten.

Ihre Hände lösten sich von meinem Gesicht. Als unser Tempo zunahm, legte sie die Arme um meine Schultern, grub ihre Fingernägel in mich und stemmte sich meinen Stößen entgegen. Unser Song bekam einen treibenden Rhythmus, die Noten wurden ungeschliffen und rau, als unser Orgasmus einsetzte. Ein leises Wimmern glitt von ihren Lippen, dazwischen unser Keuchen, als unsere Harmonie der Erlösung wich.

Ich schloss meinen Mund über ihrem, als ich mich in sie ergoss. Sie sollte meine warmen Lippen zugleich mit der Hitze des Samens spüren, mit dem ich sie füllte. Als sie in meinen Armen erschlaffte, zog ich sie an mich und ging auf die Knie. Ich blieb in ihr, und ihre Kontraktionen ließen meine Erektion bestehen. Sie legte mir die Arme um den Hals, als ich ihre Hüften packte und sie auf und ab bewegte.

»Genug«, murmelte sie, obwohl ich spürte, wie erneut Spannung ihren Körper erfasste.

»Es ist nie genug«, brummte ich und ließ meinen Unterleib kreisen. Ihr Atem stockte, als erste Spasmen ihren Körper erschütterten und sie einem weiteren Orgasmus entgegentrieb.

»Schau mich an«, sagte ich leise. »Ich will in deine Seele blicken, wenn ich komme.«

Sie riss die Augen auf, trotz der schweren Lider, lag ein Strahlen in ihrem Blick. Sie biss sich auf die Unterlippe, als die Erschütterungen einem wilden Beben Platz machten.

»Ich gehöre dir«, keuchte sie und brachte kaum die Worte heraus, als sich ein ersticktes Schluchzen aus ihrer Kehle löste.

»So ist es, meine Schöne«, beschwor ich, als sie sich restlos hingab und verströmte. »Für immer.«

28

Ich stand im Flur und starrte auf den Lichtstreifen unter der Tür. Da ertönte ein markerschütterndes Wehklagen, und ich blieb wie angewurzelt stehen. Ich wollte die Hand ausstrecken und nach der Türklinke greifen, aber wie sehr ich mich auch mühte, ich reichte nicht heran. Mit jedem Schrei, der von der anderen Seite kam, wuchs meine Panik. Ich stürzte nach vorn und fiel ins Bodenlose.

Ich schreckte aus dem Schlaf hoch und richtete mich keuchend im Bett auf. Smith lag lang ausgestreckt neben mir auf dem Bauch, das Laken zwischen den Beinen verknäuelt. Ich überlegte, ob ich ihn wecken sollte, aber dann wurde der Traum in mir wieder lebendig. Diese Tür hatte ich schon einmal gesehen.

Du hast keine Ahnung, welche Geheimnisse er verbirgt.

Das hatte Georgia im Club zu mir gesagt.

Ohne lange zu überlegen, ließ ich mich leise aus dem Bett gleiten. Ich nahm mir eine Decke vom Fuß des Bettes, wickelte mich darin ein und tappte in den Flur. Der Aufzug traf mit einem Klingeln ein, und ich verharrte in gespannter Aufmerksamkeit, als das leise Geräusch durch das stille Haus hallte.

Im Fahrstuhl drückte ich auf den dritten Stock. Seit mir Smith den Raum gezeigt hatte, den er mir zur Verfügung stellte, war ich nicht mehr dort gewesen. Hätte ich ihn genutzt, wäre ich vielleicht schon früher meiner Neugier erlegen. Die Fahrstuhltüren öffneten sich. Dahinter lag ein dunkler Korridor. Doch als ich ihn betrat, schaltete sich automatisch eine Reihe von Lichtern ein. Eins nach dem anderen, das letzte schließlich zwischen den beiden Türen am Ende des Korridors.

Schweren Schrittes setzte ich einen Fuß vor den anderen. Ich hatte keine Ahnung, was mich erwartete. Alles in mir flehte inständig darum, kehrtzumachen und in die Sicherheit von Smiths Bett zu fliehen. Doch von einer unbekannten Kraft getrieben, schritt ich weiter. Als ich mein Ziel erreicht hatte, zuckte mein Blick von der offenen Tür, die mir zugewiesen war, zu der gegenüberliegenden, die nach wie vor verschlossen war. Ich streckte den Arm aus und umschloss den Türknauf. Er ließ sich mühelos drehen.

Die Tür war nur zugezogen, aber nicht abgeschlossen.

Ein Streifen Mondlicht fiel ins Zimmer, reichte jedoch nicht aus, den Raum zu erhellen. Ich ließ die Hand über die Wand gleiten, bis ich den Lichtschalter fand. Nur eine Glühbirne leuchtete auf, doch das genügte.

Auf eine gespenstische Weise sah es hier genauso aus wie in dem Raum, den Smith mir zugewiesen hatte. Doch als sich meine Augen an das Licht gewöhnt hatten, erkannte ich mehr. Eine dicke Staubschicht überzog die Möbel, und von der Decke hingen Spinnweben. Das Bett war ungemacht, am Fußende knäuelten sich die Laken, und die Bettdecke hing ein

Stück von der Matratze herunter. Darauf lagen ein halbes Dutzend Kissen verteilt, als wäre gerade erst jemand aus dem Bett gestiegen und hätte alles so zurückgelassen.

Smith hatte eine Hauswirtschafterin. Ich war der Frau nie begegnet. Am makellosen Zustand des restlichen Hauses konnte ich jedoch erkennen, dass sie gewissenhaft war, was bedeutete, dass man diesen Raum bewusst in diesem Zustand gelassen hatte. Ich wanderte zum Schreibtisch, auf dem säuberlich aufgeschichtet ein Stapel Briefe lag. Ich nahm einen Brief hoch und pustete, um die Adresse lesen zu können. Es überraschte mich nicht, dass er die Anschrift dieses Hauses trug, doch als ich sah, dass er an eine Frau gerichtet war, setzte mein Herz einen Schlag aus. Margot Pleasant.

Ich durchsuchte den Stapel ungeöffneter Umschläge und hoffte auf einen Hinweis. Aber von ihrem Zustand abgesehen, war nichts Ungewöhnliches daran.

Ich wandte mich ab und setzte meine Suche fort. Dabei stolperte ich über einen herumliegenden Damenschuh. Ich beugte mich hinunter und hob ihn auf. Er hatte ungefähr meine Größe. Ich stellte ihn an die Seite, um kein zweites Mal darüber zu stolpern. Dann stoppte ich vor dem Schminktisch. Die Ablage war mit Parfümflacons und Lippenstiften vollgestellt, auf denen so viel Staub lag, dass ich die Namen und Marken nicht erkennen konnte. Ich schaute hoch und erstarrte. Mein eigenes Gesicht starrte zurück. Nicht einmal, sondern hundertfach. Kleine Splitter meines Mundes, meiner Augen und meiner Nase spiegelten sich im zerschmetterten Glas.

Ich zog die Schublade des Schminktisches auf. Dort entdeckte ich nur weitere Kosmetikartikel.

Ich drehte mich um und suchte nach einem neuen Ziel. Eine große Zederntruhe unter dem Fenster.

Wer war diese Frau? Nichts in diesem makabren Museum ihres Lebens gab mir darauf eine Antwort. Ich musste weiterstöbern.

Vorsichtig öffnete ich den Deckel und spähte in die Truhe. Ein dünner Rohrstock lag auf dem Boden, daneben Handfesseln und ein Seil. Die restlichen Gegenstände konnte ich nicht so leicht identifizieren. Es gab Klammern und Röhrchen, die an Ketten und Schläuchen befestigt waren. Als ich darin herumkramte, hatte ich plötzlich einen Dildo in der Hand. Ich ließ ihn sofort wieder fallen. Für die eine ein heimlicher Schatz, für die andere ...

Mir schnürte sich die Kehle zu, und ich wich von der Truhe zurück. Smith hatte seine Gründe gehabt, mich von diesem Raum fernzuhalten, und welche, das wurde zusehends klarer. Das beklemmende Gefühl erreichte meinen Magen. Ich sollte gehen, aber ich konnte einfach nicht. Nicht, bevor ich mir sicher war.

Gott, wie ich hoffte, mich zu irren.

Die Tür zum Wandschrank auf der gegenüberliegenden Seite zog mich magisch an. Ich nahm alle Kraft zusammen, steuerte direkt darauf zu und riss die Tür auf. Als ich das Oberlicht einschaltete, begrüßte mich eine vollgehängte Kleiderstange. Wunderschöne Roben und einfache Etuikleider. Schuhe über Schuhe. Und daneben eine Auswahl von Anzügen, allesamt einem einzigen Mann auf den Leib geschneidert.

Tränen stiegen mir in die Augen, als ich einen vertrauten Wollärmel in die Hand nahm. Sie waren alle schwarz. Das war der einzige Unterschied zu den Anzügen, die er jetzt trug.

Es war nicht das Zimmer einer Frau. Es war ihr gemeinsames Zimmer.

»Sie hat ihren Namen behalten«, sagte Smith hinter mir.

Ich wirbelte herum. Er stand mitten im Zimmer und hielt den Brief in der Hand, von dem ich den Staub gepustet hatte. Sein Haar war zerwühlt, und ein frischer Bartschatten lag auf seinem Kinn, davon abgesehen war er nackt. Die brutale Männlichkeit seines Körpers weckte vertraute Begierden in mir. Ich schloss die Augen und versuchte, das Gefühl von meinem Körper abzuschütteln, aber seine Präsenz war zu stark. Als ich die Augen erneut aufschlug, war er näher gekommen, was es mir noch schwerer machte, seiner Anziehungskraft zu widerstehen.

»Zuerst war es ein herber Schlag für mein Selbstbewusstsein, aber nach einiger Zeit bekam alles einen Sinn«, fuhr er fort. Seine Stimme klang fern, sie haftete in der Vergangenheit.

»Margot.« Ihren Namen laut auszusprechen, ließ sie realer werden. Ich hätte es am liebsten zurückgenommen, wünschte, ich hätte überhaupt nichts gesagt. »Hast du sie geliebt?«

Es war die wichtigste Frage und zugleich auch jene, die am wenigsten bedeuten sollte.

»Ich habe sie mehr geliebt als sie mich«, gestand er und schaute mich wieder an. »Wir waren jung, dumm und stinkreich. Ich nahm mir die Welt und fragte nicht nach dem Preis. Nie hätte ich gedacht, dass er so hoch sein würde.«

Ich wischte mir über die Augen. Es war mir peinlich, eifersüchtig zu sein.

»Wo ist sie jetzt?«, fragte ich, obwohl ich die Antwort fürchtete.

»Tot.« Es kam einfach so aus ihm heraus. Emotionslos. Eine Tatsache, mehr nicht.

»Ich muss gehen.« Ich drängte an ihm vorbei, aber er hielt mich am Arm zurück.

»Du musst das verstehen.«

»Was soll ich verstehen?«, platzte es aus mir heraus. »Dass du einen Schrein für deine tote Frau bewahrst? Die du übrigens nie erwähnt hast. Oder soll ich vielleicht verstehen, dass sie tot ist? Sag mir doch, was ich deiner Meinung nach verstehen soll.«

Darauf wusste er offensichtlich keine Antwort.

»Was erwartest du denn von mir? Soll ich dich in den Arm nehmen? Soll ich mich hinknien und dir einen blasen, damit du dich besser fühlst?« Ich riss mich von ihm los und setzte mich auf die Bettkante. »Du könntest mich ja auch vögeln und so tun, als wäre ich sie.«

Seine Augen blitzten voller Zorn, als er mich vom Bett zog und über seine Schulter warf. »Ich will nicht, dass du sie bist.«

»Lass mich runter«, verlangte ich.

»Nein. Erst, wenn du dich beruhigst.«

»Ich bitte um Verzeihung«, zischte ich. »Bitte lassen Sie mich runter, Sir.«

»Hör auf damit«, warnte er mich. »Zieh unsere Beziehung nicht ins Lächerliche.«

»Ach nein? Das ist sie doch schon längst!« Ich schlug mit der Hand gegen sein Schulterblatt, tat mir dabei aber nur selbst weh.

Als wir in der zweiten Etage ankamen, versuchte ich nicht mehr, gegen ihn anzukämpfen. Ich würde fliehen, sobald er mich losließ. Er konnte mich ja nicht ewig festhalten.

»Ich werde dich jetzt absetzen«, kündigte er beim Betreten seines Schlafzimmers an. »Dann willst du bestimmt abhauen. Schwöre mir, dass du das nicht tust.«

»Oder was?«, forderte ich ihn heraus.

»Oder ich schnüre dich zusammen und nehme dich so lange, bis du keine Kraft mehr hast zu verschwinden.«

»Das würdest du nicht tun.« Aber tief in meinem Inneren wusste ich, dass er es doch tun würde. Und was noch schlimmer war – ich wusste auch, dass ich es genießen würde.

Aber diesen Triumph wollte ich ihm nicht gönnen.

»Gut. Ich schwöre.«

Während er mich auf dem Boden absetzte, flüsterte er: »Vergiss nicht, dass ich nicht nur stärker, sondern auch schneller bin als du, meine Schöne.«

»Nenn mich nicht so.« Ich verschränkte die Arme. Sollte er doch so viel reden, wie er wollte.

»Am Tag, als sie ums Leben kam«, fing er an, »habe ich diese Tür geschlossen. Dann bin ich zum Schrank gegangen und habe das Gewehr meines Vaters genommen.«

Obwohl ich versuchte, distanziert zu bleiben, klappte mir der Unterkiefer herunter. Mich überkam das überwältigende Bedürfnis, seine Hand zu nehmen. Doch ich beherrschte mich und hörte ihm weiter zu.

»Zwischen uns lief es nicht gut. Ich hatte sie im Verdacht, eine Affäre zu haben. Sie war ebenso ein Hitzkopf wie ich. Das sorgte für einigen Zündstoff.«

Eine weitere groteske Ähnlichkeit zwischen uns beiden. Ich schluckte und versuchte, sein Geständnis zu verdauen.

»Es war ein regnerischer Tag. Sie kam von der Fahrbahn ab. Sie und der andere Fahrer waren sofort tot.«

»Diese Geschichte habe ich schon einmal gehört«, sagte ich leise. »Aber mit einem anderen Ende.«

»Es war ein Unfall, mehr nicht. So habe ich es jedenfalls

gesehen. Ich machte mir Vorwürfe. Sie war nach einem Streit weggefahren, um sich wieder zu beruhigen.«

»An einem Unfall trägst du keine Schuld.« Ich konnte kaum glauben, dass ich ihn jetzt auch noch tröstete.

»Niemand hat sich die Mühe gemacht, mir das zu sagen. Zu jenem Zeitpunkt war mein Vater schon tot. Meine Mutter hat sich ein paar Jahre später aus meinem Leben verabschiedet. Ich hatte dieses Haus und einen wichtigen Job. Ich hatte die Mandanten meines verstorbenen Vaters übernommen. Ich wollte, dass es wenigstens einen richtigen Menschen in meinem Leben gibt, also habe ich die Tür zugemacht und mich mit den Lügen abgefunden.« Er hielt inne und blickte mir in die Augen, bis ich den Kopf abwandte. »Weißt du, warum ich nicht in den Pool gehe? Dort ist mein Vater ertrunken.«

»Ein Unfall.« Das Wort rutschte mir von der Zunge, aber diesmal hinterließ es einen bitteren Nachgeschmack in meinem Mund.

»Hammond sagte, ich wäre unter einem Unglücksstern geboren.«

Sein Kiefer zuckte, und noch bevor ich mich's versah, strich ich schon mit der Hand darüber. Smith fing die Hand ein und hielt sie an sein Gesicht.

»Bin ich nur ein Ersatz?« Ich flüsterte die Frage.

Smith schloss die Augen. »Nein. Du bist das Original.«

»Ich habe die Spielsachen gesehen. Ich war im Velvet.« Ich schüttelte den Kopf. »Ich weiß nicht, ob ich in deine Welt gehöre.«

»Du irrst dich, meine Schöne. Das ist nicht meine Welt.«

»Aber warum bist du …« Ich stockte mitten im Satz, denn ich brachte es nicht über mich, die Frage auszusprechen.

»Ich wurde schon in jungen Jahren an Perversionen herangeführt. Dafür hat Hammond gesorgt. Er hat angefangen, Georgia zu vögeln, als sie vierzehn war. Die meisten seiner Geschäfte drehen sich um Sex, und sie ist das kostbare Kronjuwel seines Reiches. Er formte sie so, dass sie höchsten Standards genügte. Weißt du, jeder Mensch hat ein Laster. Ich hatte zu viele davon. Das Einzige, was hängengeblieben ist, ist die Dominanz. Ich würde sie ihm nur allzu gern anlasten, aber es liegt an mir. Ich bin so gebaut.«

»Ich auch«, gab ich mit brüchiger Stimme zu. »Du hast mich gezähmt.«

»Nein, meine Schöne. Ich hatte nur das Glück zu merken, dass du an die Leine gelegt werden wolltest.«

Ich zwang mich, das Verlangen zu ignorieren, das in meinem Innersten aufloderte. Ihm jetzt nachzugeben, wäre keine Lösung. »Warum hast du das Zimmer vor mir verborgen?«

»Wenn niemand deine Wunden sieht, warum solltest du sie extra herzeigen?«

Diese Antwort versetzte meinem Herzen einen Stich. Ich wusste ja, dass es einfacher war, zu tun als ob. »Seit ich ein kleines Kind war, habe ich so getan, als ob; bin immer den Weg gegangen, den man mir gewiesen hat. Ich will das nicht mehr.«

»Wir sind Seelenverwandte«, wiederholte er, was er zuvor bereits erklärt hatte. »Das will ich auch nicht mehr.«

»Aber warum vertrittst du ihn dann immer noch als Anwalt? Er ist ein Pädophiler.«

»Das kann ich dir nicht erklären.«

Zwei Schritte vorwärts, einen Schritt zurück. »Und ob du das kannst.«

»Du musst mir vertrauen.« Er verschränkte seine Finger mit

meinen und führte meine Hand an seine Lippen. »Ich hatte nicht geplant, dass sich zwischen uns etwas entwickelt, und jetzt muss ich für uns beide denken.«

Ich verengte die Augen zu Schlitzen. »Ich kann selbst denken.«

»Ich will, dass du *an* dich selbst denkst«, belehrte er mich sanft. »Am Montag werde ich alle entlassen, die für mich arbeiten. Dich eingeschlossen.«

»Und ich dachte, es geht mit uns weiter.« Ich versuchte, mich ihm zu entziehen, aber er verstärkte seinen Griff.

»Du wirst an Bless arbeiten. Ich habe schon dein Geschäftskonto aufgestockt.«

»Nein«, flehte ich. »Darum habe ich dich nicht gebeten.«

»Es ist keine Abfindung. Ich habe Papiere für einen anonymen Investor vorbereitet, der bei dir sein Geld anlegt. Mich. Ich habe kürzlich meine Anteile am Velvet verkauft und muss das Geld woanders anlegen.«

»Das klingt aber ganz nach einer Abfindung«, murrte ich.

»Ich möchte, dass du ein Herzensprojekt hast, besonders, weil wir nicht mehr so viel Zeit zusammen verbringen werden.« Der entschuldigende Unterton linderte nicht den Schmerz, den mir seine Ankündigung bereitete.

»Weil du damit beschäftigt sein wirst, andere Leute einzustellen«, erwiderte ich enttäuscht.

»Unter anderem. Ich will nicht, dass du noch mehr darüber weißt.«

»Warum?«

»Es war kein Zufall, dass ich dich eingestellt habe. Du wurdest für die Stellung bei mir eigens ausgewählt. Warum, habe ich erst später erfahren«, gab er zu. »Und dann war es zu spät.«

Ich starrte ihn völlig entgeistert an. »Zu spät, um mich zu feuern?«

»Um dich loszulassen.« Er riss mich brutal in seine Arme. »Du hättest damals aus dem Büro fliehen sollen. Ich hätte dich rauswerfen müssen. Jetzt ist es für uns beide zu spät.«

Nachdem seine Worte sich gesetzt hatten, wurde mir klar, dass er recht hatte. Ich würde immer wieder zu ihm zurückkehren. Trotz aller Warnsignale.

»Werden wir uns sehen können?«, murmelte ich.

»Ja.« Ich hörte, dass er dabei lächelte. »Mich wirst du so schnell nicht los. Wir müssen nur vorsichtig sein.«

»Wie lange?«

Er drückte seine Lippen in mein Haar und blieb eine Weile reglos stehen. Schließlich antwortete er: »Ich wünschte, das wüsste ich.«

Ich sagte nichts. Mir schwirrte der Kopf von all den Neuigkeiten.

»Allerdings«, fuhr er fort und klang nun angespannter, »falls du dich entscheidest, mich heute Abend zu verlassen oder morgen, dann habe ich Verständnis dafür. Ich kann dir nicht versprechen, dass ich dich in Ruhe lasse, aber ich werde versuchen, deine Wünsche zu respektieren. Dein Geschäftskonto steht dir natürlich auf jeden Fall zur Verfügung.«

»Ich will nicht dein Geld. Ich will dich.«

»Du hast mich, meine Schöne.« Er neigte den Kopf und küsste mich. »Alles von mir. Sogar mein Bankkonto. Sieh zu, wie du damit fertigwirst.«

»Ich kann ziemlich widerspenstig sein«, erinnerte ich ihn und grinste ihn kämpferisch an, obwohl das Verlangen in mir immer stärker wurde.

»Steck deine Energie in Bless, dann kann dich nichts mehr aufhalten.«

»Und was machen wir bis Montag?«

Er beantwortete meine Frage, indem er mich hochhob und zurück zum Bett trug. Er legte mich darauf nieder, dann betrachtete er mich, während ein wissendes Grinsen seine Lippen umspielte. »Bis dahin werde ich dich kommen lassen, bis du dich nicht mehr an deinen eigenen Namen erinnern kannst. Es gibt nur dich und mich.«

Ich kroch auf ihn zu und lockte ihn mit dem Finger, näher zu kommen. Als er in Reichweite war, strich ich mit der Zunge über die Stränge seines muskulösen Sixpacks. »Ich wette, ich kann dich zuerst deinen Namen vergessen lassen.«

»Hauptsache, *du* vergisst ihn nicht, meine Schöne.« Er nahm mich bei den Schultern und warf mich wieder auf die Matratze. Dann legte er sich auf mich, hielt mich so fest, dass ich mich nicht mehr rühren konnte, und senkte seinen Mund zu meinem Bauch hinunter.

Ich würde ihn nicht vergessen. Ich hatte mich entschieden, im Sturm nicht zu weichen und dem Regen zu trotzen. Auch dann nicht zu fliehen, wenn die ersten dunklen Wolken an unserem Horizont erschienen. Smith schaute mir tief in die Augen, als er sich zwischen meine Schenkel schob. Wir würden uns künftigen Stürmen gemeinsam stellen.

Dank

Ich danke meiner Superagentin Mollie Glick, die mir hilft, das zu schreiben, was ich schreiben möchte, und Joy Fowlkes, die dafür sorgt, dass alles glattläuft. Meine Agentin für die Auslandsrechte, Jessica Regal, ist eine Göttin. Ich kann es kaum erwarten, all meine schmutzigen Wörter in anderen Sprachen zu lesen.

Lindsey, du sorgst dafür, dass mein Leben funktioniert, und das schon lange, bevor du meine Assistentin geworden bist. Lass uns weiterhin gemeinsam die Welt erobern.

Ein dickes Dankeschön geht an Sharon, die die beste Pressefrau ist, die ich je hatte! Du bist ein Genie, und das nicht nur, weil wir auf einer Wellenlänge liegen! All meine Liebe und mein Dank gilt außerdem dem fabelhaften Team von Sassy Savvy – Linda, Jesey und Melissa. Ihr kümmert euch wunderbar um meine PR- und Marketingwelt!

Ich danke Bethany und Josh für ihre unglaublichen Lektoratsdienste. Irgendwie wisst ihr immer, was ich sagen will, auch wenn ich es nicht schreibe. Und mein Dank gilt Cait Greer, die sich mit all meinen Formatierungswünschen herumschlägt.

Mit der Hilfe meiner Freunde und einer Menge Alkohol schaffe ich alles. Danke für die klugen Ratschläge und die totlangweiligen Geschäftsgespräche, Laurelin. Sierra, deine Kommentare bringen mich immer zum Lachen.

Lauren Blakely, es ist schwer zu glauben, dass du auf der Highschool kein Cheerleader gewesen bist, du machst das derart gut! Danke, dass du mich immer aufbaust.

Ich danke den FYW Mädels, die mich stets aufs Neue beeindrucken! Ich empfinde Demut, dass ich eine von euch sein darf.

Ich danke dem Königlichen Hof! Ihre Bilder und Posts (aber vor allem Ihre Bilder) retten immer wieder meinen Tag. Ich finde es wundervoll, wie viele von Ihnen ich dieses Jahr getroffen habe, und ich kann es nicht erwarten, die Übrigen von Ihnen kennenzulernen!

Dank schulde ich auch den zahlreichen Bloggern. Ohne die wunderbaren Frauen, die da draußen schreiben, würde niemand meine Bücher lesen. Milasy, ich glaube, du bekommst allmählich deine Antworten. Trish, ich finde dich klug und sexy! Mein ganzer Dank gilt: Cocktails and Books, the Book Bellas, Short and Sassy. A Literary Gossip, The Laundry Room. Ich weiß, ich habe sicher welche vergessen. Erinnert mich daran, dass ich euch einen Drink ausgebe, wenn wir uns das nächste Mal sehen.

Bleibt lüstern, meine Freundinnen!

Ein Großteil dieses Buches habe ich im Historic Elms Resort geschrieben, das ein perfekter Ort war, um mich zu konzentrieren. Vielen Dank an das freundliche Personal für die Gastfreundschaft, die Begeisterung und die Club Sandwiches.

Ohne die Unterstützung meiner Familie würde ich das hier

nicht machen. Ich danke euch, Kinder, dass ihr mich für meine Bücher bejubelt, auch wenn ich sie euch noch nicht lesen lasse, und meinem Ehemann, der mir Zeit mit den Männern in meinem Kopf lässt, ohne (zu) eifersüchtig zu werden. Ich liebe dich.

Leseprobe

Geneva Lee
Royal Kiss
Band 5 der Royals-Saga

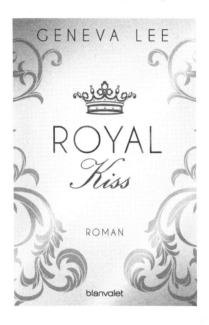

Belle will nicht zulassen, dass Smiths dunkle Vergangenheit ihre Liebe zerstört. Doch hat er wirklich damit abgeschlossen? Als sie ihn mit einer anderen Frau in einer eindeutigen Situation beobachtet, ist sie zutiefst verletzt. Enttäuscht und gedemütigt, bricht Belle jeden Kontakt zu Smith ab. Dennoch gelingt es ihr einfach nicht, ihn zu vergessen. Aber wie soll sie ihm seinen Verrat jemals verzeihen können?

I

Endlich war es so weit. Nach Wochen rastlosen Suchens war ich angekommen. Von außen machte das Gebäude nicht viel her, aber sein Inneres barg mehr als nur vier Wände und ein paar Fenster. Es war ein helles Ladenlokal, und obwohl der Londoner Spätherbst bereits mit winterlichen Temperaturen aufwartete, war der ganze Raum bis in den letzten Winkel in ein warmes Licht getaucht. Ich hatte mein eigenes kleines Plätzchen in London gefunden, und das mitten in Chelsea. Hier wollte ich den nächsten Schritt wagen.

Natürlich brauchten sämtliche Wände und die Regale, die sich daran entlangzogen, einen frischen Anstrich. Vielleicht in Elfenbeinweiß. Außerdem musste eine Menge Mobiliar angeschafft werden, schließlich war der Raum völlig leer. Aber darüber machte ich mir keine Sorgen. Er verfügte über Potenzial – und der Preis stimmte auch.

»Was meinen Sie?«, fragte Julian, mein unendlich geduldiger Makler. Für ihn, der normalerweise Top-Immobilien an milliardenschwere Konzerne verkaufte, stellte ich eine echte

Leseprobe aus *Royal Kiss*

Herausforderung dar. Doch er war ein Engel gewesen und hatte mir die Hälfte aller verfügbaren Gewerbe-Immobilien in der Londoner Innenstadt gezeigt. Nun wurde sein Durchhaltevermögen endlich belohnt.

»Es ist perfekt«, flüsterte ich und malte mir schon aus, wo Tische und Kleiderständer hinpassen würden.

»Der Eigentümer besteht auf einem Zwölfmonatsvertrag«, fing Julian an und ratterte die Vertragsbedingungen herunter, aber das spielte alles keine Rolle. Hier sollte meine nächste Lebensphase beginnen. Meine vagen Vorstellungen nahmen Gestalt an, und immer schneller wurde ein richtiges Unternehmen daraus: Bless. In ein paar Monaten wäre der Raum voll mit Tischen und Kleidern. Es fühlte sich an wie ein verrückter Traum.

Das Klingeln meines Handys riss mich aus meinen Fantasien – der vertraute Ton rief mir in Erinnerung, dass ich jetzt schon mehr besaß, als sich die meisten Frauen erhoffen konnten. Ich warf Julian einen entschuldigenden Blick zu und kramte nach meinem Telefon, doch er winkte nur ab. An solche Unterbrechungen hatte er sich in den letzten Wochen gewöhnt.

»Hallo, meine Schöne.« Smiths raue Stimme trieb eine Gänsehaut über meinen Körper. Wenn es jemand schaffte, mich nur mit Worten zum Orgasmus zu bringen, dann dieser Mann. Zum Glück hatte ich ihm das nicht erzählt, sonst würde er mich im Stundentakt anrufen.

Dass ich so auf seine Stimme reagierte, konnte auch daran liegen, dass wir seit einer Woche keinen Körperkontakt mehr gehabt hatten. Nachdem er mich als seine persönliche Assistentin gefeuert hatte, wollten wir vorerst kein Risiko eingehen und uns nicht allzu häufig sehen. Heute Morgen waren es sieben Tage. Noch nie hatten wir es geschafft, so lange die Finger voneinander zu lassen. Der Reaktion meines Körpers nach zu urteilen, wurde es allmählich Zeit, diesen Rekord zu beenden.

»Ich hab was gefunden«, flüsterte ich ins Telefon. Mehr brauchte ich nicht zu sagen. Trotz der Distanz, die wir in den letzten Wochen gehalten hatten, zweifelte ich nicht daran, dass er über meine Schritte auf dem Laufenden war. Mehr durfte ich am Telefon auch nicht verraten. Es wies zwar nichts darauf hin, dass jemand meine neue Telefonnummer abhörte – doch es gab auch keinen Beweis dafür, dass dies nicht der Fall war. »Bless hat jetzt ein Zuhause.«

»Das müssen wir feiern!« Was er damit meinte, war sonnenklar, und ich hakte ein Bein hinter das andere, um das Ziehen zu lindern, das sich umgehend zwischen meinen Schenkeln ausbreitete.

»Ach ja?« Wie üblich bewirkte Smith Price, dass ich mich bloß noch in sehr kurzen Sätzen ausdrücken konnte. Nur zu gern überließ ich es ihm, für uns beide Pläne zu machen, denn das lief normalerweise auf stundenlangen, fantastischen, wilden Sex hinaus. Zurzeit gab es tausend Dinge, um die ich mir Sorgen machte – befriedigt zu werden, gehörte allerdings nicht dazu. Zumindest nicht heute Nacht.

»Irgendwo privat – nur wir zwei allein. Ich schicke dir eine SMS mit der Adresse.«

»Ja, Sir«, hauchte ich in den Hörer, ohne mich darum zu scheren, dass Julian das Telefonat mitanhören konnte. Meine Worte klangen ebenso verheißungsvoll wie seine Einladung, hoffte ich.

Er legte auf, und ich landete wieder auf dem Boden der Realität.

Als ich mich umdrehte, sah ich gerade noch ein wissendes Grinsen in Julians Gesicht, der sein Handy checkte.

»Diesen geheimnisvollen Mann würde ich ja gern mal kennenlernen«, sagte er und ließ das Handy wieder in seine Brusttasche gleiten.

Ich hob eine Braue und schüttelte den Kopf. »Warum? Damit Sie ihn mir ausspannen können?«

»Vielleicht könnten wir ihn uns teilen?«, scherzte er.

»Dieses Spielzeug will ich ganz für mich allein haben.« Ich klang entschiedener als beabsichtigt, aber wer konnte mir meine Reaktion verdenken? Smith gehörte mir, und die Herausforderung, mit unserer schwierigen Situation klarzukommen, hatte mich nur noch besitzergreifender gemacht.

Julian winkte mit einer manikürten Hand ab. »Hauptsache, er sieht das genauso.«

Daran zweifelte ich nicht im Mindesten.

Schnell wechselte er das Thema. »Gehen wir ins Büro und erledigen den Papierkram.«

Dazu ließ ich mich gern überreden.

Die Adresse, die Smith mir aufs Handy geschickt hatte, sagte mir nichts, doch als ich in der kleinen ruhigen Straße in Holland Park eintraf, war ich verwundert. Ich hatte mit einem Hotel gerechnet, nicht mit einer privaten Unterkunft. Ein rascher Blick aufs Handy bestätigte, dass ich hier richtig war. Ich schnappte mir meine Tasche vom Beifahrersitz und glitt aus dem Mercedes. Trotz der idyllischen Gegend achtete ich darauf, ihn sicher abzuschließen. Der Wagen, das überaus großzügige Geschenk meines Liebsten, war mir in den letzten Wochen zur zweiten Heimat geworden und fast so ans Herz gewachsen wie der Mann, der ihn mir geschenkt hatte.

Ich blieb stehen, weil mir plötzlich klar wurde, dass ich ihn liebte. Ein seltsames Gefühl. Obwohl wir noch nicht lange zusammen waren, hatte unsere Beziehung schon einiges aushalten müssen, und ich war mir nicht sicher, ob Liebe nicht alles noch schwieriger machen würde. Keiner von uns hatte es bisher ausgesprochen. Wir hatten es stillschweigend vorausgesetzt. Vielleicht war es stur von mir, aber ich wollte nicht diejenige sein, die als Erste die magischen drei Worte aussprach. Vielleicht hatte ich auch nur Angst. Smith war mir in vielerlei Hinsicht ein Rätsel geblieben, und der letzte Mann, den ich zu lieben geglaubt hatte, hatte mir vor Augen geführt, dass ich meinem Urteil in Bezug auf Männer nicht trauen konnte.

Doch Smith war nicht einfach irgendein Mann. Er war unerhört männlich und fordernd. Er raubte mir die Besinnung und bestimmte, wann ich wieder klar denken durfte.

Jetzt reiß dich mal zusammen! Ich hängte mir die Tasche über die Schulter und näherte mich zögernd dem Haus. Ich ersehnte die Begegnung mit Smith genauso, wie ich sie fürchtete. Was, wenn er mir fremd geworden war?

Eine Spur zu fest klammerte ich mich an das Geländer, als ich die Stufen zur Haustür hinaufstieg. Ich spürte die Nachtluft an meiner nackten Muschi. Das erinnerte mich daran, wozu ich hergekommen war. Meinen Slip hatte ich, ganz Smiths Vorliebe entsprechend, schon im Wagen ausgezogen und in meine Tasche gesteckt. Ich fühlte mich zugleich exponiert und stark. Unsere Beziehung mochte einer Belastungsprobe ausgesetzt sein, aber ich war genau das, was er wollte.

Leseprobe aus *Royal Kiss*

Noch bevor ich die oberste Stufe erreichte, schwang die Tür auf, und vor mir stand *genau das, was ich wollte*. Ich bekam weiche Knie, als ich Smiths Anblick im anthrazitfarbenen, dreiteiligen Anzug auf mich wirken ließ. Es war durch nichts zu rechtfertigen, dass nur der Anblick eines Menschen eine derartige Wirkung auf mich hatte. Ich konnte von Glück sagen, wenn ich es noch schaffen würde hineinzugehen, anstatt gleich hier vor ihm auf die Knie zu sinken.

Als Smith mich hereinbat, blieben seine Gesichtszüge ausdruckslos, doch ich bemerkte ein amüsiertes Funkeln in seinen Augen, und das leichte Zucken um seine Mundwinkel bestätigte, dass er ein Lächeln unterdrückte. Seinem überheblichen Grinsen war ich genauso verfallen wie dem ganzen Mann. Schon als wir uns kennenlernten, hatte er mich damit fertiggemacht. Zu wissen, dass es sich jetzt hinter seinem strengen Blick verbarg, ließ mich feucht werden.

»Hallo, meine Schöne.« Er nahm meine Tasche, warf sie auf den Boden und wartete meinen Gruß gar nicht erst ab, sondern hob mich hoch und trug mich durch die Empfangshalle. Ich schlang die Arme um seinen Hals und bot ihm meinen Mund zum Kuss. Doch er hatte sich besser im Griff als ich. Er küsste mich auf die Stirn, bevor er mich auf einem Ledersofa absetzte.

»Gefällt es dir hier?«, fragte er.

Ich blinzelte, noch ganz gebannt von seiner Gegenwart, und zwang mich dazu, mich in dem gemütlichen Raum umzuschauen. An den Wänden hingen Bilder, die augenscheinlich allesamt unbezahlbar waren, und im kunstvoll verzierten Kamin knisterte ein Feuer. Hier sah es eher so aus wie in seiner Anwaltskanzlei und nicht wie bei ihm zu Hause. Mit einem fragenden Blick erwiderte ich: »Ja.«

»Eines meiner Investments«, erklärte er, während er sein Jackett aufknöpfte. Ich war froh, dass er es nicht auszog, denn für heute Abend hatte ich etwas mit ihm vor, bei dem der Anzug eine Rolle spielte.

Ich verlor mich derart in meinen Fantasien, dass ich einen Moment brauchte, bis ich begriff, dass er noch etwas gesagt hatte. »Wie bitte?«

Smith legte den Kopf schräg und strich sich seufzend mit der Hand durch sein dunkles Haar. »Mir scheint, du brauchst erst ein bisschen Spaß, bevor wir uns ernsthaft unterhalten können!

»Ja, Sir.«

Die knappe Antwort entfachte ein Feuer in seinen Augen, das so wild loderte, dass ich mir auf die Lippe biss, um nicht aufzustöhnen. Als ich ihm den Spitznamen gegeben hatte, war er mir gerade auf die Nerven gegangen. Der Name hielt sich jedoch, als ich merkte, wie fordernd Smith hinter geschlossenen Türen war – und wie heiß ich darauf war, ihm zu Willen zu sein.

Er stützte sich auf die Sofalehne, beugte sich zu mir herunter und schüttelte den Kopf. »Hier bestimme ich die Regeln. Muss ich dich wirklich daran erinnern?«

Das klang wie eine Drohung und zugleich wie ein Versprechen. Ich hatte schon erlebt, dass er mir spielerisch Klapse auf den Hintern gab, wenn ich ihn neckte oder mich absichtlich ein bisschen zierte. Mir war jedoch klar, dass ich noch nicht am eigenen Leib erfahren hatte, wozu er wirklich fähig war. Früher hätte mir der Gedanke daran vielleicht Angst gemacht, aber nachdem ich seine Hände so lange nicht auf meinem Körper gespürt hatte, sehnte ich mich leidenschaftlich nach seiner Berührung.

»So nötig hast du es also, hm?«, sagte er und bewies aufs Neue sein untrügliches Gespür dafür, wonach mir der Sinn stand. »Versuch nicht, mich zu drängen, Belle, sonst wirst du noch länger auf eine Bestrafung warten müssen als auf einen Orgasmus.«

Ich wollte mir nicht anmerken lassen, dass mich seine Warnung ernüchtert hatte. Also richtete ich mich auf, schlug die Beine übereinander und achtete sorgsam darauf, dass er einen Blick auf das erhaschte, was ich *nicht* unter meinem Rock trug. »Du hast dieses Haus also gekauft?«

»Schon vor ein paar Jahren.«

Er ließ sich nicht anmerken, ob ihm meine fehlende Unterwäsche aufgefallen war. Das fand ich enttäuschend.

»Eigentlich wollte ich es verkaufen.«

»Und bist noch nicht dazu gekommen?«, fragte ich trocken. Nur Smith war imstande, so lange auf einer Londoner Top-Immobilie sitzen zu bleiben. Sein Bankkonto machte es möglich, während wir anderen darauf angewiesen waren, unsere Wohnungen mit Mitbewohnern zu teilen.

»Ich habe jetzt andere Pläne.« Mehr verriet er nicht. Sein Blick wurde jedoch kühl, während seine Gedanken abschweiften.

Ich holte tief Luft und wartete, dass er sich wieder um mich kümmerte. Als er das nicht tat, wagte ich einen Vorstoß: »Ich habe dich vermisst.«

Es war eine einfache Feststellung, aber in meiner Stimme schwang zu viel Gefühl mit. Sofort bereute ich meine Worte und hätte sie am liebsten zurückgenommen. Als er mich damals über unsere prekäre Lage ins Bild gesetzt hatte, musste ich ihm versprechen, stark zu sein. In unserer Übereinkunft gab es keinen Platz für Sentimentalitäten. Meistens war ich viel zu sehr damit beschäftigt, meiner neuen Rolle als Unternehmerin gerecht zu werden, um mir über unsere Beziehung den Kopf zu zerbrechen. Zumindest tagsüber. Schwieriger wurde die Sache, wenn ich mich dann endlich ins Bett schleppte – allein. Doch als er jetzt so vor mir stand, brachte die ungestillte Sehnsucht all der schlaflosen Nächte meine Entschlossenheit schnell ins Wanken.

Doch statt mich zu tadeln, sank er neben mich und zog mich auf seinen Schoß. »Meine Schöne.«

Sein Kosename für mich besänftigte das Verlangen, das mich unversehens übermannt hatte. Aber gänzlich stillen konnte er es damit nicht.

»Ich habe den ganzen Nachmittag darüber nachgedacht, was ich mit dir machen werde«, flüsterte er und hob mit dem Zeigefinger mein Kinn, damit ich ihm in die Augen schaute.

»Und?«, fragte ich erwartungsvoll.

Er verzog den Mund und zwinkerte mir zu. »Ich glaube, es wird dir gefallen. Aber ich dachte, wir könnten uns noch ein bisschen unterhalten. Ich habe gehört, normale Pärchen erzählen sich, wie ihr Tag war, bevor sie sich ausziehen.«

Pärchen? Dieser Begriff erschien mir ein wenig zu salopp, um die Verbindung zu bezeichnen, die sich zwischen uns entwickelt hatte. Und normal? Das waren wir bestimmt nicht. Trotzdem übte das Bild eine gewisse Anziehungskraft auf mich aus.

»Normale Pärchen müssen sich nicht verstecken«, erinnerte ich ihn.

»Normale Pärchen«, erwiderte er mit angespannter Stimme, »haben auch keinen Chef, der Leute umbringt.«

Das war der springende Punkt. Wir hatten uns nicht aus freien Stücken voneinander getrennt – eine Tatsache, die ich nur zu gern verdrängen würde. Was Smith an seinen Arbeitgeber fesselte, ging weit über das übliche Maß hinaus. Er war in ein Netz aus Verrat und Betrug verwickelt, dem ich selbst nur mit knapper Not entkommen war. Hammond war der Mann, der die Fäden in der Hand hielt, die Smith daran hinderten, sich von seiner Vergangenheit zu lösen. Smith hatte ich es zu verdanken, dass Hammond anscheinend kein Interesse mehr an mir hatte. Wüsste er allerdings, dass es zwischen Smith und mir keineswegs aus war, würde sich das schnell wieder ändern.

»Erzähl mir von Bless«, forderte er mich auf. Offensichtlich wollte er das Thema wechseln.

Es gab eine Menge zu erzählen, obwohl ich eigentlich erst wenig erreicht hatte.

»Ich habe ein Ladenlokal in Chelsea gefunden, das in mein Budget passt.«

»Über dein Budget solltest du dir wirklich keine Gedanken machen.« Er legte die Stirn in Falten, aber ich unterbrach ihn, bevor er mich dazu nötigen konnte, noch mehr Geld von ihm anzunehmen.

»Ich gründe gerade eine Firma. Natürlich muss ich meine Finanzen im Blick behalten, und davon abgesehen, entspricht der Laden genau meinen Vorstellungen. Wenn er zu teuer für mich gewesen wäre, hätte ich es dir gesagt«, log ich. Ich hatte absolut nicht vor, noch mehr von seinem Vermögen anzunehmen, wenn ich es nicht wirklich brauchte.

»Was mir gehört, gehört auch dir.«

»Ach ja?«, fragte ich neckisch und spielte an seiner Gürtelschnalle. Mir wurde immer klarer, dass uns etwas Entspannung guttäte, und ich wusste ziemlich genau, wie wir das erreichen konnten.

Mit meiner Reaktion entlockte ich ihm sein erstes aufrichtiges Lächeln des Tages. »Soll das etwa heißen, der Smalltalk ist jetzt vorbei?«

»Wir könnten auch noch übers Wetter reden, aber ehrlich gesagt, bist du nicht der Einzige, der heute Nacht noch etwas vorhat.«

»Willst du mich etwa übertreffen, meine Schöne?« Er strich mit dem Finger über meine Unterlippe, und ich öffnete unwillkürlich den Mund.

Das war nun wirklich nicht möglich, schon allein deshalb nicht, weil ich mich so sehr nach seiner Dominanz sehnte. Ich presste fest die Schenkel zusammen, weil ich fürchtete, sonst einen feuchten Fleck auf seiner Wollhose zu hinterlassen.

»Nicht mal im Traum.«

»Braves Mädchen.« Ich spürte, wie er meinen Rock zwischen die Finger nahm. Er zog ihn herunter, streifte ihn ab und warf ihn beiseite. »Eigentlich wollte ich vorschlagen, dass wir noch einen Happen essen, aber im Grunde habe ich nur auf eines Appetit.«

Für seine Anzughose konnte ich jetzt keine Garantie mehr übernehmen. Ich biss mir auf die Unterlippe und spreizte einladend die Beine.

»Erst will ich die ganze Speisekarte sehen«, flüsterte er mir ins Ohr, während er so langsam und vorsichtig meine Bluse aufknöpfte, dass ich fast verrückt wurde. Seine Fingerspitzen strichen über jedes Stückchen Haut, das zum Vorschein kam. Dann streichelte er über die Spitzenkörbchen meines BHs, löste die Häkchen und ließ ihn herunterfallen. Mit einer fließenden Bewegung hob er mich in seine Arme und stand auf. »Ich glaube, der erste Stock wird dir noch mehr zusagen.«

Er knabberte an meinem Nacken, während wir die Treppe hinaufstiegen. Als wir das Schlafzimmer erreichten, konnte ich nicht mehr ruhig atmen vor Erregung. Smith legte mich auf dem Bett ab, trat einen Schritt zurück und betrachtete seine Beute. Dabei zog er sich langsam aus. Auch dafür ließ er sich viel Zeit. Smith konnte eine Frau an die Wand drücken, ihren Slip zur Seite schieben und sie komplett bekleidet vögeln. Doch wenn er eine Frau mit ins Bett nahm – wenn er *mich* mit ins Bett nahm –, dann trat an die Stelle des ungestümen Drängens eine Bedächtigkeit, die mir einen Schauer nach dem anderen über die Haut jagte.

Er streifte sein Jackett ab, faltete es in der Mitte zusammen und legte es über einen Stuhl, der in der Ecke stand. Das Gleiche wiederholte er mit seinem Schlips und dann mit seinem Hemd. Er behandelte jedes Kleidungsstück mit größter Sorgfalt. Es war der langsamste – und erregendste – Striptease der Welt. Denn Smith widmete diese Sorgfalt nicht nur seinen teuren Anzügen. Jedem Zentimeter meines Körpers würde die gleiche Aufmerksamkeit zuteilwerden.

Als seine Shorts zu Boden fielen, bekam auch ich einen ersten Eindruck von dem, was für *mich* auf der Speisekarte stand, und ich wollte unbedingt schon mal davon naschen. Mit offenem Mund kroch ich auf allen vieren an den Rand des Bettes. Smith kam näher heran. Das Mondlicht glänzte auf seinem athletischen Körper. Er blieb einen halben Meter vor mir stehen und gewährte mir einen besseren Blick auf das, was ich begehrte, ohne dass ich es berühren konnte.

»Wie heißt das Zauberwort?«

Mein ganzer Körper flehte ihn an – aber das hatte er nicht gemeint. Anfangs hatte mich Smiths dominante Ader noch eingeschüchtert. Inzwischen fand ich sie befreiend, und nach der Woche, die hinter mir lag, wollte ich nichts lieber, als mich voll und ganz von ihm dominieren zu lassen. »Bitte, Sir.«

»Leg dich hin«, befahl er mir beim Näherkommen. Ich legte mich auf den Rücken und ließ meinen Kopf instinktiv so über den Rand des Bettes herunterhängen, dass er die Spitze seines Geschlechts an meine Lippen führen konnte.

»Hast du dich selbst berührt?«

Ich strengte mich an, den Kopf zu schütteln, aber ich war viel zu sehr darauf konzentriert, meinen Mund um seine prächtige Rute zu schließen.

»Du wolltest es aber«, erriet er. Er hielt inne und stöhnte, als ich seinen Schaft verschlang. »Ich weiß doch, wie ausgehungert deine Muschi ist. Sie ist fast so ausgehungert wie dein gieriger kleiner Mund. Es muss schwer gewesen sein, dich zurückzuhalten, meine Schöne. Jetzt darfst du dich selbst berühren.«

Ich griff nach hinten und fasste seinen Schwanz, die andere Hand versenkte ich bereitwillig zwischen meinen Beinen. Nichts erregte mich so, wie seinen Blicken ausgeliefert zu sein, außer vielleicht, wenn ich dabei auch noch seinen Schwanz im Mund hatte. Mein Körper bebte, als meine Fingerspitzen meine Lustknospe fanden. Ich umkreiste sie und ließ meine Hüften gegen den willkommenen Druck kreisen. In Wahrheit hatte ich gar keine Lust, mich selbst zu berühren, wenn ich nicht mit ihm zusammen war, denn ich wusste, dass ich mein Verlangen damit nicht stillen konnte. Das konnte nur er.

»Fick mich, meine Schöne. Dein Mund fühlt sich gut an«,

keuchte Smith, während er mich durch halb geschlossene Lider beobachtete.

Mein Gott, wie gern legte ich eine Show für ihn hin. In meinem ganzen Leben hatte ich mich noch nie so lebendig gefühlt – und nie so unwiderstehlich – wie in den Momenten, wenn diese Augen auf mich gerichtet waren. Nur dafür lebte ich.

Er entzog sich mir und beugte sich herunter, sodass unsere Gesichter nur noch wenige Zentimeter voneinander entfernt waren. Dann fasste er mein Handgelenk und führte meine von den Spuren der Erregung feuchten Finger an seine Lippen. »Ich muss dich schmecken.«

Smith saugte lasziv jeden Finger einzeln zwischen seine Lippen. Das Pochen in meinem Schoß verwandelte sich in ein heftiges forderndes Ziehen. Meine Beine öffneten sich wie von allein, und ich fing an, mich zu winden. Ich konnte mich nur mit Mühe davon abhalten, ihn auf mich zu ziehen. Er ließ meinen Arm los, jedoch nicht meinen Mittelfinger, der immer noch zwischen seinen Lippen steckte, und griff mit beiden Händen unter meine Schultern. Schließlich gab er meinen Finger frei, drehte mich auf den Bauch und stieg ins Bett. Ich wagte nicht, mich zu rühren, als er sich hinter mir in Stellung brachte. Es war besser, ihn nicht zu unterbrechen, wenn er die Führung übernahm. Er nahm mich an den Hüften und zog meine gespreizten Schenkel über seinen Schoß. Mit dem Gesicht nach unten lag ich auf der Matratze und krallte die Finger ins Laken.

»Das habe ich vermisst.« Er strich mit den Händen über meine Pobacken und hinunter bis zu meiner bebenden Muschi. Seine Berührung entlud sich an meiner empfindlichsten Stelle wie elektrischer Strom. »Ich spüre, wie sehr du dich danach sehnst, versohlt zu werden. Hast du meine Hände vermisst?«

»Ja, Sir«, stöhnte ich in den Stoff. Das hatte ich wirklich. Ganz verdorben hatte ich mich gefühlt, so sehr hatte ich es vermisst. Der erste Schlag traf nur leicht auf meine rechte Backe, und ich biss fest in die Bettdecke, weil ich fürchtete, schon von der ersten Berührung zu kommen. Die zarte Haut fing an, sich zu erwärmen, und Smith streichelte sie zärtlich.

»Mehr?«, wollte er wissen.

Ich nickte mit zusammengebissenen Zähnen.

»Wie heißt das Zauberwort?«

Ich öffnete den Mund und flehte lüstern: »Bitte schlag mich.«

»Mit Vergnügen.«

Der nächste Schlag war schon fester und erwischte mich so heftig, dass ich unwillkürlich versuchte, meine Schenkel um Smiths Taille zu schlingen. Ich brauchte ein bisschen Reibung. Aber Smith war viel zu erfahren, um das zuzulassen. Stattdessen verabreichte er mir eine Serie von Schlägen, mal spielerisch, mal richtig gemein. Als er endlich aufhörte, brannte mein Hintern von der erotischen Attacke. Ich war zu keinem klaren Gedanken mehr fähig: Da war nur noch das heiße, pochende Gefühl, das sich auf meinem Hinterteil ausbreitete. Smith sagte kein Wort, als er meinen Körper noch ein Stück näher zu sich heranzog und seinen Schwanz auf wundervolle Weise Zentimeter für Zentimeter durch meine pulsierende Pforte schob. Er hielt mich an der Taille fest, während sich mein Körper langsam an sein Vordringen anpasste.

»Du bist so feucht und eng. Willst du jetzt für mich kommen.«

Ich stieß ein Ja hervor. *Oh Gott, ja. Ja. Ja. Ja.* Ja war das einzige Wort, das jetzt noch einen Sinn ergab, und ich schrie es heraus, als er tiefer in mich eindrang und den Orgasmus hervorlockte, den er in meinem Schoß herangezogen hatte. Er fickte mich so kraftvoll, dass mich mit jedem Stoß eine neue Welle der Lust erfasste. Ich klammerte mich ans Bett. Dieses Gefühl wollte ich nicht mehr hergeben, es sollte nie mehr aufhören. Doch als sich meine Spasmen legten, zog er sich zurück und drehte mich behutsam wieder auf den Rücken, bevor er von Neuem in mich eindrang.

»Schau mich an«, befahl er mit rauer Stimme. »Du sollst sehen, was du mit mir machst, Belle.«

Ich zwang mich, die Augen offen zu halten, als er mich langsam und behutsam von Neuem nahm. Smiths Daumen suchte meine Lustknospe, und ich sah zu, wie sein Schaft in meinem Körper verschwand.

Es war das Schärfste, was ich jemals gesehen hatte. Smith thronte zwischen meinen gespreizten Schenkeln, und zwischen meinen rosigen Schamlippen war der Ansatz von seinem Schwanz zu erkennen.

Mein Becken zog sich zusammen. Schon stand der nächste, unausweichliche Ansturm bevor.

»Das ist es, meine Schöne«, stöhnte er, und dann spürte ich die erste unverkennbare heiße Eruption in meiner Muschi.

Ich ließ mich restlos mit ihm gehen, schlang meine Beine um seine Taille und trieb ihn an, während wir gemeinsam alles andere vergaßen. Als er schließlich zur Ruhe kam, schloss er mich in seine Arme und versiegelte meinen Mund mit seinen Lippen. Wir schlangen die Glieder umeinander, während unser Kuss an Leidenschaft gewann. Hier gehörte ich her. An die Seite dieses Mannes. Als wir voneinander ließen, sanken wir nieder, ohne unsere Umarmung zu lösen. Er legte seine Hand an meine Wange und zog mich wieder an seinen Mund, der für die Zukunft noch so vieles mehr verhieß.

2

Am nächsten Nachmittag fühlte ich mich im CoCo trotz der vielen Menschen, die es belagerten, so entspannt wie nie zuvor. Erstaunlich, wie sich eine Nacht voller Orgasmuswonnen auf eine Frau auswirken konnte. Lola winkte mich breit grinsend an ihren Tisch. Als der Kellner erschien, um unsere Getränkebestellung aufzunehmen, fiel ihr das Lächeln allerdings gleich wieder aus dem Gesicht. Der schlaksige Kerl zeigte sich eine Spur zu erfreut darüber, zwei Frauen bedienen zu dürfen. Er ging vor uns in die Hocke, doch noch ehe er etwas sagen konnte, kam ihm Lola zuvor.

»Zwei Bourbon. Wests bitte«, orderte sie, ohne ihn eines Blickes zu würdigen. Als er Richtung Bar abzog, warf sie mir einen genervten Blick zu. »Seit ich mich hingesetzt habe, hängt der an mir wie ein Hündchen.«

»So schlimm?«, lachte ich und hängte meine Tasche über die Stuhllehne.

»Schlimmer. Wenn der mehr von mir kriegen will als meine Unterschrift auf dem Kreditkartenbeleg, muss er sich wirklich etwas anderes einfallen lassen.« Lola zuckte gelassen mit den Schultern, schaltete ihr Handy ein und verwandelte sich in eine Geschäftsfrau. »Und jetzt erzähl mir doch mal, wie es mit deinem Marketing aussieht.«

Einer der Gründe, warum ich mich mit dieser Frage an Lola gewandt hatte, war ihre Fähigkeit, ohne Umschweife direkt auf den Punkt zu kommen. Und es sah nicht so aus, als ob sie heute von dieser Linie abweichen würde. Das Problem war, dass ich überhaupt nicht wusste, wo ich anfangen sollte. Um etwas Zeit zum Nachdenken zu gewinnen, faltete ich an der Serviette herum. »Ehrlich gesagt, habe ich gerade erst ein Ladenlokal gefunden. Die Entwürfe fürs Logo sind noch nicht da, und für die Einrichtung haben wir bislang auch noch nichts gekauft.«

Dass die meisten meiner Ideen zurzeit nur als Skizzen in meinem Notizbuch existierten, erwähnte ich gar nicht erst.

Sie tippte etwas in ihr Smartphone »Hast du einen Businessplan geschrieben?«, erkundigte sie sich.

»Hm. Nicht unbedingt. Keinen offiziellen Businessplan jedenfalls. Aber ich habe mir viele Notizen gemacht.« Smith hatte dasselbe angemahnt, mich anschließend aber nur allzu gern von dieser Hausaufgabe abgehalten.

»Dann sollte das die zweite Sache sein, um die du dich kümmerst. Aber als Erstes möchte ich, dass du mir auf einer Seite deine Geschäftsidee skizzierst, die Abo-Bedingungen erklärst und wie viel du dafür verlangen willst.«

Ich warf ihr einen kritischen Blick zu. »Ich dachte, du wolltest mich beraten?«

Lola legte den Kopf schräg. In dieser Position sah sie ihrer Schwester Clara noch ähnlicher als sonst. »Was das betrifft...«

Leseprobe aus *Royal Kiss*

Als sie innehielt, machte ich mich aufs Schlimmste gefasst. Wenn sie jetzt hinschmiss, war ich verloren. Ich fand ja kaum noch Zeit zum Duschen. Auf die Schnelle einen Marketing-experten zu finden, der bereit war, in einem so frühen Planungsstadium mit mir Strategien zu entwickeln – das erschien mir völlig aussichtslos.

»Ich will bei dir einsteigen«, erklärte sie zu meiner Überraschung. »Ich bin im letzten Jahr an der Uni. Fürs nächste Semester brauche ich einen Job. Kennst du jemanden, der mich einstellen würde?«

Es war unmissverständlich, worauf sie mit ihrer Frage hinauswollte. »Du willst wirklich für mich arbeiten?«

Bis jetzt waren die Reaktionen auf meinen plötzlichen Ausflug ins Geschäftsleben ziemlich durchwachsen gewesen. Die meisten meiner Freunde waren zwar sehr angetan, hatten sich aber eigentlich nur mäßig interessiert gezeigt. Meine Mutter hätte fast einen Herzinfarkt bekommen. Und Smith? Bei ihm war ich mir noch immer nicht ganz sicher. Zwar hatte er die Ausgaben vorgestreckt, aber er suchte schließlich auch nach einem Mittel, um mich aus Hammonds Schusslinie zu bringen. Dass er mich bei meinen Geschäftsplänen unterstützte, konnte einfach nur ein wohlüberlegter Schachzug sein.

»Es sei denn, du willst mich nicht.« Lola trank einen Schluck Wasser und gab sich ungerührt.

»Nein!«, sagte ich so laut, dass sich peinlicherweise gleich mehrere Kellner nach mir umdrehten. Ich senkte die Stimme und lehnte mich über den Tisch. »Ich will dich auf jeden Fall. Ich glaube, fürs Geschäftliche habe ich den richtigen Riecher, aber vom Marketing habe ich keine Ahnung. Es ist nur ... Ich kann dir nicht viel zahlen. *Noch nicht.*«

Vielleicht auch nie. Ich ignorierte die kritische Stimme in meinem Kopf. Zum Aufgeben war es zu früh.

»Das habe ich mir schon gedacht«, antwortete sie unbekümmert und strich sich eine dunkle Strähne hinters Ohr. »Hör mal, eigentlich bin ich auf das Geld nicht angewiesen. Ich brauche was, auf das ich richtig Lust habe. Mein Vater liegt mir ständig in den Ohren, ich solle als sein Partner bei einem Start-up einsteigen. Aber es gibt eine Menge Gründe, die für mich dagegensprechen. Weil ich mir ums Geld keine Sorgen zu machen brauche, will ich mir etwas Eigenes aufbauen. Ich könnte sogar etwas zur Finanzierung beitragen.«

»Die Finanzierung ist kein Problem«, versicherte ich ihr, nicht ohne dabei rot anzulaufen.

»Dann lass uns loslegen«, schlug sie vor, als der Kellner mit den Bourbons zurückkehrte.

»Wir haben einen Namen und einen Laden. Haben wir dann alles, um loszulegen?«

Darauf setzte sie nur ein spöttisches Grinsen auf und strich mit dem Finger über den Rand ihres Glases. »Wir haben eine Idee. Die müssen wir jetzt verkaufen. Ich werde mich noch vorm Wochenende mit ein paar Modemagazinen kurzschließen, damit sie etwas über dich und dein Geschäft bringen. Zeitschriften planen ihre Inhalte über Monate im Voraus. Die Presse soll berichten, wenn der Laden eröffnet, und nicht lange danach.«

Das ging alles ganz schön schnell. Vor einer Woche hatte ich eine Idee und jetzt schon einen Partner, einen Laden und weitaus mehr auf dem Zettel, als ich mir hatte träumen lassen. Das war mehr als aufregend, aber bei aller Euphorie war mir auch etwas mulmig. »Es ist doch okay, wenn man Angst hat, oder?«

»Ja. Wenn dir das Leben nicht ein bisschen Angst macht, dann lebst du wahrscheinlich nicht richtig«, erwiderte sie, ohne zu zögern, und erhob ihr Glas. »Auf die Partnerschaft.«

Ich stieß mit ihr an und schüttelte den Kopf. Sie hatte ja keine Ahnung, wie viel Angst mir mein Leben manchmal machte. »Auf die beängstigenden neuen Möglichkeiten!«

Als wir mit unserem kurzen Strategiemeeting fertig waren, brannte ich darauf, wieder ins Büro zu kommen. Die wohlige Zufriedenheit, mit der ich Smith am Morgen verlassen hatte, war dem dringenden Bedürfnis gewichen, mich zu konzentrieren. Innerhalb von zwei Tagen hatte ich es geschafft, einen Laden zu mieten und eine Geschäftspartnerin zu finden. Ich kramte mein Handy heraus, ignorierte die zahllosen eingegangenen Textnachrichten und tippte eine SMS an Edward.

Für Bless gibt es diese Woche zwei Gründe zum Feiern!

Ich wusste, dass du es schaffst, Herzchen! Wollen wir Samstag was trinken gehen? Ich will alles wissen.

Abgemacht!

Details folgen.

Noch bevor ich das Handy wieder einstecken konnte, erreichte mich ein Anruf mit unterdrückter Rufnummer. Hin- und her-

Leseprobe aus *Royal Kiss*

gerissen, ob ich abnehmen sollte, starrte ich auf das Display. Mir war klar, dass ich den Anruf unter den gegebenen Umständen auf die Mailbox umleiten sollte, allerdings musste ich mich auch daran gewöhnen, dass ich jetzt eine Geschäftsfrau war. Der Anruf konnte wichtig sein. Schließlich siegte die Neugier über meine Vernunft.

»Hallo?«, meldete ich mich.

»Hast du die Papiere durchgesehen, die ich dir geschickt habe?«

Als ich die Stimme meiner Mutter hörte, schloss ich unwillkürlich die Augen. »Hast du etwa die Nummernanzeige unterdrückt?«

»Du gehst ja nicht ans Telefon, wenn ich anrufe, aber die Angelegenheit ist dringend«, sagte sie und tat so, als wäre es völlig in Ordnung, mich so hinters Licht zu führen.

Ich war einem Telefonat mit ihr seit Wochen aus dem Weg gegangen und hatte den Umschlag ignoriert, der nach unserer letzten verheerenden Begegnung bei mir eingegangen war. Sie hatte überaus deutlich gemacht, dass das Einzige, was sie an mir interessierte, meine Unterschrift war.

»Außerdem habe ich gehört, dass du die Sache mit diesem albernen Internetgeschäft tatsächlich durchziehst«, fuhr sie rasch fort. Offenbar wollte sie noch eine ganze Reihe von Beschwerden loswerden, bevor ich das Gespräch beendete. »Woher hast du überhaupt das Kapital für so etwas? Hat deine Tante dir das finanziert?«

»Tante Jane hat keinen Penny beigesteuert.« *Sie hat mich nur moralisch unterstützt*, dachte ich im Stillen.

»Es wäre um einiges vernünftiger, wenn du deine Energie in unser Anwesen stecken würdest.«

Mein Anwesen, das unerwünschte Familienerbe, das mir beim Tod unseres Vaters zugefallen war, war das Letzte, über das ich mir jetzt Gedanken machen wollte. Ursprünglich hatte ich gut heiraten wollen, um seinen Fortbestand zu sichern, aber inzwischen konnte meinetwegen alles den Bach runtergehen und meine Mutter gleich mit.

»Ich vermute mal, du hast alles unter Kontrolle«, erwiderte ich kühl. Sie hatte mich nie gefragt, wie wir mit den Schulden umgehen sollten, die das Anwesen belasteten. Stattdessen hatte sie mich gedrängt, einen Weg zu finden, wie sie ihren aristokratischen Lebensstil aufrechterhalten konnte.

»Die Produzenten wollen über Weihnachten mit den Filmaufnahmen beginnen«, klagte sie in einem Tonfall, der irgendwo zwischen Panikattacke und Nervenzusammenbruch lag.

»Ich gehe die Verträge durch, wenn ich Zeit habe.« In Wahrheit hätte ich der BBC das Anwesen am liebsten gleich ganz überschrieben. Aber so leicht war das nicht, fürchtete ich, und ich hatte keine Lust, meine wenige Zeit beim Rechtsanwalt zu verbringen, um mit ihm die Verträge durchzusprechen.

»Ich würde wirklich nur sehr ungern andere Maßnahmen ergreifen«, drohte sie.

Ich blieb derart abrupt stehen, dass prompt ein Pärchen von hinten in mich hineinlief. Eine Entschuldigung murmelnd stellte ich mich vor einen Laden. »Was willst du damit sagen?«

»Wenn du ein Geschäft hast, gibt es auch ein Betriebsvermögen«, sagte sie mit sanfter Stimme. »Das Anwesen ist dir überschrieben, und das heißt, ich kann dich für die Schulden geradestehen lassen.«

»Wenn du das tust«, erwiderte ich mit zusammengebissenen Zähnen, »kannst du deine Koffer packen.«

»Ist das der Dank für die Frau, die dich zur Welt gebracht hat? Du würdest mich auf die Straße setzen?«

»Ich habe schon teuer genug bezahlt. Ich bin dir nichts mehr schuldig«, zischte ich, beeilte mich jedoch hinzuzufügen: »Ich werde mir die Verträge anschauen.«

Dann legte ich auf. Ich kochte vor Wut. Mit dem Rücken gegen die Schaufensterscheibe gelehnt, starrte ich auf die Menschenmenge, die an mir vorbei zur Mittagspause strömte, und zwang mich, ruhig zu atmen. Smith würde nicht zulassen, dass sie Bless in die Insolvenz trieb. Doch ehe ich mir nicht selbst ein Bild über die finanzielle Schieflage des Anwesens gemacht hatte, konnte ich ihn nicht um Hilfe bitten. Ich würde die Papiere unterzeichnen und so die Galgenfrist für sie und das Anwesen um ein paar Jahre verlängern, bis ich eines Tages beide in die Wüste schicken konnte.

Wenn Sie wissen möchten,
wie es mit Belle & Smith weitergeht, lesen Sie

Geneva Lee
Royal Kiss

978-3-7341-0381-0

Blanvalet

Auch als E-Book erhältlich
987-3-641-19915-9

Wir lieben Geschichten,
die unseren Puls beschleunigen.
Wir schreiben über alles, was uns fasziniert,
inspiriert oder anmacht.
Und was bewegt dich?

Willst du mehr?
Hier bist du goldrichtig:

www.sinnliche-seiten.de
WIR LESEN LEIDENSCHAFTLICH